Gwyddoniaeth Ddwbl TGAU

Bioleg

Y Llyfr Gwaith
Haen Uwch

Gydag Atebion

CANOLFAN ASTUDIAETHAU ADDYSG
CAA
ABERYSTWYTH

Addasiad Cymraeg gan Colin Isaac
Golygwyd gan Richard Parsons

Cynnwys

Adran 1 - Celloedd

Adran 2 - Planhigion

Adran 3 - Bioleg Ddynol 1

Adran 4 - Bioleg Ddynol 2

Adran 5 - Geneteg ac Esblygiad

Adran 6 - Yr Amgylchedd

Cyhoeddwyd gan y Ganolfan Astudiaethau Addysg, Prifysgol Cymru Aberystwyth.
Cyhoeddwyd gyda chymorth ariannol Awdurdod Cymwysterau, Cwricwlwm ac Asesu Cymru (ACCAC).

Argraffiad cyntaf: Rhagfyr 2001

ISBN 1 85644 578 X

Addasiad Cymraeg gan Colin Isaac
Golygwyd a pharatowyd ar gyfer y wasg gan Janice Williams a Glyn Saunders Jones

Dyluniwyd gan Enfys Beynon Jenkins

Aelodau'r Pwyllgor Monitro: Gwen Aaron, Helen Baker, Ian Morris Jones

Diolch i Hywel Davies (Ysgol Bro Gŵyr) a Sandra Jones (Ysgol Penweddig) am eu cymorth.

Argraffwyd gan Argraffwyr Cambria, Aberystwyth, Ceredigion

Prosesau Bywyd

1) *Yn y diagram gyferbyn gwelir rhai o brosesau bywyd buwch.*

a) Enwch un broses bywyd na chaiff ei dangos yn y diagram.

b) Eglurwch y broses bywyd hon.

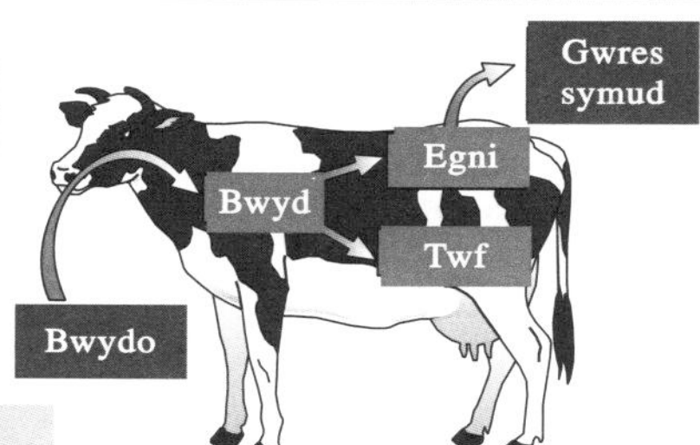

2) Ysgrifennwch y broses bywyd gywir gyferbyn â phob gosodiad.

Gosodiad	Y Prosesau Bywyd
a) Mae un amoeba yn hollti i ffurfio dau unigolyn.	
b) Pan fesurodd garddwr ei blanhigion ffa, roedd taldra pob un wedi cynyddu 5cm o leiaf.	
c) Ar ôl cymryd planhigyn allan o gwpwrdd tywyll a rhoi golau arno am 24 awr o leiaf, roedd startsh yn y dail.	
d) Ar silff ffenestr, mae planhigion berwr yn plygu tuag at y golau.	

3) Tynnwch linellau i gysylltu'r broses bywyd gywir â'r disgrifiad cywir.

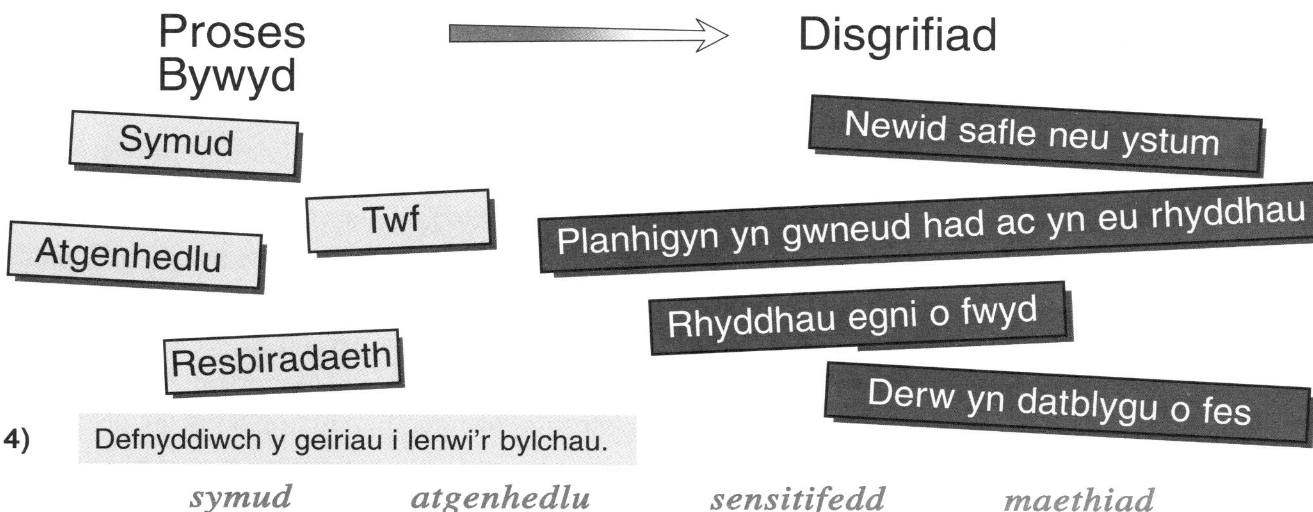

4) Defnyddiwch y geiriau i lenwi'r bylchau.

symud *atgenhedlu* *sensitifedd* *maethiad*
ysgarthu *resbiradaeth* *tyfu*

Er mwyn i'w rhywogaeth barhau o genhedlaeth i genhedlaeth, rhaid i bethau byw ____________ . Hefyd rhaid i anifeiliaid ________________ er mwyn dod o hyd i fwyd a chymar ac er mwyn dianc rhag ysglyfaethwyr. Mae pethau byw yn cynhyrchu unigolion newydd sy'n ________________ i fod yn oedolion. I gyflawni'r broses o fyw, rhaid rhyddhau egni o fwyd. Gelwir hyn yn ________________ . Y gair am y broses o wneud bwyd neu ei gymryd i mewn yw ________________ . Yn ein cyrff cynhyrchwn wastraff o ganlyniad i adweithiau cemegol. Caiff hyn ei ________________ o'r corff. Rhaid i bethau byw ganfod newidiadau o'u hamgylch ac ymateb iddynt. Mae'r broses hon, a elwir yn ________________ , yn bwysig iawn os ydy pethau byw i oroesi.

Gair i Gall: A dweud y gwir, mae'r Saith Proses Bywyd yn ddigon hawdd. Dylech fedru cofio'r saith - bydd MATS SYR o gymorth i chi. Ond mae'n bwysig dysgu mwy na'r enwau yn unig - dysgwch ystyr y prosesau.

Celloedd

1) Dyma ddwy organeb ungellog sy'n nofio mewn dŵr.

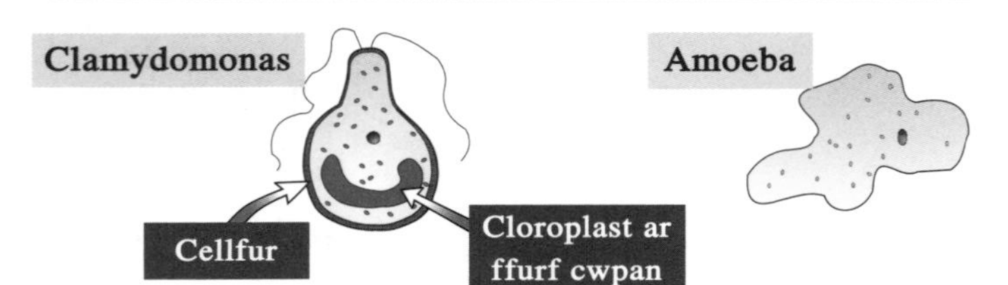

a) Pa un sy'n fwy tebyg i gell planhigyn?

b) Rhowch ddau reswm pam mae'n fwy tebyg i gell planhigyn.

2) Enwch dri ffurfiad sydd gan gelloedd planhigion ac anifeiliaid.

3) Dyma ddiagram cell deilen.

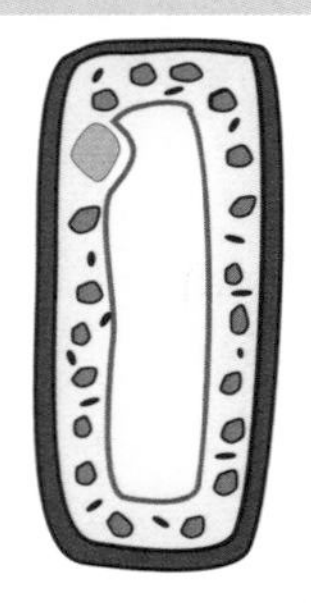

a) Ychwanegwch y labeli canlynol at y diagram:

cellbilen **cellfur** **cloroplast** **cytoplasm** **cnewyllyn** **gwagolyn nodd**

b) Pa ffurfiadau sy'n galluogi i gelloedd dail wneud siwgr?

c) Beth yw enw'r broses hon?

d) Beth yw enw'r sylwedd gwyrdd sydd mewn dail?

e) Beth yw swyddogaeth y cellfur?

4) Llenwch y bylchau â'r geiriau isod (gallwch ddefnyddio geiriau fwy nag unwaith).

cellbilen *cellfur* *cloroplastau* *cytoplasm*
cnewyllyn *nodd* *gwagolyn*

Mae'r canlynol gan bron pob cell mewn planhigion ac anifeiliaid: ______________, cytoplasm, ______________. Bydd ______________cellwlos yn cryfhau celloedd planhigion. Hefyd mae ______________ mawr parhaol ganddynt sy'n cynnwys ______________ . Hylif yw hwn sy'n cynnwys sylweddau wedi'u storio a dŵr. Mae'r dŵr yn helpu i gynnal y gell. Fe geir adweithiau cemegol yn y ______________ sydd gan y gell. Mae ______________ yn rheoli gweithgareddau'r gell. Mae'n cynnwys cromosomau sydd â genynnau arnynt. Mae'r genynnau'n rheoli nodweddion. Mae planhigion yn gwneud bwyd yng nghelloedd eu dail drwy ffotosynthesis. I wneud hyn mae planhigion yn amsugno golau â chloroffyl a geir mewn ______________.

5) Dyma ddiagram cell sberm dyn.

Gwagolyn sy'n cynnwys cemegau i helpu'r sberm i fynd i mewn i'r wy

Cynffon i nofio

Mitocondria'n rhyddhau egni o fwyd

a) Enwch ddau ffurfiad a geir yn y gell sberm nas ceir fel arfer yng nghelloedd anifeiliaid.

b) Labelwch ddau ffurfiad sy'n nodweddiadol o gelloedd anifeiliaid.

6) *Caiff celloedd eu grwpio'n feinweoedd. Trefnir meinweoedd gyda'i gilydd i ffurfio organau. Organau sy'n ffurfio'r systemau.*

a) Enwch y gwahanol systemau lle mae celloedd y gwaed, celloedd yr ymennydd a'r groth.

b) Beth yw meinwe chwarennol?

Gair i Gall: Mae dau brif beth i'w dysgu - 1) y **pedwar ffurfiad** sy'n gyffredin i'r celloedd i gyd a 2) y **tri ffurfiad** sydd gan gelloedd planhigion **yn unig**. Hefyd bydd angen i chi wybod y dilyniant hwn: **celloedd → meinwe → organ → organeb**.

Celloedd Arbenigol

1) *Gellid dweud mai wy estrys yw'r gell fwyaf yn y byd.*

Pa dair nodwedd yn arbennig sy'n gyffredin i hon a chell yn y corff dynol?
Beth yw swyddogaeth yr wy?

2) Mathau gwahanol o gelloedd yw A, B, C yn y diagram isod.

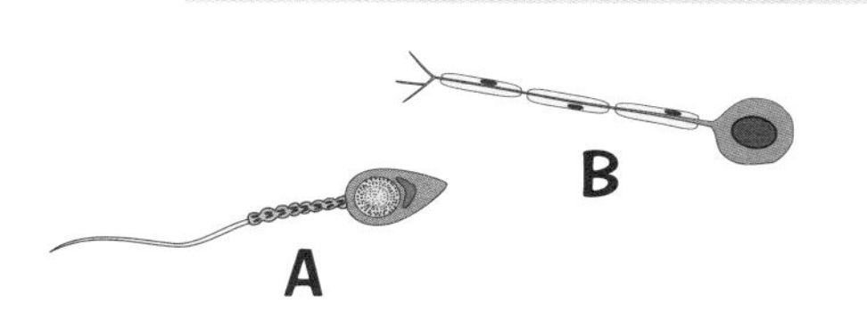

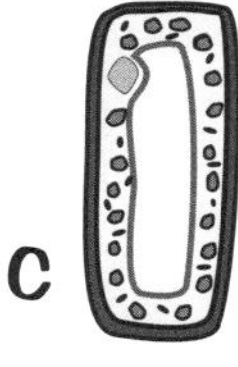

a) Enwch bob math o gell.
b) Beth yw swyddogaeth pob math o gell?
c) Rhowch un o nodweddion pob math o gell a nodwch sut mae'r nodwedd honno'n helpu'r gell i gyflawni ei swyddogaeth.

3) Mae celloedd mewn anifeiliaid a phlanhigion yn cyflawni swyddogaethau penodol, e.e. mae gan y slefren fôr gelloedd pigo i'w diogelu rhag ysglyfaethwyr.

a) Mae'r diagram gyferbyn yn dangos cell sglefren fôr. Labelwch dri ffurfiad gwahanol sydd yno.

b) Enwch un enghraifft arall o gell anifail, gan nodi'r gwaith arbennig y mae'n ei wneud.

4) Ar arwyneb gwreiddiau mae celloedd arbennig, sef celloedd gwreiddflew.

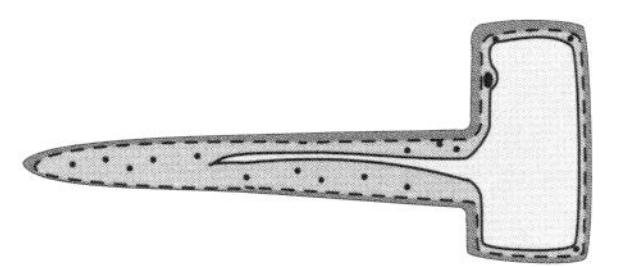

a) Sut mae'r celloedd hyn wedi'u haddasu i gyflawni swyddogaeth benodol? Eglurwch sut mae'r addasiad yn eu helpu i gyflawni'r swyddogaeth hon.
b) Enwch ddwy nodwedd a welir yn y diagram sy'n dangos mai cell planhigyn yw hon.

5) Gweler isod sut mae adeiledd capilari gwaed yn cynnwys celloedd endothelaidd.

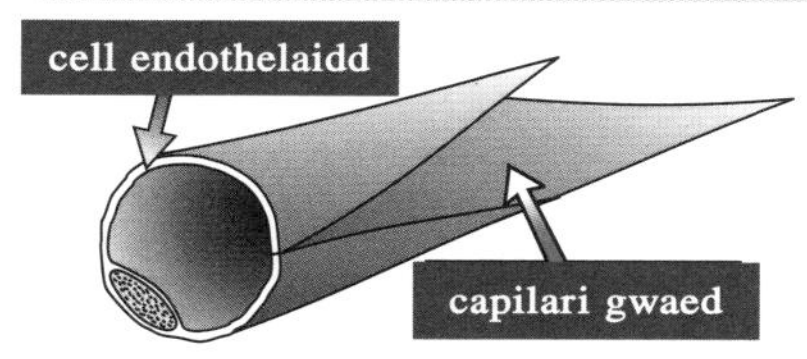

Mân bibellau gwaed sy'n galluogi i sylweddau symud ar draws y celloedd endothelaidd yw capilarïau gwaed. Caiff sylweddau fel ocsigen, siwgr a defnyddiau defnyddiol eraill eu trosglwyddo allan o'r capilarïau ac i mewn i'r celloedd o'u hamgylch.

a) Ar sail y diagram, eglurwch sut mae celloedd endothelaidd wedi'u haddasu i gyflawni eu swyddogaeth.
b) Enwch un sylwedd sy'n mynd i mewn i'r capilarïau o'r celloedd o'u hamgylch.

6) Ar gyfer pa swyddogaeth(au) yr addaswyd celloedd gwyn y gwaed? Sut maen nhw'n cyflawni'r swyddogaethau?

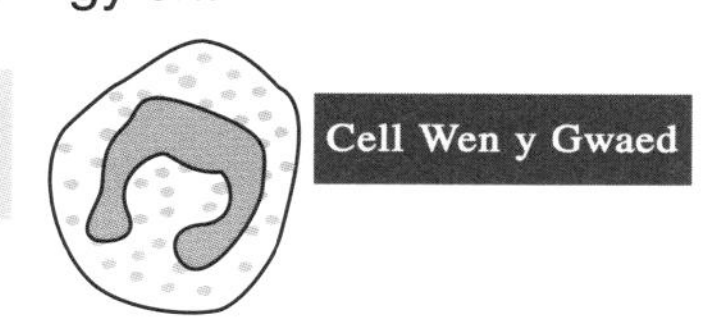

7) Siâp deugeugrwm sydd i gelloedd coch y gwaed - maen nhw'n crymu i mewn ar y ddwy ochr. Maen nhw hefyd yn anarferol am nad oes ganddynt gnewyllyn. Bydd ocsigen yn tryledu ar draws pilenni celloedd coch y gwaed, a fydd wedyn yn mynd â'r ocsigen i wahanol rannau o'r corff. Bydd y celloedd hyn yn symud i lawr capilarïau sydd ond ychydig yn lletach na'r celloedd.

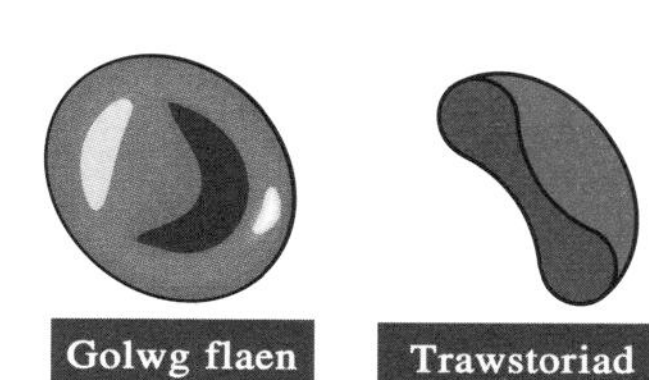

a) Mae celloedd coch y gwaed yn gelloedd arbenigol. Beth yw ystyr hyn?
b) Rhowch un rheswm posibl dros: (i) siâp y gell; (ii) diffyg cnewyllyn.

Gair i Gall: Celloedd sydd â **gwaith i'w wneud** yw celloedd arbenigol. Cewch eich holi am natur y gwaith neu pam mae'r **gell** mor dda yn ei wneud. Cofiwch rannau'r gell a sut maen nhw'n wahanol, e.e. y siâp. Dysgwch y canlynol: cell deilen **balis**, cell **ffloem**, cell **sylem**, cell **wreiddflew**, cell **gyhyrol**, cell **nerfol**, cell **sberm**.

Trylediad ac Osmosis

1) Trefnwyd arbrawf yn defnyddio'r cyfarpar ar y dde.

a) Eglurwch pam y daeth lliw i'r dŵr distyll yn y bicer.

b) Eglurwch pam y symudodd yr hydoddiant siwgr i fyny'r tiwb capilari.

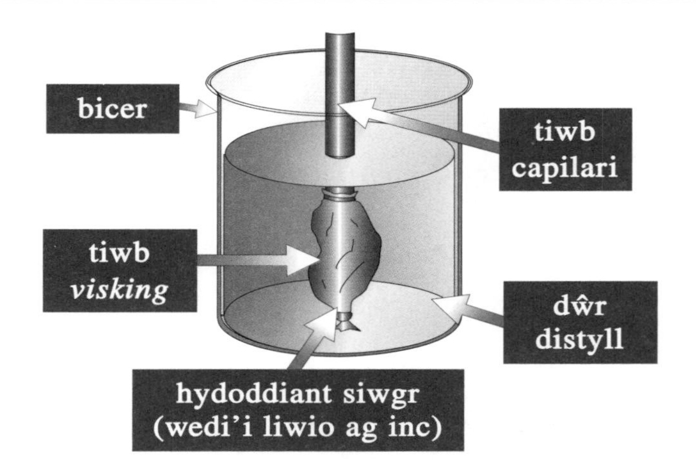

2) Pentref ger y Môr Canoldir yw Livadia. Yn y gwanwyn ceir llifogydd a bydd dŵr y môr yn codi ac yn gorchuddio peth o'r tir ffermio gerllaw sy'n eiddo i'r ffermwr Antonis. Pan ddigwydd hyn, mae Antonis wedi sylwi bod ei gnydau'n dechrau crebachu a marw. Eglurwch pam.

3) Ar gyfer pob un o'r brawddegau canlynol nodwch ai tryledìad neu osmosis yw'r broses berthnasol drwy roi 'T' ar gyfer tryledìad neu 'O' ar gyfer osmosis.

a) Ocsigen yn croesi alfeoli'r ysgyfaint ac yn mynd i mewn i'r gwaed.
b) Dŵr yn mynd i mewn i gelloedd gwarchod yn y dail o gelloedd o'u hamgylch.
c) Dŵr yn symud o'r gwaglyn stomataidd llaith i'r atmosffer mwy sych.
d) Dŵr yn mynd i mewn i gapilarïau gwaed o gorffgelloedd o'u hamgylch.
e) Dŵr yn y pridd yn croesi i mewn i'r gwreiddflew.
f) Dŵr yn cael ei amsugno o diwbynnau'r arennau ac yn ôl i mewn i lif y gwaed.
g) Yn y pibellau gwaed yn yr ysgyfaint, ocsigen yn mynd i mewn i gelloedd coch y gwaed.
h) Carbon deuocsid yn mynd i mewn i'r stomata ar gyfer ffotosynthesis.

4) Trefnodd Carys arbrawf. Rhoddodd un eirinen sych mewn bicer o ddŵr distyll ac un arall mewn hydoddiant siwgr cryf iawn (syryp).

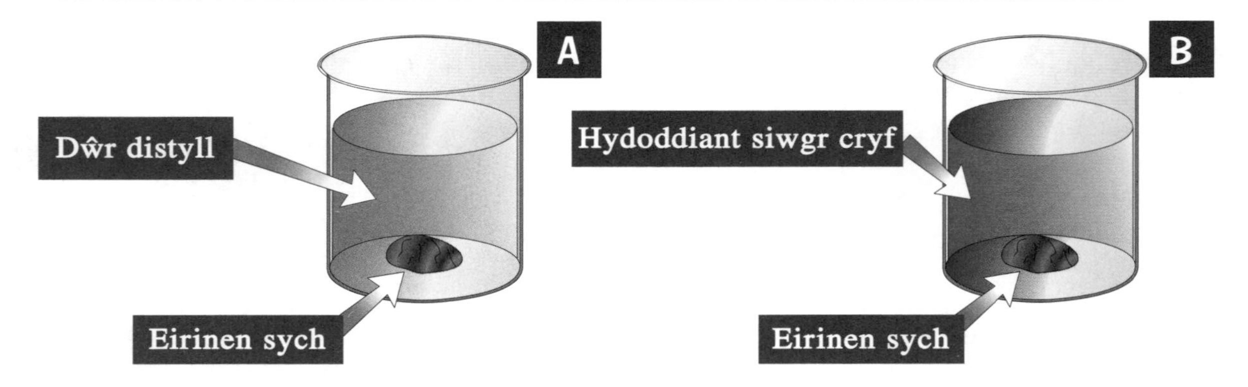

Aeth Carys yn ôl at ei harbrawf 24 awr yn ddiweddarach. Eglurwch yr hyn y byddech yn disgwyl i ddigwydd i'r eirinen sych yn A a B.

Tryledidad ac Osmosis

5) *Cerfiodd Llew fad allan o daten a chwarae ag ef yn sinc y gegin. Rhoddodd halen yn y bad fel y llwyth a gadael y cyfan yn y dŵr am awr tra'n cael ei ginio. Pan ddychwelodd, gwelodd fod dŵr yn y bad. Doedd dim dŵr ynddo cyn cinio a doedd neb wedi ymyrryd â'r bad.*

Eglurwch sut yr aeth y dŵr i mewn i'r bad.

Halen

Bad taten wedi'i philio a'i cherfio

Dŵr yn y sinc

6) Defnyddiwch y geiriau hyn i lenwi'r bylchau.

osmosis *tryledidad* *rhannol athraidd* *moleciwlau dŵr*
dŵr uchel *dŵr isel*

Ystyr osmosis yw symudiad ______________ ______________ o fan lle mae crynodiad ______________ ______________ i fan lle mae crynodiad ______________ ______________. Pan fydd ______________ yn digwydd bydd moleciwlau dŵr yn symud ar draws pilen sy'n ______________ ______________. Weithiau gelwir osmosis yn achos arbennig o'r broses ______________ am fod moleciwlau dŵr yn symud o grynodiad uchel i grynodiad isel o foleciwlau dŵr.

7) *Dyma ddiagram cell warchod:*
Ceir celloedd gwarchod mewn dail ac maen nhw'n ffurfio mandyllau rhyngddynt a elwir yn stomata.

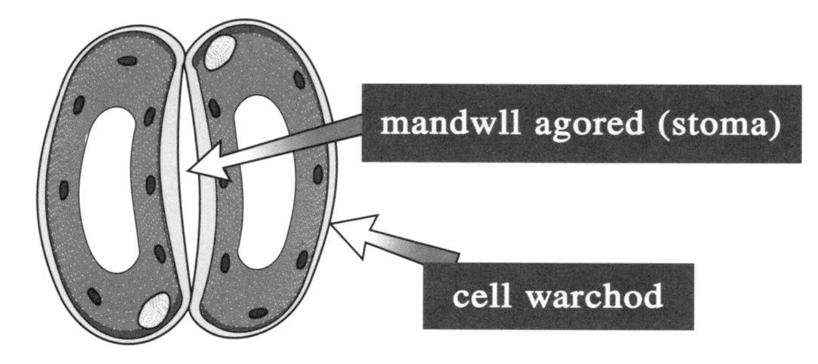

a) I blygu ac agor y mandwll (stoma), *rhaid i'r celloedd gwarchod gymryd dŵr o'r celloedd o'u hamgylch.*

i) Pa broses a geir pan fydd dŵr yn mynd i mewn i'r celloedd gwarchod?

ii) Eglurwch pam mae'r broses hon yn digwydd.

b) Gall nwyon symud drwy'r stoma.

i) Enwch ddau nwy a all fynd i mewn i ddail drwy'r mandwll.

ii) Beth yw enw'r broses pan fydd moleciwlau'n symud yn y modd hwn?

Tryllediad ac Osmosis

8) Trwy wthio tyllwr corc i mewn i daten wedi'i thorri, cafwyd dau silindr unfath o daten. Rhoddwyd un silindr mewn hydoddiant siwgr 20% (hydoddiant cryf) a rhoddwyd y llall mewn dŵr.

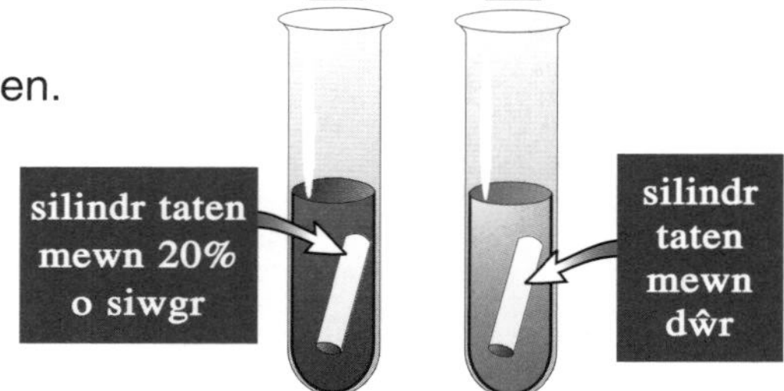

a) Eglurwch yr hyn a ddigwyddodd i hyd y ddau silindr taten.

b) Mewn arbrawf arall gwnaed amrywiaeth o hydoddiannau o wahanol grynodiadau, o ddŵr pur i 20% o siwgr. Sylwyd na newidiodd hyd y silindr yn un o'r tiwbiau profi canol. Eglurwch y canlyniad hwn.

9) *Organeb ungellog a geir mewn dŵr pwll yw amoeba. Bydd dŵr o'r pwll yn mynd i mewn i gorff yr amoeba drwy'r amser. I gadw'r amoeba rhag ffrwydro, mae ganddo wagolynnau sy'n casglu dŵr ac yn ei ryddhau i'r tu allan.*

a) Trwy ba broses y bydd dŵr yn mynd i mewn i'r amoeba?

b) *Mae dŵr pwll yn cynnwys hefyd yr ocsigen y mae ei angen ar yr amoeba.*

- **i)** Ar gyfer beth y mae angen yr ocsigen?
- **ii)** Sut mae'r amoeba'n cael yr ocsigen sydd ei angen arno?

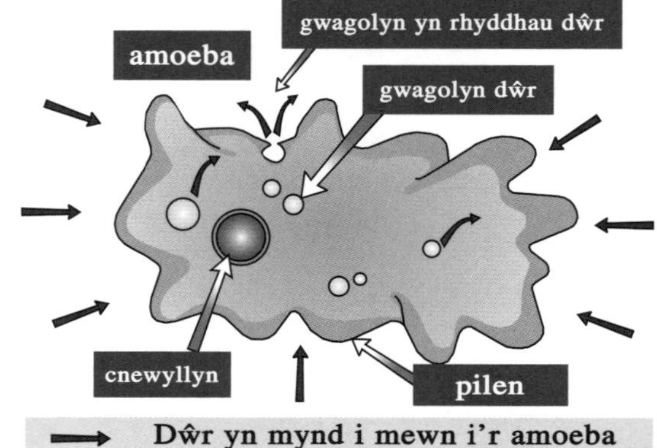

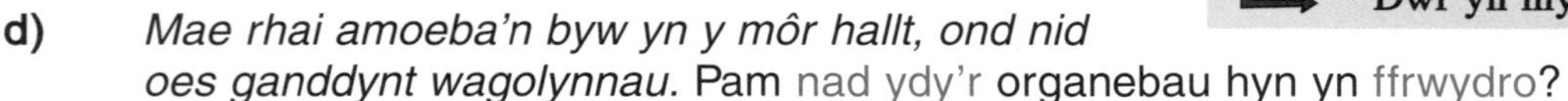

c)
- **i)** Enwch un isgynnyrch diwerth a fyddai'n niweidiol i'r amoeba pe na allai gael gwared ag ef.
- **ii)** Trwy ba broses y bydd yr isgynnyrch diwerth hwn yn mynd i mewn i'r dŵr?

d) *Mae rhai amoeba'n byw yn y môr hallt, ond nid oes ganddynt wagolynnau.* Pam nad ydy'r organebau hyn yn ffrwydro?

10) *Dangosodd mam Joseff iddo sut mae'n gwneud salad ffrwythau. Torrodd y ffrwythau i mewn i bowlen ac yna ysgeintiodd siwgr drostynt. Rhoddodd y bowlen yn yr oergell dros nos. Pan dynnwyd y bowlen allan drannoeth sylwodd Joseff fod hylif o amgylch y ffrwythau, Yna rhoddodd ei fam ychydig ddiferion o liwiad bwyd yng nghanol y bowlen a'i dychwelyd i'r oergell*

a)
- **i)** Beth yw'r hylif yn y bowlen?
- **ii)** O ble y daeth?
- **iii)** Trwy ba broses yr ymddangosodd yr hylif yn y bowlen?

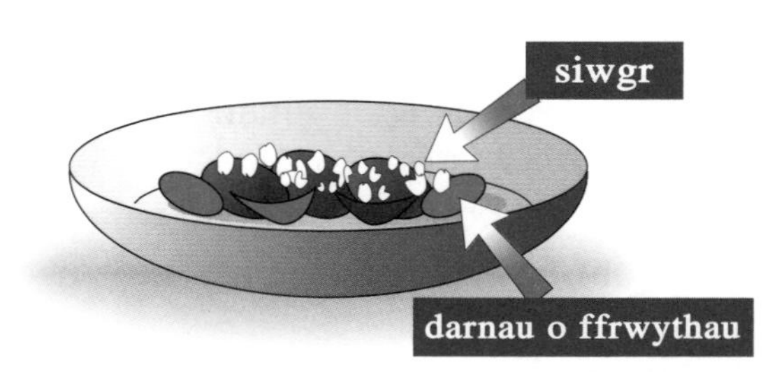

b) *Yn ddiweddarach sylwodd Joseff fod y lliwiad bwyd wedi ymledu drwy lawer o'r hylif.*
Pa broses sydd wedi digwydd?

Gair i Gall: Mae pethau'n tueddu i **ymledu** - dyna yw trylediad. Mae osmosis yn achos arbennig o hyn - pan fydd **moleciwlau dŵr** yn symud ar draws **pilen rannol athraidd**. Mae'r ddau yn **hapbrosesau** - felly dydy'r organeb ddim yn defnyddio unrhyw egni. Os ydy **graddiant y crynodiad** i'r cyfeiriad anghywir, mae'n defnyddio **cludiant actif** - sydd **yn** defnyddio egni.

Adeiledd Planhigion

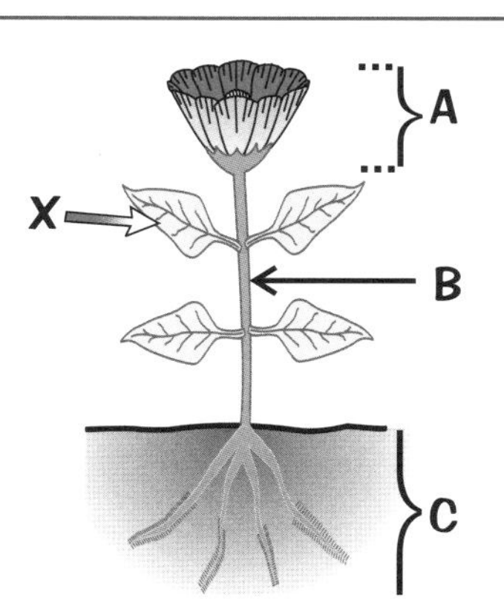

1) Edrychwch ar y diagram ar y dde sy'n dangos planhigyn nodweddiadol. Mae planhigyn yn cynnwys pedair prif ran.

a) Labelwch rannau A, B, C.
b) Enwch y rhan o'r planhigyn a ddynodir gan X.
c) Enwch swyddogaeth pob rhan o'r planhigyn a nodwyd gennych.

2) Mae dail yn organau pwysig yn y planhigyn. Yn y diagramau isod gwelir tri math gwahanol o ddail (fe'u lluniwyd wrth raddfa).

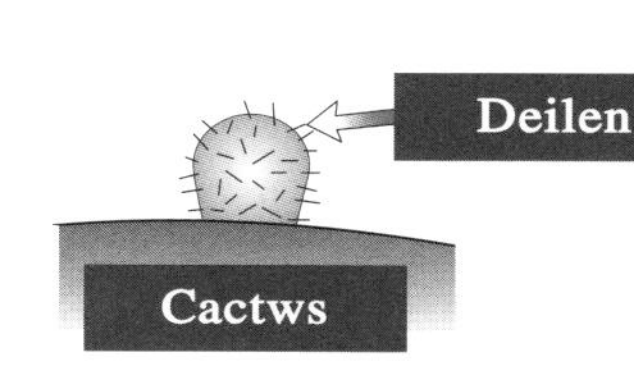

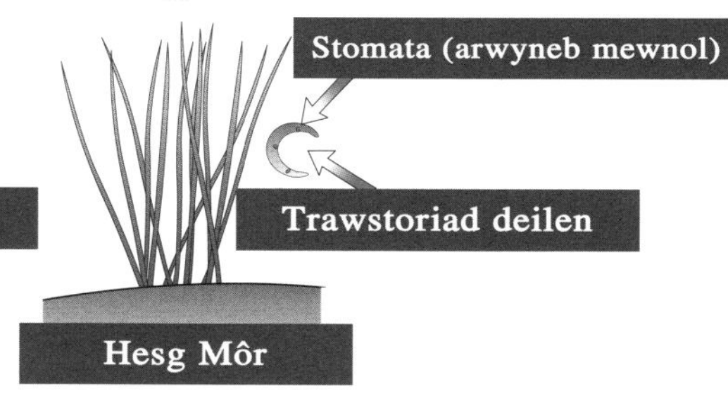

Llenwch y tabl.

Enw'r Planhigyn	Math posibl o gynefin	Ymaddasiad Dail	Rheswm dros yr ymaddasiad

3) Y gwreiddiau yw'r rhannau o'r planhigyn sydd dan y ddaear.

a) Rhowch ddwy o swyddogaethau gwreiddiau.
b) Sut mae gwreiddiau wedi ymaddasu i gynyddu arwynebedd eu harwyneb?

4) Defnyddiwch y geiriau i lenwi'r bylchau (gallwch ddefnyddio'r un gair fwy nag unwaith).

blodyn *dail* *halwynau mwynol* *gwreiddiau*
had *coesyn* *dŵr* *sylem*

Mae tair rhan i blanhigion: y ________________, y coesyn a'r dail, a'r ________________ dan y ddaear. Mae'r gwreiddiau'n dal y planhigyn yn gadarn yn y ddaear. Maen nhw hefyd yn amsugno ________________ a ________________ wedi'u hydoddi o'r pridd. Mae'r dŵr yn symud yn y celloedd ________________ i wahanol rannau o'r planhigyn. Mae gan y ________________ y gwaith o ddal y planhigyn yn unionsyth. Mae hyn yn helpu'r dail i gael mwy o olau. Organau sy'n gyfrifol am wneud bwyd yw'r ________________.

Gair i Gall: Rhaid gwybod **enwau'r** gwahanol rannau a'r hyn a **wnânt**. Ystyriwch y **swyddogaethau** a pha rannau o'r planhigyn sy'n eu cyflawni. Rhowch gynnig ar y rhain - **storio**, **atgenhedlu**, **angori**, **tyfu**, **cynnal**, a **chludo** bwyd a dŵr.

Adeiledd Deilen

1) Yn y diagram gyferbyn gwelir trawstoriad deilen.

Celloedd Epidermaidd (dim cloroplastau)
Cwtigl Cwyraidd (Haen wrth-ddŵr)
X
Y
Cell Warchod
Mandwll stomataidd
Gwythïen Deilen (yn cynnwys tiwbiau ffloem a sylem)

a) i) Rhowch ddwy o swyddogaethau gwythïen deilen.
   ii) Enwch y celloedd sy'n cyflawni'r ddwy swyddogaeth.

b) i) Enwch y mandyllau yn y ddeilen?
   ii) Beth sy'n rheoli maint y mandyllau?
   iii) Pam mae mwy o fandyllau ar ochr isaf y ddeilen?

c) i) Beth yw enw cell X?
   ii) Beth yw prif swyddogaeth y gell hon?
   iii) Rhowch un ffordd y mae'r gell hon wedi'i haddasu ar gyfer ei swyddogaeth.

d) i) Beth yw enw cell Y?
   ii) Mae'r celloedd hyn yn grwn, gan greu gwaglynnau mawr o aer rhyngddynt. Pam mae hyn yn ddefnyddiol i'r ddeilen?

e) Beth yw swyddogaeth y cwtigl cwyraidd?

2) Mae gan y rhan fwyaf o blanhigion fwy o fandyllau ar arwyneb isaf eu dail.

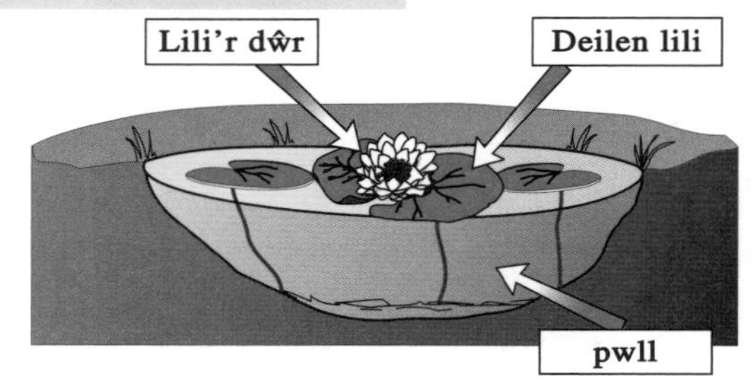

a) Mae gan lilïau'r dŵr fwy o fandyllau ar eu harwyneb uchaf. Rhowch reswm dros hyn.

b) Enwch nwy y mae ei angen ar y lili ar gyfer ffotosynthesis.

c) Ar sail y diagram, disgrifiwch un ymaddasiad gan lili'r dŵr ar gyfer ffotosynthesis.

3) Mae llyslau (*greenfly*) yn eistedd ar ddail ac yn treiddio i gelloedd y dail â'u gên-rannau. Defnyddiant eu gên-rannau gwag (*hollow*) i echdynnu bwyd o'r celloedd cludo yn y dail. Os bydd llawer o lyslau'n bwydo ar blanhigyn, gall y planhigyn ddechrau marw.

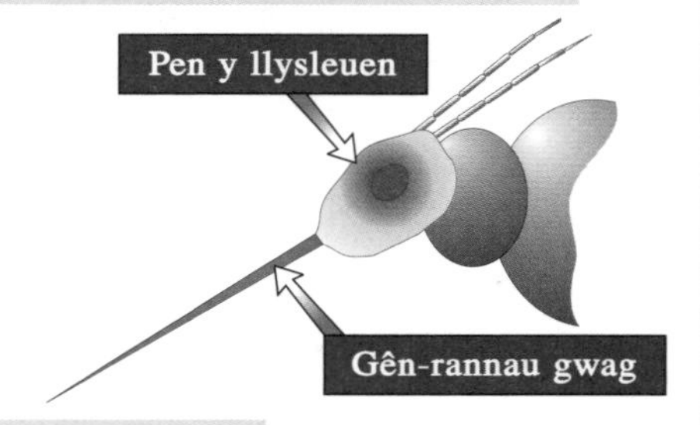

a) Pa ran o'r ddeilen y bydd llyslau'n treiddio iddi?

b) O ba fath o gelloedd y cymerant fwyd?

c) Enwch y bwyd y bydd y llyslau'n ei gymryd.

d) Ym mha gelloedd y gwneir y bwyd hwn?

4) Cysylltwch y gosodiad â'r rhan gywir o ddeilen, e.e. **A)** - ii) neu **B)** - ii).

A) Yn cynnwys cloroplastau

B) Yn cynnwys cloroffyl

C) Sylwedd gwyrdd

D) Yn cynnwys celloedd ffloem a sylem

i) Cell balis

ii) Cloroffyl

iii) Cloroplast

iv) Gwythiennau

Adeiledd Deilen

5) Dangosir isod drawstoriad deilen hesg môr. Mae hesg môr yn byw ar dwyni tywod, lle mae'n wyntog a lle mae prinder dŵr.

Deilen hesg môr

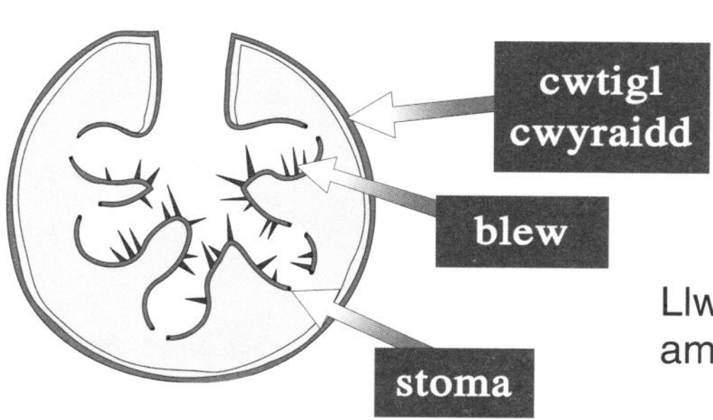

a) Beth mae'r cwtigl cwyraidd yn ei wneud?

b) i) Sut mae safle'r stomata yn helpu'r planhigyn hwn?

ii) Pam na cheir stomata ar arwyneb allanol y ddeilen?

c) Eglurwch swyddogaeth y blew ar arwyneb mewnol y ddeilen.

Llwyn yn Awstralia yw *Banksia marginata*. Fe'i ceir mewn amodau sych ac mae ganddo stomata suddedig.

d) Eglurwch sut y bydd stomata suddedig yn effeithio ar y modd y caiff nwyon eu cyfnewid yn y planhigyn a pham y byddai hynny'n fantais i'r planhigyn.

e) Sut y byddech yn disgwyl i gwtigl cwyraidd hesg môr *a Banksia marginata* fod yn wahanol i gwtigl cwyraidd planhigyn a geir mewn mannau llaith?

6) Mae rhannau gwyrdd a gwyn ar ddail brith mynawyd y bugail (*geranium*).

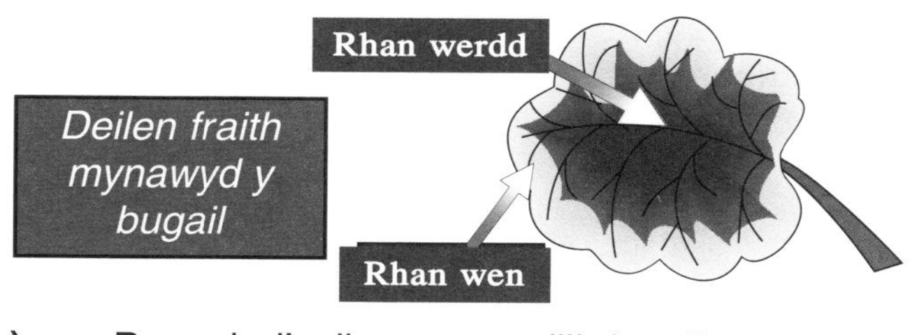

Trawstoriad rhan o'r ddeilen

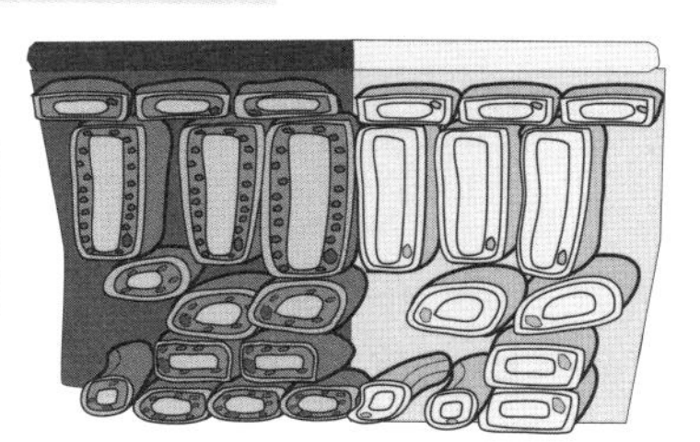

a) Pe na bai'r diagram wedi'i dywyllu, sut y gwyddech pa rai oedd y celloedd gwyrdd?

b) Pa sylwedd sy'n gwneud y celloedd hyn yn wyrdd?

7) Defnyddiwch y geiriau isod i lenwi'r bylchau:

carbon deuocsid *cloroffyl* *cloroplastau* *celloedd gwarchod* *mesoffyl*

palis *stomata* *gwythiennau* *cwtigl cwyraidd* *sylem*

Y ddeilen yw'r organ lle gwneir bwyd mewn planhigyn. Mae ei chelloedd ____________ wedi'u gwasgu'n agos at ei gilydd. Mae ____________ niferus gan y celloedd hyn ac mae'r rhain yn cynnwys y sylwedd gwyrdd ____________. Mae'r sylwedd hwn yn amsugno golau. Fe geir llawer o waglynnau aer yn y ____________ sbwngaidd. Bydd ____________ yn tryledu'n rhwydd drwy'r gwaglynnau hyn i fynd i mewn i gelloedd y dail. I wneud siwgr, mae angen dŵr hefyd. Cludir dŵr i gelloedd y dail gan bibellau ____________. Fe geir y pibellau cludo y tu mewn i'r ____________ yn y dail. I osgoi colli dŵr mae ____________ yn gorchuddio arwyneb y ddeilen. Er mwyn i nwyon gael mynd i mewn i'r ddeilen ac allan ohoni, fe geir llawer o ____________, yn bennaf ar yr arwyneb isaf. Rheolir maint y mandwll stomataidd gan y ____________.

Gair i Gall: Mae cofio **adeiledd deilen** yn golygu cofio'r gwahanol **fathau o gelloedd**. Does ond ychydig ohonynt - ond **rhaid** gwybod eu **swyddogaethau** a sut maen nhw'n eu cyflawni. Dylech ymarfer **dynnu braslun** ohonynt - yna byddwch yn eu **hadnabod** o'u gweld mewn arholiad.

Trydarthu

1) Mae'r diagram yn dangos sut y collir dŵr o fandwll mewn deilen.

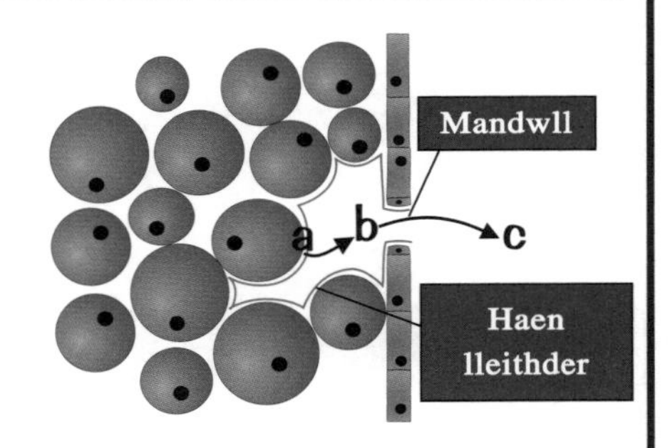

a) Enwch y broses a geir
i) rhwng a a b; **ii)** rhwng b a c.
b) Beth yw enw'r mandwll?
c) Beth sy'n rheoli maint y mandwll?
d) Pa un o arwynebau'r ddeilen sydd â fwyaf o fandyllau? Pam?

2) Potomedr yw'r cyfarpar ar y dde. Wrth i goesyn mynawyd y bugail dynnu dŵr i fyny'r tiwb capilari drwy'r pen a dorrwyd, bydd y swigen aer yn y tiwb capilari yn symud i fyny.

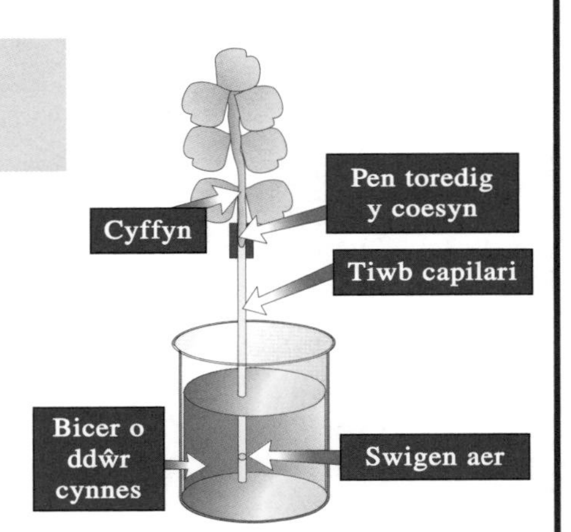

a) Eglurwch pam na chaiff yr un faint o ddŵr ei golli o'r dail ag a gaiff ei dynnu i fyny gan y coesyn.
b) Trwy ba broses y caiff dŵr ei golli o arwyneb y dail?
c) Trwy ba fath o gelloedd y bydd y dŵr yn symud i gyrraedd y dail o'r coesyn?
d) Beth arall sy'n cael ei gludo yn y celloedd hyn?

3) Yn y rhan fwyaf o blanhigion mae'r stomata'n fwy agored yn y dydd ac yn fwy caeëdig yn y nos. Mewn cacti (planhigion diffeithdir poeth), mae'r gwrthwyneb yn wir.

a) Rhowch reswm posibl dros hyn.
b) Eglurwch sut yn union y rheolir maint y stomata.

4) Yn y tabl isod gwelir nifer y stomata a geir mewn pum rhywogaeth o blanhigion. Un o'r planhigion yw'r geirchen, sydd â'i dail yn unionsyth - felly nid oes arwyneb isaf ac uchaf amlwg i'r dail.

a) **i)** Pa lythyren sy'n dynodi'r geirchen?
ii) Rhowch un rheswm dros eich ateb.
b) Rhowch ddwy o swyddogaethau stomata.
c) **i)** Enwch ffactor atmosfferig sy'n effeithio ar un o'r swyddogaethau.
ii) Eglurwch eich ateb.

Planhigyn	Nifer cyfartalog y stomata (am bob cm^2)	
	Arwyneb Isaf	Arwyneb Uchaf
A	2300	2500
B	16100	5100
C	46100	0
D	26300	6000
E	1900	5900

5) Mae'r graff isod yn dangos effaith maint y stomata ar gyfradd y trydarthu.

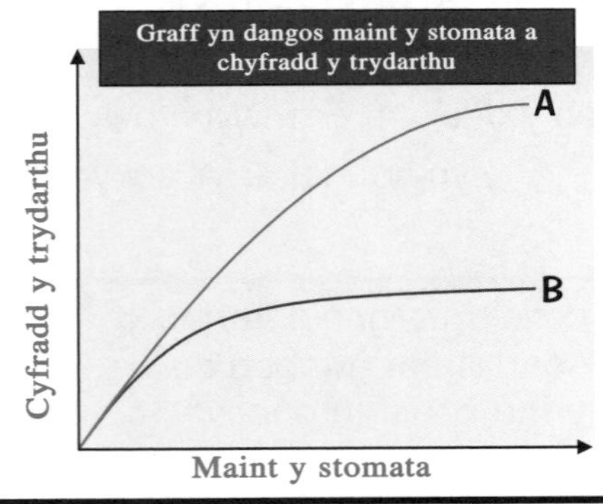

Mae'r naill gromlin yn dangos yr hyn sy'n digwydd mewn aer llonydd a'r llall mewn aer sy'n symud.

a) Pa gromlin sy'n cynrychioli planhigyn gydag aer llonydd o'i amgylch?
b) Sut mae'r gwahaniaeth yn symudiad yr aer yn effeithio ar gyfradd y trydarthu?
c) Pa gromlin sydd fwyaf tebyg i'r hyn a geir ar ddiwrnod poeth? Eglurwch eich ateb.

Trydarthu

6) Glynwyd darn o bapur cobalt clorid glas wrth arwynebau uchaf ac isaf deilen. Mae cobalt clorid yn troi'n binc pan ddaw'n llaith.

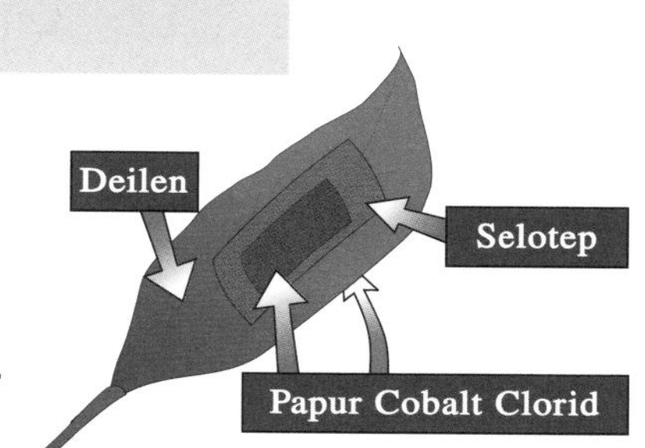

a) Pa arwyneb fydd yn troi'r cobalt clorid yn binc gyntaf? Eglurwch eich ateb.

b) Trwy ba broses y caiff dŵr ei golli o'r ddeilen?

c) O ble y cafodd y planhigyn y dŵr a gollir o'r ddeilen?

d) Rhowch un ffactor sy'n arafu'r broses lle caiff dŵr ei golli o'r dail.

7) Mae'r arbrawf hwn yn dangos dŵr yn cael ei golli o bot clai mandyllog.

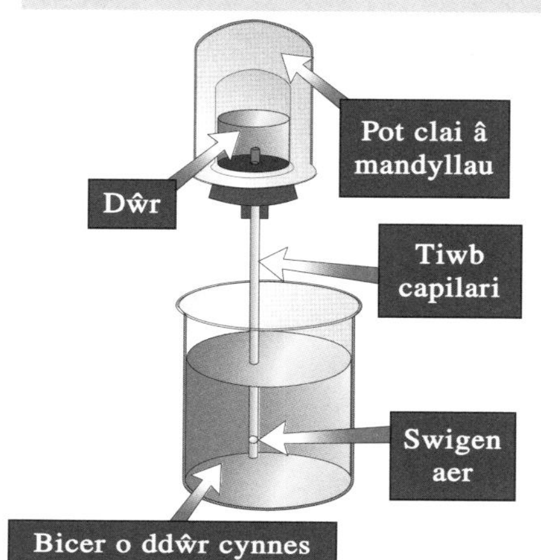

a) Enwch y broses lle bydd y pot mandyllog yn colli dŵr?

b) Sut y bydd pob un o'r canlynol yn effeithio ar faint o ddŵr a gollir o'r pot mandyllog:

i) mwy o leithder; **ii)** golau mwy tanbaid;
iii) tymheredd uwch; **iv)** llai o wynt?

c) Pa nodwedd sy'n gyffredin i'r pot a'r ddeilen ac sy'n galluogi i'r pot golli dŵr?

d) Sut mae'r nodwedd hon yn wahanol yn achos y pot i'r hyn a geir yn y ddeilen?

8) Cyn i 'doriad' dyfu gwreiddiau, mae'n arferol i gael gwared â'r rhan fwyaf o'i ddail a'i orchuddio â bag plastig.

Bag plastig
Toriad coesyn heb ddail

a) Pam y ceir gwared â'r dail?

b) Pam y rhoddir bag plastig o amgylch toriad?

9) Defnyddiwch y geiriau isod i lenwi'r bylchau.

cwtigl anweddu mwyaf gwarchod dail isaf stomata tymheredd fwy trwchus trydarthu sylem gwywo

Rhaid i blanhigion golli dŵr drwy'r broses ____________ er mwyn tynnu dŵr drwy'r planhigyn. Bydd llifoedd o ddŵr yn symud drwy'r ____________ o'r gwreiddiau i'r ____________. Mae gan y dail fandyllau, a elwir yn ____________. Trwy'r mandyllau y collir y rhan fwyaf o'r dŵr. Rheolir maint y mandyllau gan gelloedd ____________. Fel rheol bydd gan blanhigyn fwy o fandyllau ar arwyneb ____________ ei ddail. Bydd ffactorau sy'n effeithio ar ____________ hefyd yn effeithio ar gyfradd y dŵr a gollir o'r dail. Mae'r ffactorau'n cynnwys golau, ____________, symudiadau aer a faint o leithder sydd yn yr aer. Po sychaf yw'r aer, ____________ i gyd fydd y dŵr a gollir o'r dail. Pe bai'r planhigyn yn dal i golli dŵr, byddai'n ____________. Gorchuddir dail gan haen arbennig, sef ____________ cwyraidd, i osgoi colli gormod o ddŵr. Yn gyffredinol mae gan blanhigion mewn cynefinoedd mwy sych haen gwyraidd ____________.

Gair i Gall: **Nid** yr un peth yw trydarthu ac anweddu: ystyr **trydarthu** yw bod **colofn gyfan o ddŵr** yn symud drwy'r planhigyn - nid yw'n digwydd ar yr arwyneb yn unig. Ond gan y bydd dŵr yn cael ei dynnu i fyny pan fydd anweddu yn digwydd, bydd yr **un pethau** yn effeithio arnyn nhw - dylech fedru eu rhestru.

Systemau Cludo mewn Planhigion

1) Ar y dde gwelir trawstoriad coesyn, yn dangos meinwe cludo planhigion.

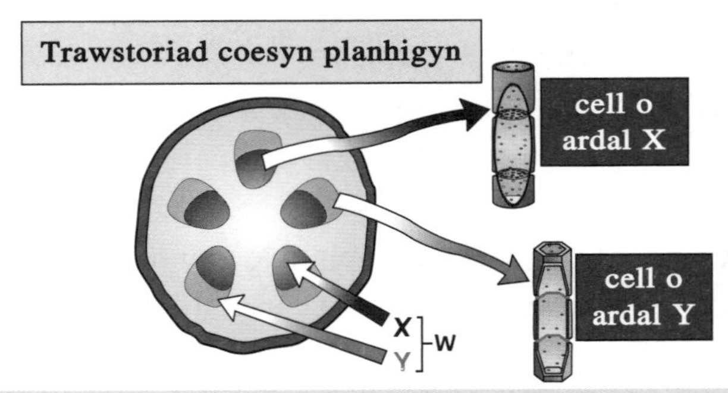

a) **i)** Enwch feinwe X.
ii) Beth yw swyddogaeth y meinwe hwn?

b) **i)** Enwch feinwe Y.
ii) Beth yw swyddogaeth y meinwe hwn?

c) Beth yw enw W?

2) Mae tymheredd uchel yn lladd celloedd. Pan roddir siaced ager o amgylch boncyff coeden, gwresogir y rhan honno o'r goeden i dymheredd uchel. Pan gafodd hyn ei wneud nodwyd nad oedd siwgr bellach yn symud drwy'r goeden, ond bod dŵr yn symud drwyddi.

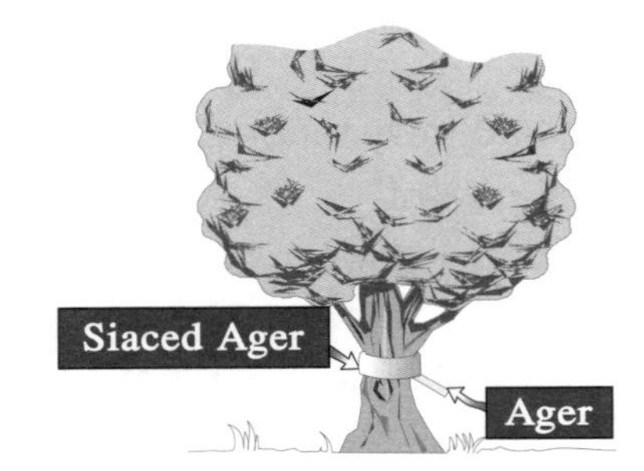

a) Beth mae hyn yn ei ddangos ynglŷn â'r:
i) celloedd ffloem; **ii)** celloedd sylem?

b) Yn yr hydref chwyddodd y rhan uwchben y siaced ager. Pam?

c) Ar ba adeg o'r flwyddyn y byddech yn disgwyl i'r rhan islaw'r siaced ager chwyddo? Eglurwch eich ateb.

3) Mae'r diagram isod yn dangos celloedd sylem a ffloem.

a) Pam mae pennau'r celloedd ffloem yn dyllog?

b) Pam mae'r celloedd sylem yn wag (*hollow*)?

c) Gwneir bwyd yn y dail. I ba rannau o'r planhigyn y cludir y bwyd?

d) Rhowch ddau ddefnydd a wneir o'r bwyd a gludir.

e) Beth mae'r bwyd a gludir yn ei gynnwys?

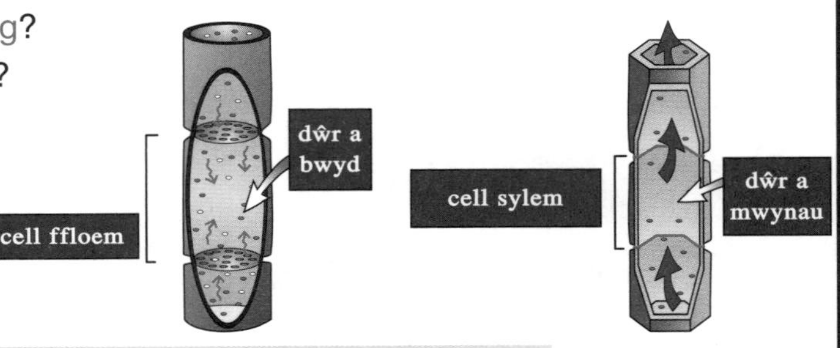

4) Wrth i rawnwin aeddfedu, maen nhw'n llenwi â dŵr a siwgr. Ar ddiwedd eu tymor tyfu, gall grawnwin golli peth o'u siwgr yn ôl i mewn i'r planhigyn.

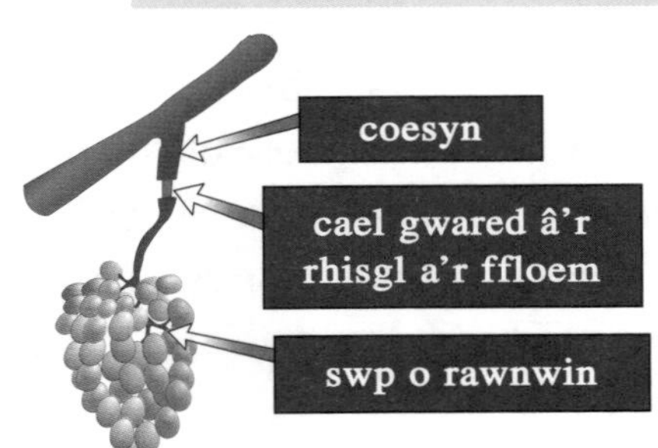

Mae'r pibellau ffloem yn union dan risgl y coesyn sy'n dal y swp o rawnwin. Weithiau bydd tyfwyr grawnwin yn cael gwared â'r rhisgl a'r ffloem o'r coesynnau sy'n dal sypiau o rawnwin. Gwneir hyn cyn diwedd y tymor tyfu.

a) Pam y ceir gwared â'r ffloem o'r coesyn?

b) Pam y cedwir y sylem yn gyfan?

c) Gall gorddyfrhau niweidio'r grawnwin. Eglurwch yr hyn a allai ddigwydd.

5) Mae'r carbon deuocsid yn y fflasg a ddangosir yn cynnwys carbon ymbelydrol.

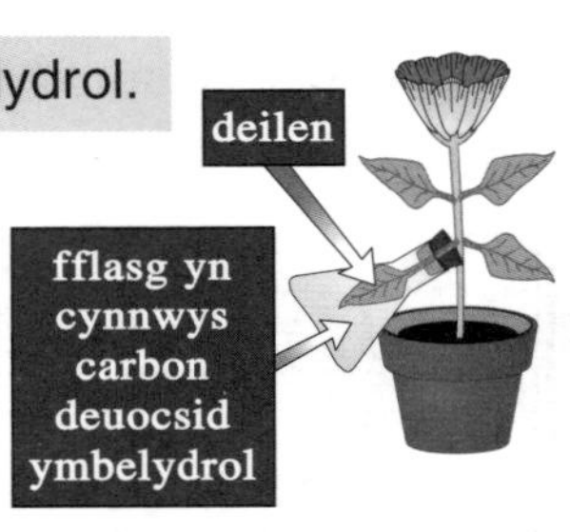

a) Pa broses sy'n defnyddio'r carbon deuocsid?

b) Beth fydd sylwedd y carbon ymbelydrol yn y dail yn y pen draw?

c) Ym mha gelloedd yn y coesyn y gwelir defnydd ymbelydrol gyntaf?

d) Enwch y sylwedd yng nghelloedd y coesyn sy'n ymbelydrol.

e) Enwch un ffurfiad arall y gwelir y defnydd ymbelydrol ynddo.

Systemau Cludo mewn Planhigion

6) Mae'r diagram gyferbyn yn dangos symudiad dŵr drwy blanhigyn.

a) Enwch y broses sydd ynghlwm wrth symud y dŵr o:
   i) a i b; ii) f i g.

b) Beth sy'n cludo'r dŵr o d i f?

c) Enwch y gwaglynnau yn y dail sy'n caniatáu i ddŵr fynd i'r atmosffer.

d) Enwch y golofn ddŵr sy'n rhedeg o'r gwreiddiau i'r dail?

7) Mae celloedd sylem yn cludo dŵr i wahanol rannau o'r planhigyn. Mae gan y celloedd hyn sylwedd o'r enw lignin yn eu cellfuriau. Mae lignin yn gwneud ffurfiadau'n wrth-ddŵr ac yn gadarn. Mae'r tu mewn i gelloedd sylem yn ymddatod a daw'r celloedd yn diwbiau gwag.

a) Sut mae lignin yn helpu celloedd sylem i gyflawni eu gwaith o gludo dŵr?

b) Rhowch un o nodweddion celloedd sylem sy'n galluogi i ddŵr symud yn rhwydd o un gell i'r nesaf.

c) Beth arall y mae celloedd sylem yn ei gludo yn ogystal â dŵr?

8) Daw'r gair sylem (*xylem*) o'r gair Groeg am bren. Rhoddodd Wil un pen polyn pren mewn dŵr lliw. Sylwodd fod y lliw'n symud i fyny'r pren.

a) Beth mae hyn yn ei ddangos ynglŷn â symudiad dŵr mewn celloedd sylem?

b) i) Enwch y math arall o feinwe cludo. ii) Beth mae'n ei gludo?

Fe geir celloedd sylem drwy'r planhigyn i gyd. Mae angen dŵr ar bob rhan o'r planhigyn, gan gynnwys petalau'r blodyn.

c) Beth ddigwyddai pe baech yn torri blodyn carnasiwn gwyn ac yn rhoi'r coesyn mewn dŵr coch?

9) Mae llau planhigion (*aphids*) yn defnyddio'u gên-rannau i dreiddio i goesynnau i gael bwyd.

a) Pa sylwedd bwyd y byddech yn disgwyl i'r llau planhigion ei fwyta?

b) I ba gelloedd y mae'r gên-rannau'n treiddio i echdynnu'r hylif?

10) Defnyddwich y geiriau isod i lenwi'r bylchau:

cytoplasm *byw* *mwynau* *ffotosynthesis* *resbiradaeth* *startsh* *coesyn* *llif* *siwgr* *trydarthu* *fasgwlar* *sylem*

Mae gan blanhigion systemau cludo. Bydd y meinwe ____________ yn cludo dŵr o'r gwreiddiau i'r ____________ a'r dail. Y term am y golofn ddŵr sy'n mynd o'r gwreiddiau i'r dail yw'r ____________ trydarthu. Yr enw ar y broses o golli dŵr o'r dail yw ____________, sy'n achosi i ddŵr gael ei dynnu i fyny drwy'r planhigyn. Mae'r dŵr yn cynnwys ____________ o'r pridd. Mae meinwe ffloem yn cludo bwyd wedi'i hydoddi, megis ____________ o'r dail, lle caiff ei wneud drwy ____________, i weddill y planhigyn. Defnyddir y bwyd ar gyfer ____________, gwneud defnyddiau ar gyfer y celloedd a chynhyrchu ____________ a gaiff ei gadw mewn organau storio. Fe geir y celloedd sylem a ffloem yn sypynnau ____________ y planhigyn. Mae'r celloedd sylem yn farw ac nid oes ____________ ganddynt. Mae'r celloedd ffloem ar y llaw arall yn gelloedd ____________.

Gair i Gall: Mae **ffloem** yn cludo pethau i lawr. I wybod beth gaiff ei gludo holwch a yw'n mynd i fyny neu **i lawr** y planhigyn. Mae'r celloedd **ffloem** (**byw**) yn agosach at **arwyneb** y coesyn (a'r **ocsigen** angenrheidiol) na'r celloedd **sylem marw**.

Ffotosynthesis

1) Mae'r diagram yn dangos yr hyn sydd ei angen ar ddail i wneud bwyd.

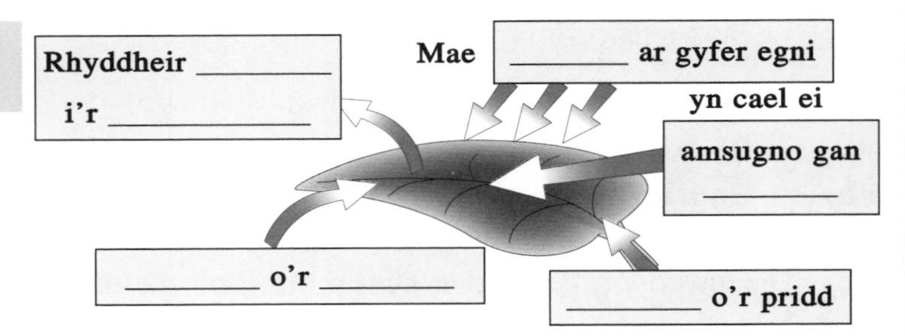

a) Cwblhewch y labeli ar y diagram.

b) Enwch y broses sydd ynghlwm wrth wneud bwyd?

c) Beth yw enw'r bwyd a gynhyrchir?

2) Rhoddwyd planhigyn brith (dau liw i'w ddail) mewn cwpwrdd tywyll am 48 awr i ddefnyddio'r cyfan o'i startsh. Yna gorchuddiwyd un o'i ddail â stribed o gerdyn du ar draws y canol. Rhoddwyd y planhigyn yn y golau am 24 awr. Yna profwyd y ddeilen am startsh.

Rhan werdd y ddeilen

Rhan wen y ddeilen

Golau

Cerdyn du

a) Lliwiwch y rhannau o'r ddeilen sydd heb ei labelu i ddangos ym mha le y cafwyd y startsh.

b) i) Pa ddangosydd a ddefnyddir i brofi deilen am startsh?

ii) I ba liw y bydd y dangosydd yn newid pan fydd startsh yn bresennol?

c) Pam roedd angen cael gwared â'r startsh o'r dail?

d) Ticiwch neu ysgrifennwch y casgliad(au) cywir sy'n deillio o'r arbrawf hwn.

... mae angen carbon deuocsid ar gyfer ffotosynthesis

... mae angen cloroffyl ar gyfer ffotosynthesis

... mae angen golau ar gyfer ffotosynthesis

... mae angen dŵr ar gyfer ffotosynthesis

3) Llenwch y tabl.

	Ffotosynthesis	Resbiradaeth
Defnyddiau crai a ddefnyddiwyd		
Cynnyrch terfynol		
Diben y broses		

4) Mae'r graff yn dangos y carbon deuocsid yn cael ei gyfnewid rhwng y planhigyn a'i amgylchedd.

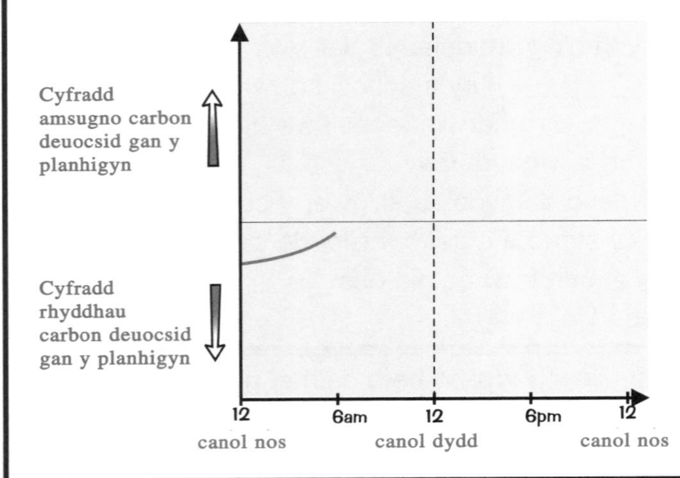

a) Pam mae cyfradd rhyddhau carbon deuocsid i'r atmosffer yn lleihau rhwng canol nos a 6am?

b) Cwblhewch y gromlin i ddangos yr hyn sy'n digwydd rhwng 6am a 6pm.

c) Rhowch X ar y graff i ddangos pryd y bydd cyfradd rhyddhau carbon deuocsid yn union gyfartal â chyfradd amsugno carbon deuocsid.

Ffotosynthesis

5) Aeth Aled ati i greu gardd botel. Tyfodd rai planhigion yn y botel a rhoddodd löyn byw ynddi a ddaliodd yn ei ardd. Gwyddai fod y glöyn byw yn bwyta siwgr, felly rhoddodd ddysgl o ddŵr â siwgr yn y botel. Cyn mynd ar wyliau am bythefnos daliodd Aled löyn byw arall. Fe'i rhoddodd mewn potel arall ond doedd dim amser i ychwanegu planhigion. Mae'r diagramau'n dangos yr hyn a welodd ar ôl dychwelyd o'i wyliau.

a) Pam y bu farw'r glöyn byw yn yr ail botel?

b) Yn ogystal â'i faw (*droppings*), beth arall a gynhyrchir gan y glöyn byw cyntaf fydd yn helpu'r planhigion i dyfu?

Glöyn byw yn fyw
Glöyn byw marw
Dysgl o ddŵr â siwgr
Rhoddwyd y botel gyntaf ar silff ffenestr
Rhoddwyd yr ail botel ar silff ffenestr

6) Gadawyd planhigyn mewn cwpwrdd tywyll am 48 awr i sicrhau nad oedd unrhyw startsh yn ei ddail. Yna rhoddwyd y planhigyn mewn clochen fel y gwelir yn y diagram. Gadawyd y cyfarpar am 24 awr a phrofwyd y dail ag ïodin. Ticiwch y blychau cywir.

Deilen	Troi'n las/ddu	Â startsh
A		
B		
C		
D		

Deilen A
Deilen B
clochen wedi'i selio
Deilen C (â ffoil o amgylch y canol)
Deilen D (â ffoil o'i hamgylch i gyd)
calch soda (yn amsugno carbon deuocsid)

7) Cwblhewch yr hafaliad ar gyfer ffotosynthesis:

a) â geiriau b) â symbolau cemegol

8) Mae'r graff yn dangos effaith amodau gwahanol ar gyfradd ffotosynthesis.

a) Enwch ffactor sy'n cyfyngu ar gyfradd ffotosynthesis yn safle X.

b) Lluniwch gromlin ar y graff i ddangos yr hyn a ddigwyddai o gynyddu'r carbon deuocsid i lefel uwch o lawer (ar 30°C).

c) Beth yw ffactor cyfyngu?

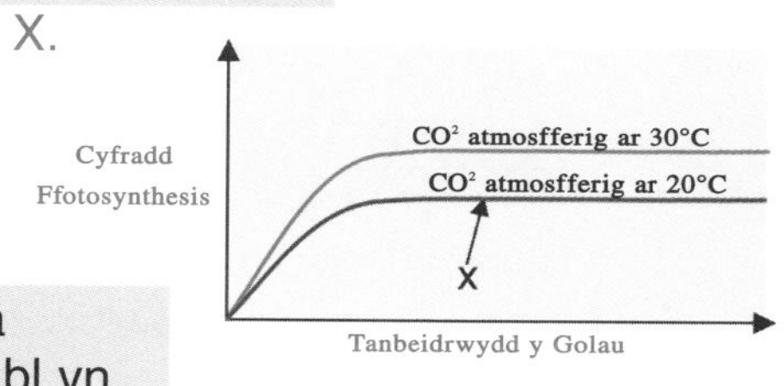

9) Cydosodwyd pedwar tiwb profi fel y gwelir yn y diagram gyda hydrogencarbonad wedi'i ychwanegu fel dangosydd. Mae'r tabl yn cofnodi lliw'r hydrogencarbonad ym mhob tiwb ar ôl awr.

CANLYNIADAU

Tiwb	Lliw'r hydrogencarbonad ar ôl awr
a	Melyn
b	Porffor
c	Oren
d	Oren

A B C D
GOLAU GOLAU GOLAU GOLAU
Ffoil o amgylch tiwbiau A+C
Dail
Dangosydd hydrogencarbonad

a) Pa diwbiau sy'n gweithredu fel rheolyddion?

b) i) Pa sylwedd achosodd i'r dangosydd droi'n felyn yn nhiwb profi a?

ii) Pa broses sy'n cynhyrchu'r sylwedd hwn?

c) i) Pam y trodd y dangosydd yn borffor yn nhiwb profi b?

ii) Pa broses sydd ar waith yn nhiwb profi b nad yw'n digwydd yn nhiwb profi a?

Gair i Gall: Bydd angen dysgu ffotosynthesis ar gyfer yr arholiad - gan gynnwys yr **hafaliadau**. Cofiwch ddysgu'r **gwahaniaethau** rhwng ffotosynthesis a resbiradaeth. Cofiwch y **ffurfiadau** yn y ddeilen - a'r cyswllt rhwng **ffotosynthesis** a **thrydarthu**.

Bwyd a Phlanhigion

1) Yn y diagram gwelir enghreifftiau o'r defnydd a wneir o glwcos gan blanhigion.

a) i) Enwch bum ffurfiad sy'n storio bwyd mewn planhigion.
ii) Enwch y bwyd y mae pob ffurfiad yn ei storio.

b) Pam mae sylweddau storio yn anhydawdd?

c) Chwyddir ffrwythau â siwgr a dŵr.
Sut mae hyn yn helpu'r planhigyn?

d) Enwch y broses sy'n gwneud glwcos.

e) Gall egni gael ei ryddhau o glwcos.
Beth yw enw'r broses hon?

f) Enwch ddau sylwedd a wneir o glwcos.

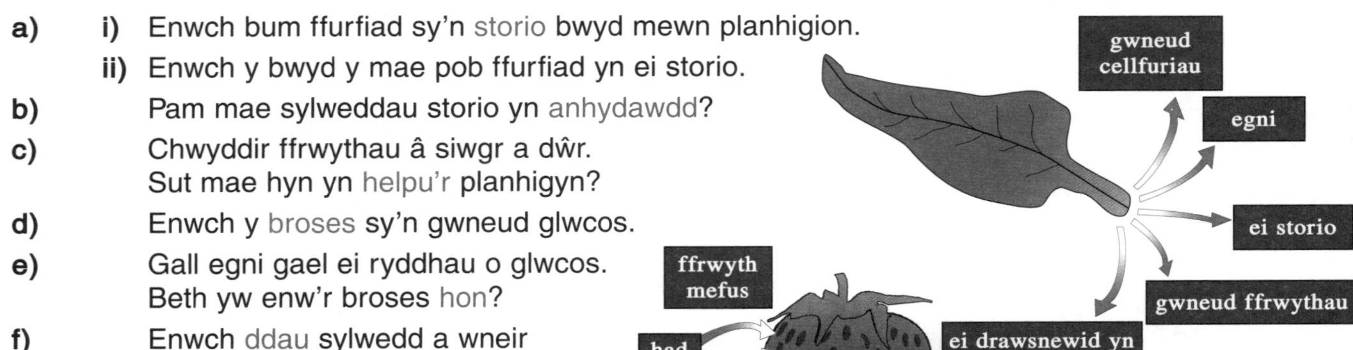

2) Gwnaeth myfyriwr ddau fodel o gell. Rhoddodd startsh mewn un a glwcos yn y llall.
Rhoddodd y ddau mewn tiwbiau profi sy'n cynnwys dŵr pur.

a) Pa fodel fydd yn chwyddo?

b) Enwch y broses sy'n achosi i'r 'gell' chwyddo.

c) Eglurwch pam mae'r 'gell' yn chwyddo.

d) Rhowch un fantais o gelloedd yn storio startsh.

e) Enwch un sylwedd storio arall.

f) Enwch organ y gallai ei gelloedd gael eu cynrychioli gan fodel 'b'.

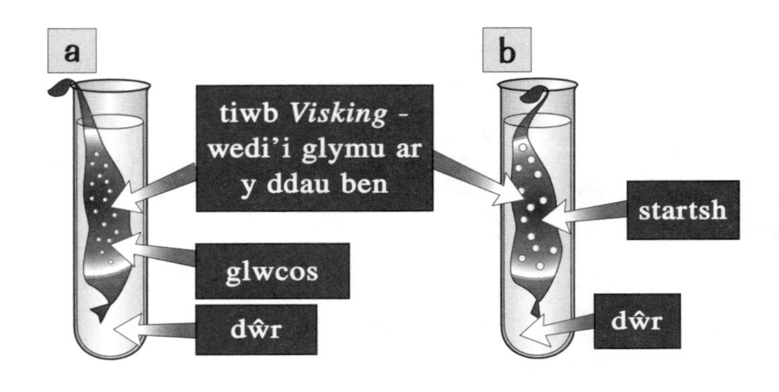

3) Defnyddiwch y geiriau isod i lenwi'r bylchau.

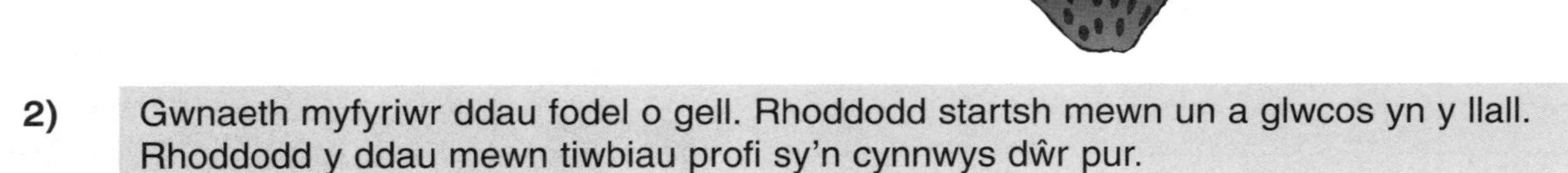

Pan geir ffotosynthesis, cynhyrchir ______________. Gellir trawsnewid glwcos yn sylwedd storio, sef ______________. Mae'r sylwedd hwn yn ______________, felly mae'n atal celloedd rhag chwyddo â dŵr. Caiff startsh ei storio yn y gwreiddiau, y ______________ a'r dail. Newidir glwcos yn ______________ cyn cael ei storio mewn ffrwythau. Ond yn aml mewn had caiff glwcos ei droi yn ______________. Gall asidau amino hefyd gael eu gwneud o'r siwgr hwn. Gall yr asidau amino uno â'i gilydd i ffurfio ______________ . Gellir newid glwcos i ffurfio ______________, a geir mewn cellfuriau. Mae hwn yn cryfhau'r muriau ac yn helpu i gynnal planhigion. Defnyddir y term ______________ am y broses o ryddhau egni o glwcos. Defnyddir egni i droi moleciwlau llai yn foleciwlau ______________. Hefyd mae angen egni ar gyfer cludo ______________. Mae hyn yn galluogi i fwynau symud i mewn i wreiddiau planhigyn yn erbyn graddiant y crynodiad.

Gair i Gall: Bydd angen dysgu'r holl ffyrdd y bydd planhigion yn **defnyddio'r glwcos** a ffurfir yn ystod ffotosynthesis. Caiff glwcos ei drawsnewid yn wahanol **sylweddau**. Cofiwch y rhain, **sut** y cânt eu defnyddio ac ym **mha le** y digwydd hyn. Y rhai pwysig yw **startsh**, **swcros**, **lipidau**, **cellwlos** ac **asidau amino**.

Hormonau mewn Planhigion

1) Rhoddodd Mrs Jones, yr athrawes, arddangosiad i'r dosbarth. Pa rai o syniadau'r myfyrwyr sy'n disgrifio'n gywir yr hyn a ddigwyddodd?

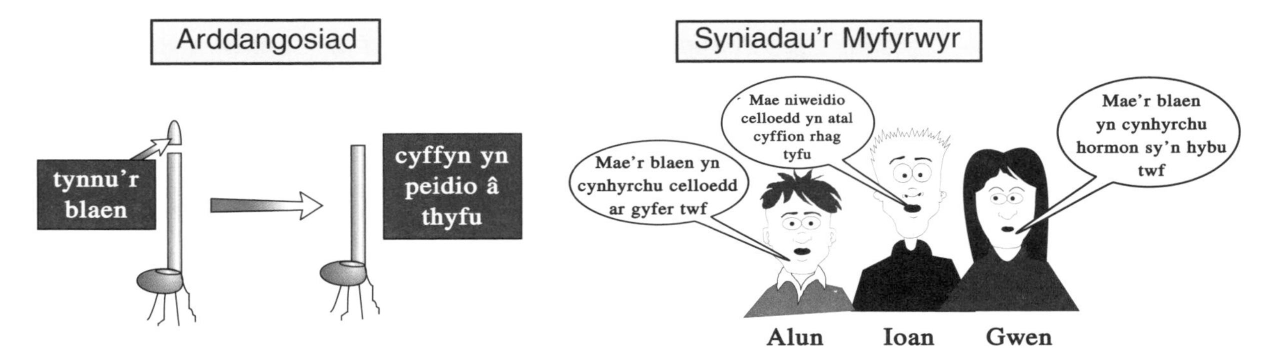

2) Rhoddwyd eginblanhigyn ffeuen ifanc yn y ddaear ar ei ochr.

a) i) I ba gyfeiriad y bydd y gwreiddyn yn tyfu?
ii) Beth sy'n achosi i'r gwreiddyn dyfu i'r cyfeiriad hwn?
iii) Pa symbyliadau sy'n effeithio ar gyfeiriad twf y gwreiddiau?

b) i) I ba gyfeiriad y bydd y cyffyn yn tyfu?
ii) Beth sy'n achosi i'r cyffyn dyfu i'r cyfeiriad hwn?
iii) Pa symbyliadau sy'n effeithio ar gyfeiriad twf y cyffion?

c) Enwch y prif gemegyn sy'n rheoli twf y cyffion a'r gwreiddiau.

d) Pa effaith y mae'r cemegyn hwn yn ei chael ar gelloedd y cyffyn?

3) Llenwch y bylchau â'r geiriau isod (gellir defnyddio geiriau fwy nag unwaith).

awcsin *mwy trwchus* *ffrwythau* *disgyrchiant* *twf* *hormonau*
lleithder *gwreiddiau* *di-had* *cyffion*

Mae __________ planhigion yn tyfu tuag at symbyliad golau ac yn erbyn grym __________. Mae __________ planhigion yn tyfu tuag at symbyliad disgyrchiant a __________. Mae planhigion yn cynhyrchu __________ cemegol i gyd-drefnu a rheoli twf. Mae blaen y cyffyn yn cynhyrchu'r hormon __________ . Mae'r hormon hwn yn achosi i gelloedd cyffion hwyhau. Pan fydd golau o un cyfeiriad yn disgleirio ar un ochr i'r planhigyn, bydd yr awcsin yn cronni ar yr ochr arall. Bydd hyn yn hybu __________ anwastad mewn cyffion, gan blygu'r cyffyn tuag at y golau. Mae powdrau gwreiddio yn cynnwys yr un hormonau. Bydd y rhain yn hybu __________ i dyfu ar doriadau cyffion. Gall blodau sydd heb eu peillio gael eu trin â hormonau i gynhyrchu ffrwythau __________, megis grawnwin. Hefyd gellir rheoli aeddfediad __________ â hormonau. Mae chwynladdwyr detholus llydanddail, megis 2-4D, hefyd yn cynnwys hormonau. Mae'r rhain yn gweithio drwy amharu ar y __________ arferol yn achos planhigion llydanddail. Mae'r hormonau a gynhyrchir ym mlaen y cyffyn yn atal twf y cyffyn i'r ochr. Mae cael gwared â blaenau cyffion yn hybu twf planhigion __________.

Hormonau mewn Planhigion

4) Llenwch y bocsys yn y tabl.

Y Cemegyn	Y defnydd a wneir ohono	Yr effaith
Hormon gwreiddio		
	Chwistrellu dros chwyn llydanddail	
		Cynhyrchu ffrwythau di-had

5) Penderfynodd Rhodri dyfu cyffion corn a fyddai mor syth â phosibl.

a) Beth allai ei wneud i eginblanhigion corn i wneud iddynt dyfu'n syth?

b) *Pythefnos ar ôl tyfu'r eginblanhigion, sylwodd Rhodri fod y cyffion yn tyfu i'r chwith.*

Rhowch reswm posibl dros hyn ac eglurwch sut y gallai Rhodri wneud i'r eginblanhigion dyfu'n syth eto.

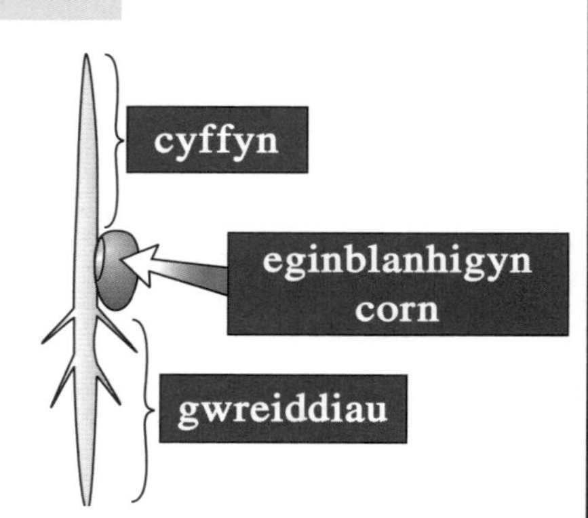

6) Mae'r diagramau'n dangos pedwar bocs. Rhoddir pob bocs yn yr un amgylchedd cyson ac mae un planhigyn berwr ym mhob bocs.

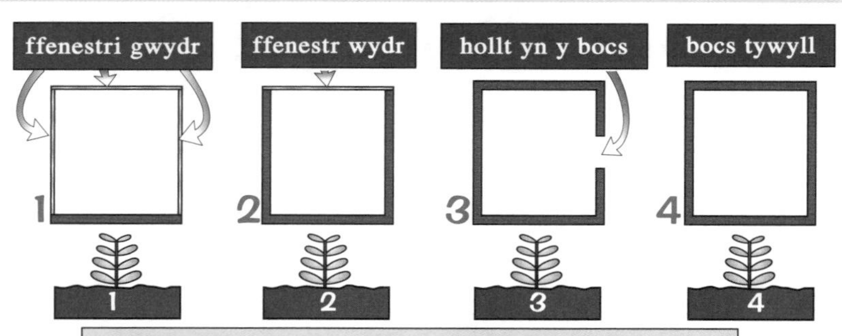

Planhigion berwr cyn cael eu rhoi yn y bocsys

a) Ail-luniwch y bocsys, yn dangos sut olwg sydd ar y planhigyn berwr y tu mewn iddynt ar ôl ychydig ddyddiau.

b) Ar gyfer pob bocs eglurwch batrwm y twf a luniwyd gennych.

7) Cwblhewch y brawddegau hyn drwy ddewis y gair/geiriau cywir oddi mewn i'r cromfachau:

a) Os rhoddir hormonau twf i flodau (wedi'u/heb eu) peillio, cynhyrchir ffrwythau di-had.

b) Mae chwynladdwyr detholus yn gweithredu ar blanhigion drwy (amharu ar dwf/atal twf) y planhigyn.

c) Mae torri blaenau planhigion yn gwneud iddynt dyfu'n fwy (trwchus/tal).

d) Gellir gwneud i ffrwythau (aeddfedu/aros yn anaeddfed) drwy eu chwistrellu â hormonau.

Gair i Gall: Bydd cyffion a gwreiddiau yn tyfu mewn ymateb i **olau** a **disgyrchiant** - ond rhaid medru **enwi'r** ymatebion a gwybod sut mae **lefelau hormonau** yn eu hachosi. Cofiwch y defnyddir hormonau twf yn **fasnachol** - ar gyfer cwestiynau ynglŷn â **chymwysiadau** gwyddoniaeth.

Y System Dreulio

1) Un o ddibenion y system dreulio yw torri bwyd i lawr.

Ble y caiff bwyd ei dorri i lawr gyntaf?

Disgrifiwch sut y caiff ei dorri i lawr. Beth arall sy'n digwydd i'r bwyd yn y fan yma?

2) Yn y diagramau isod gwelir prif rannau'r system dreulio.

Yn D gwelir y geg, y chwarennau poer a'r oesoffagws.
Enwch y rhannau a labelwyd ac ysgrifennwch eu llythyren a'u henw.

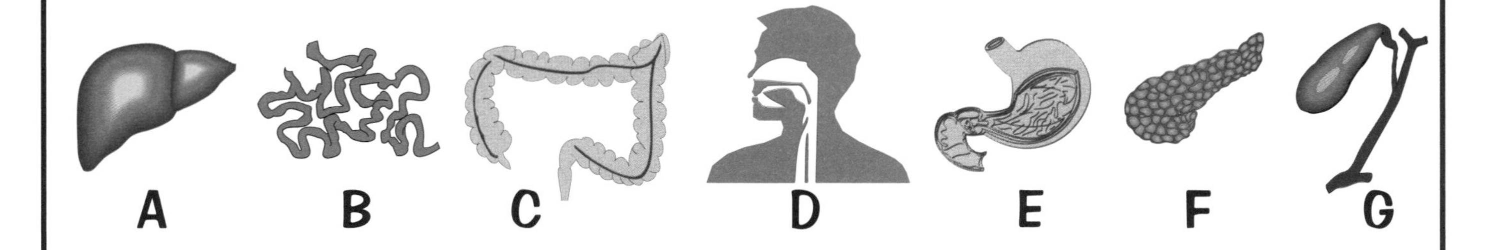

3) Dyma'r rhannau o'r system dreulio y bydd bwyd yn mynd drwyddynt.

Cysylltwch bob rhan â'i swyddogaeth gywir:

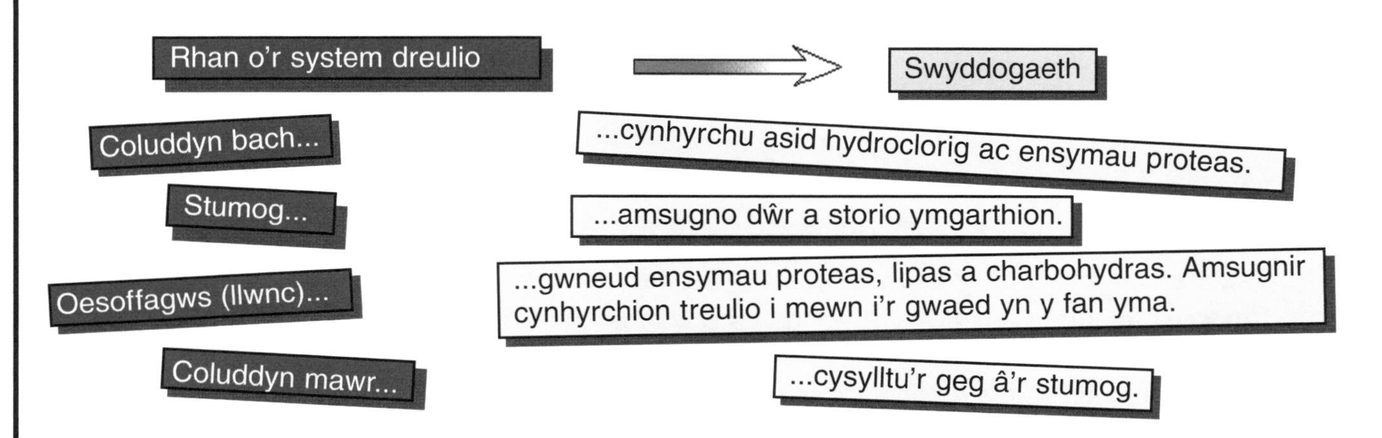

Ysgrifennwch y rhannau o'r system dreulio ynghyd â'u swyddogaeth yn y drefn y bydden nhw'n gweithio i dreulio bwyd.

4) Enwch y rhannau hyn o'r system dreulio:

a) rhannau lle na fydd bwyd yn mynd drwyddynt;
b) rhannau sy'n gyhyrol.

Y System Dreulio

5) Weithiau, wrth i ni fwyta, bydd bwyd 'yn mynd i lawr y ffordd anghywir' ac yna byddwn yn pesychu.

Beth yw'r 'ffordd anghywir'? Beth yw'r 'ffordd gywir'? Beth sy'n gwneud i fwyd fynd i lawr y 'ffordd gywir'?

6) Edrychwch ar y diagram isod. Mae'n dangos bwyd yn symud drwy'r oesoffagws.

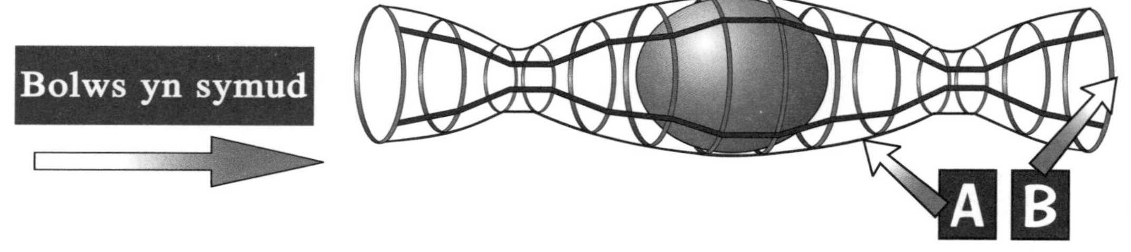

a) Mae'r labeli A a B yn pwyntio at ddau fath o gyhyrau. Enwch A a B.

b) Enwch y broses gyhyrol sy'n gwthio bwyd drwy'r oesoffagws a'r coluddion.

c) Eglurwch sut mae'r mecanwaith a enwyd yn **b)** yn gweithio. Soniwch am gyhyrau yn eich ateb.

7) Mae'r stumog yn cynhyrchu asid hydroclorig ac ensymau proteas.

Beth arall y mae'r stumog yn ei wneud i helpu i dreulio bwyd?

8) Mae gan arwyneb mewnol y coluddyn bach tua phum miliwn o ymestyniadau sy'n debyg i fysedd, gyda phob un tua 1mm o ran hyd.

a) Enwch y 'bysedd' hyn?

b) *Gwelir un o'r 'bysedd' hyn yn y diagram ar y dde.*

Copïwch y diagram ac enwch y rhannau a ddynodir gan A, B, C.

c) Beth yw mantais peidio â chael arwyneb mewnol llyfn yn y coluddyn bach?

d) Mewn oedolion gall hyd y coluddyn bach fod i fyny at 6m a gall hyd y coluddyn mawr fod i fyny at 1.5m. Sut maen nhw'n ffitio y tu mewn i'r corff a pham maen nhw mor hir?

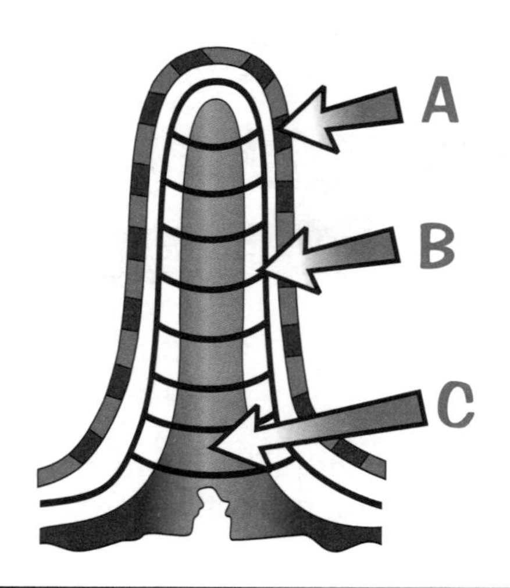

Gair i Gall: **Efallai** y gofynnir i chi labelu diagram y system dreulio yn yr arholiad, felly rhaid gwybod **y cyfan**. Cofiwch sut mae **adeiledd** y rhannau yn eu helpu i wneud eu gwaith yn effeithlon. Os gallwch ateb yr holl gwestiynau hyn rydych ar eich ffordd i gael **marciau da**, os na allwch eu hateb triwch eto ac eto. Ynglŷn ag ensymau, darllenwch ymlaen...

Ensymau Treulio

1) Beth yw catalydd? Beth yw ensym?

2) Beth yw treulio? Beth yw ensymau treulio?

3) Rhaid i chi wybod am dri math o ensymau treulio. Yn y tabl isod cymysgwyd enwau'r ensymau hyn, y sylweddau y maent yn eu treulio a'r cynhyrchion a wneir. Ysgrifennwch y frawddeg gywir ar gyfer pob ensym.

Mae	carbohydras	yn catalyddu torri	protein	i lawr yn	asidau brasterog a glyserol
	proteas		braster		siwgr (maltos)
	lipas		startsh		asidau amino

4) Ychwanegir sudd gastrig at fwyd pan fydd yn y stumog. Mae'r sudd hwn yn cynnwys asid.

a) Enwch yr asid a secretir gan y stumog.

b) Amcangyfrifwch pH cynnwys y stumog a rhowch reswm dros eich ateb.

c) Rhowch ddau reswm pam mae'r stumog yn secretu'r asid hwn.

5) Defnyddiwch y diagram isod i ateb y cwestiynau canlynol.

chwarennau poer	oesoffagws	stumog	coluddyn bach	iau/afu	pancreas	coden y bustl	coluddyn mawr

a) Pa rannau o'r system dreulio a restrir uchod sy'n cynhyrchu ensymau carbohydras?

b) Ble yn y system dreulio y caiff startsh ei dreulio gan ensymau carbohydras?

c) Beth sy'n debygol o rwystro treuliad startsh gan ensymau carbohydras yn y stumog?

d) Pa rannau o'r system dreulio sy'n cynhyrchu ensymau proteas?

e) Ble yn y system dreulio y caiff protein ei dreulio gan ensymau proteas?

f) Pa rannau o'r system dreulio sy'n cynhyrchu ensymau lipas?

g) Ble yn y system dreulio y caiff braster ei dreulio gan ensymau lipas?

6) Mae ensymau'n gweithio mewn hydoddiant, ond dydy braster ddim yn hydoddi mewn dŵr. Os gellir torri braster yn ddefnynnau llai, gall lipas ei dreulio'n fwy effeithiol.

a) Mae bustl yn emwlsio braster. Beth yw ystyr emwlsio?

b) Beth sy'n digwydd i arwynebedd arwyneb braster pan gaiff ei emwlsio?

c) Eglurwch pam mae bustl yn caniatáu i lipas dreulio brasterau'n fwy effeithiol.

7) Siart llif ar gyfer treulio yw'r diagram ar y dde.

Copïwch y diagram. Defnyddiwch eich atebion i gwestiwn **5** i'w gwblhau.

Dylai eich siart llif gorffenedig ddangos lle y cynhyrchir pob ensym treulio a lle y treulir pob maetholyn.

8) Disgrifiwch mewn geiriau yr hyn sy'n digwydd i fwyd ar ôl iddo fynd i mewn i'r corff. Nodwch lle y treulir y maetholynnau, enwau'r maetholynnau, enwau'r ensymau treulio a lle y cânt eu cynhyrchu, a chynhyrchion treulio.

Gair i Gall: Mae llawer i'w ddysgu ar y tudalennau hyn, gan gynnwys **geiriau hir a rhyfedd**. Ond mae'n bwysig dysgu'r gwaith hwn i gyd. Ewch drwyddo'n fanwl a chofiwch yr **holl** ensymau, o **ble** maen nhw'n dod a'r **hyn a wnânt**.

Amsugno Bwyd

1) Cysylltwch bob maetholyn â'i ffurf gywir wedi iddo gael ei dreulio:

treulir startsh i ffurfio...

treulir protein i ffurfio...

treulir braster i ffurfio...

...moleciwlau llai sef asidau brasterog a glyserol

...moleciwlau llai sef siwgrau

...moleciwlau llai sef asidau amino

2) Rhoddwyd cymysgedd o dywod a siwgr mewn bicer i fyfyriwr. Gofynnwyd iddo wahanu'r tywod oddi wrth y siwgr. Penderfynodd ddefnyddio'r dull a welir yn y diagramau isod.

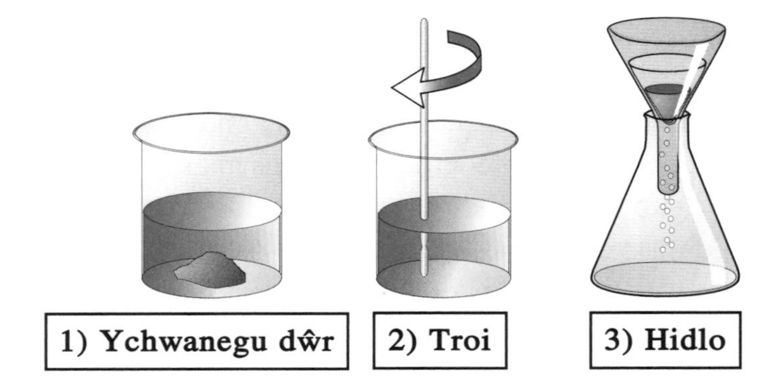

a) Beth sy'n digwydd i'r tywod pan gaiff y cymysgedd ei droi (*stirred*)?
b) Beth sy'n digwydd i'r siwgr pan gaiff y cymysgedd ei droi?
c) Beth sy'n digwydd i'r tywod pan gaiff y cymysgedd ei hidlo?
d) Beth sy'n digwydd i'r siwgr pan gaiff y cymysgedd ei hidlo?
e) Edrychwch ar eich atebion hyd yma. Eglurwch ystyr hidlo - pa fath o sylweddau y gellir ei hidlo a pha fath na ellir ei hidlo?

3) Lluniwch dabl fel yr un isod.

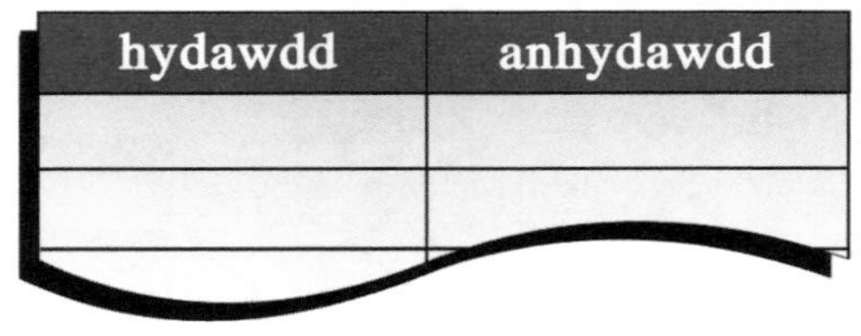

hydawdd	anhydawdd

a) Rhowch y sylweddau a nodir isod yn y colofnau cywir yn y tabl:

asidau amino   braster   protein   glyserol
startsh   siwgr   asidau brasterog

b) Pa rai o'r sywleddau hyn y gellid defnyddio papur hidlo i'w gwahanu oddi wrth ddŵr? Eglurwch eich ateb.
c) Beth sydd o'i le ar y syniad y caiff cynhyrchion treulio eu 'hidlo i mewn i'r gwaed'?

Amsugno Bwyd

4) Gwnaeth myfyrwraig arbrawf i ddangos symudiad maetholynnau drwy furiau model coluddyn.

Gwnaeth fag sy'n dal dŵr gan ddefnyddio tiwb *Visking* sy'n rhannol athraidd. Rhoddodd gymysgedd o ddaliant startsh a hydoddiant siwgr yn y bag, a rhoddodd y bag mewn tiwb profi oedd â dŵr distyll ynddo (gweler y diagram). Ar ddechrau'r arbrawf profodd gynnwys y bag a'r dŵr am startsh a siwgr. Gwnaeth hynny eto ar ôl 30 munud.

Dangosir ei chanlyniadau yn y tabl.

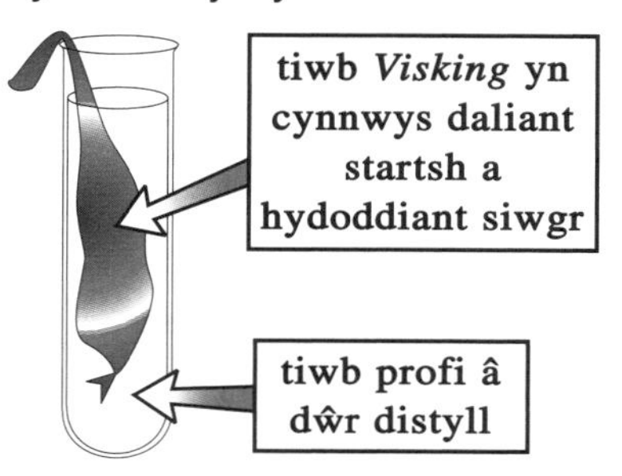

	cynnwys y bag		dŵr	
amser (munudau)	startsh	siwgr	startsh	siwgr
0	✔	✔	✘	✘
30	✔	✔	✘	✔

a) Sut yr aeth siwgr i mewn i'r tiwb dŵr yn ystod yr arbrawf?

b) Pam nad oedd dim startsh yn y dŵr ar ddiwedd yr arbrawf?

c) Awgrymwch dair ffordd y gallai'r fyfyrwraig gyflymu'r broses a ddisgrifiwyd yn eich ateb i ran **a)**.

5) Amsugnir cynhyrchion treulio i mewn i lif y gwaed.

a) Ym mha ran o'r system dreulio y bydd hyn yn digwydd?

b) A gaiff ffibr dietegol ei amsugno?

c) Mae'r gwahanol suddion treulio yn ychwanegu'n fawr at faint o ddŵr a gymerir i mewn drwy fwyta ac yfed. Ym mha ran o'r system dreulio yr amsugnir dŵr dros ben?

d) Pa swyddogaeth arall sydd gan y rhan hon o'r system dreulio?

e) Beth fyddai'n digwydd pe bai gormod o ddŵr yn cael ei amsugno?

f) Beth fyddai'n digwydd pe bai rhy ychydig o ddŵr yn cael ei amsugno?

6) Mae'r darn canlynol yn ymwneud â thrylediad.

a) Copïwch y darn gan ddewis y geiriau cywir o'r parau a danlinellwyd:

> 'Ystyr tryledgiad yw symudiad actif/goddefol gronynnau i fyny/i lawr graddiant crynodiad o grynodiad uchel/isel i grynodiad uchel/isel. Bydd tryledgiad drwy bilenni yn digwydd yn fwy cyflym/araf pan fydd y bilen yn denau ac arwynebedd ei harwyneb yn fach/fawr.'

b) Eglurwch sut mae adeiledd y coluddyn bach yn caniatáu i gynhyrchion treulio symud drwy ei fur yn effeithlon. Dylech gynnwys y geiriau 'filysau' ac 'epitheliwm' yn eich ateb. Efallai y bydd diagram wedi'i labelu o gymorth.

c) Eglurwch sut mae adeiledd y coluddyn bach yn caniatáu i gynhyrchion treulio gael eu hamsugno'n gyflym i mewn i lif y gwaed. Dylech gynnwys y gair 'capilarïau' yn eich ateb.

Gair i Gall: Defnyddiwch y gair '**amsugno**' yn yr arholiad i ennill marciau ychwanegol. Treulir protein yn asidau amino, felly peidiwch ag ysgrifennu 'caiff protein ei hidlo i mewn i'r gwaed'. Ysgrifennwch yn hytrach 'yn y coluddyn bach caiff asidau amino eu hamsugno i mewn i lif y gwaed'.

Profion Bwyd

1) Mae ïodin yn solid du sgleiniog ar dymheredd ystafell a gellir ei droi yn anwedd porffor yn hawdd. O'i hydoddi mewn dŵr gydag ychydig o botasiwm ïodid, bydd ïodin yn ffurfio hydoddiant brown.

a) Pa fath o faetholyn y gellir ei ganfod gan ddefnyddio hydoddiant ïodin?

b) Pa liw a geir pan ychwanegir hydoddiant ïodin at y math hwn o faetholyn?

2) Roedd Emyr am weld a allai'r amylas yn ei boer dreulio startsh yn siwgr. Doedd ei athro ddim yn rhy awyddus i'w ddosbarth boeri ac felly darparodd amylas parod. Trefnodd Emyr yr arbrawf a welir isod.

a) Beth ddylai Emyr ei weld wrth brofi sampl o'r cymysgedd cychwynnol â hydoddiant ïodin? Pam y dylai gael y canlyniad hwn?

b) Ar ôl 20 munud profodd Emyr y cymysgedd ag adweithydd Benedict. Trodd yn goch. Beth mae'r canlyniad hwn yn ei olygu?

c) Doedd athro Emyr ddim yn siŵr a ddangosodd yr arbrawf fod startsh wedi'i dreulio'n siwgr. Roedd dau brawf pwysig heb eu gwneud. Beth oedd y profion hyn? Pa ganlyniadau y byddech yn eu disgwyl pe bai'r startsh wedi'i dreulio'n siwgr?

d) Gwnaeth Emyr yr arbrawf eto a chynnwys y ddau brawf arall. Yn anffodus, doedd ei athro ddim wedi'i argyhoeddi bod yr arbrawf yn dangos bod angen amylas i dreulio startsh.
Pa arbrawf rheoli y dylid bod wedi'i wneud?

3) Mae Siôn wedi colli ei gyfarwyddiadau ar gyfer y prawf bwyd Biuret. Mae'n cofio rhannau ohono, ond nid yw'n siŵr o'r manylion. Ysgrifennodd gymaint ag y gallai ei gofio, ond mae yna fylchau. Copïwch gyfarwyddiadau Siôn (isod) a rhowch y geiriau cywir i mewn i'w cwblhau.

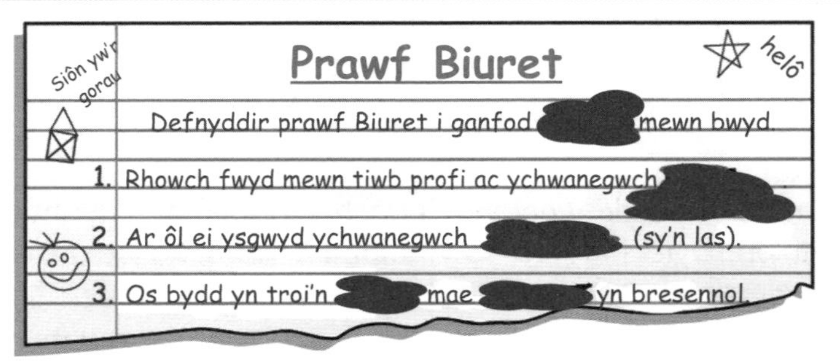
Prawf Biuret
Siôn yw'r gorau   helô
Defnyddir prawf Biuret i ganfod ______ mewn bwyd.
1. Rhowch fwyd mewn tiwb profi ac ychwanegwch ______
2. Ar ôl ei ysgwyd ychwanegwch ______ (sy'n las).
3. Os bydd yn troi'n ______ mae ______ yn bresennol.

Gair i Gall: Rhaid gwybod y cemegau a'r amodau sydd eu hangen - a'r canlyniadau a ddisgwylir - ar gyfer y profion bwyd ar y dudalen hon. Mae'n hawdd dweud mai newid lliw fydd yr adwaith, ond mae'n rhaid i chi nodi'r lliw cychwynnol a'r lliw terfynol.

System Cylchrediad y Gwaed

1) Mae dwy brif gydran i system cylchrediad y gwaed sy'n cynnal llif parhaol o waed o gwmpas y corff. Beth ydyn nhw?

2) Beth yw prif swyddogaethau system cylchrediad y gwaed? Pam y gelwir hon yn system cylchrediad?

3) Mae'r diagram isod yn darlunio prif nodweddion system cylchrediad y gwaed.

Dynodir gwaed diocsigenedig gan linellau du a gwaed ocsigenedig gan linellau gwyn. Mae'r saethau'n dangos cyfeiriad y symud. Defnyddiwch yr hyn a wyddoch a'r cliwiau yn y diagram isod i gysylltu'r pibellau gwaed a labelwyd 1-3 a'r organau a labelwyd A-D â'u henwau cywir yn y tabl.

Pibellau gwaed	Rhif	Organau	Llythyren
Gwythïen ysgyfeiniol		Coluddion	
Aorta		Arennau	
Fena cafa		Iau	
		Ysgyfaint	

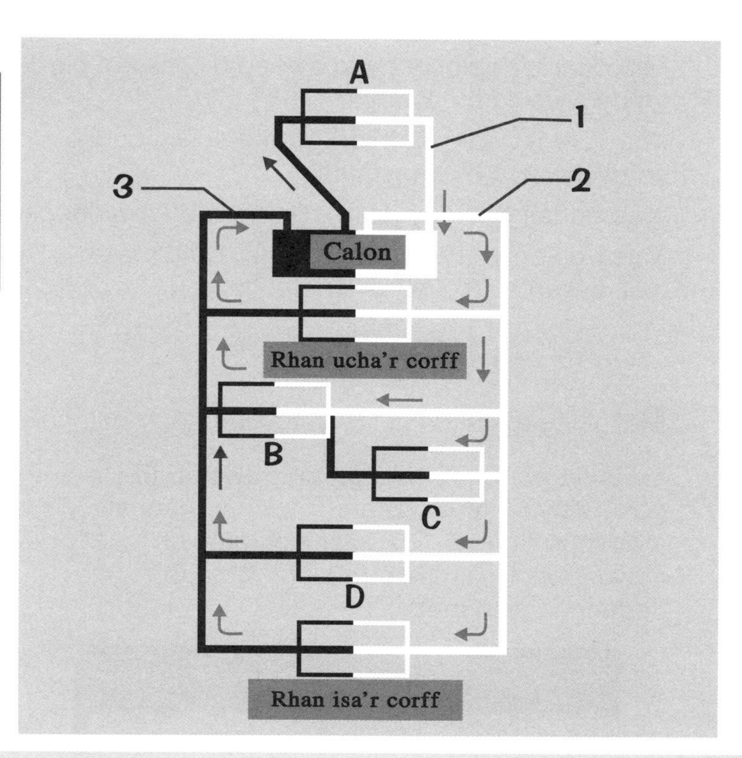

4) Ar ôl i'r rhydweli ysgyfeiniol adael y galon, mae'n rhannu'n ddau (ond ni ddangosir hyn yn y diagram). Pam mae'n gwneud hyn?

5) Ar sail y dystiolaeth yn y diagram a'r hyn a ddysgwyd gennych hyd yma, beth yw'r gwahaniaeth rhwng rhydweli a gwythïen?
Enwch y wythïen nad yw'n mynd yn syth yn ôl i'r galon.

6) Gall y cyhyr anrhesog ym muriau'r rhydwelïau gyfangu, yn enwedig pan fyddwch dan straen.

a) Beth yw'r effaith ar ddiamedr y rhydwelïau pan fydd y cyhyrau anrhesog hyn yn cyfangu?
b) Ai fasoymlediad neu fasogyfyngiad yw'r enw ar y broses hon?
c) Awgrymwch effeithiau tebygol straen hir ar system cylchrediad y gwaed.

7) Torrodd car Owen Ddig i lawr a bu'n rhaid iddo ei wthio. Mae'r tabl yn dangos yr hyn a ddigwyddodd i'w galon wrth iddo wneud hyn.

	Gorffwys	Gwthio'r car
Cyfradd curiad y galon (curiadau y munud)	60	150
Cyfaint strôc (cm^3)	100	120
Allbwn cardiaidd (cm^3 y munud)	6000	18000

a) Beth yw effaith ymarfer ar gyfradd curiad y galon ac ar y cyfaint strôc (y cyfaint a gaiff ei bwmpio mewn un curiad)?
b) Astudiwch y tabl. Pa allbwn cardiaidd y byddech yn ei ddisgwyl pe bai cyfradd curiad calon Owen yn 100 curiad y munud a'r cyfaint strôc yn $110cm^3$? Dangoswch eich gwaith cyfrifo.
c) Pam mae angen allbwn cardiaidd uwch pan fyddwn yn ymarfer?
d) Yn aml bydd cyfradd curiad y galon wrth orffwys yn isel iawn mewn athletwyr ffit. Pam?

Gair i Gall: Mae'n bwysig iawn i chi ddysgu'r ffeithiau ar y dudalen hon. Byddwch yn barod i **enwi'r** pibellau gwaed mewn diagramau - felly **dysgwch** yr enwau rhyfedd.

Y Galon

1) Yn y diagram ar y dde gwelir y galon ddynol fel lluniad peirianyddol syml o edrych arni o'r tu blaen yn hytrach nag fel trawstoriad o galon iawn.

Mae'r saethau du'n dangos symudiad gwaed diocsigenedig a'r saethau gwyn yn dangos symudiad gwaed ocsigenedig. Lliwiwyd y falfiau'n llwyd.

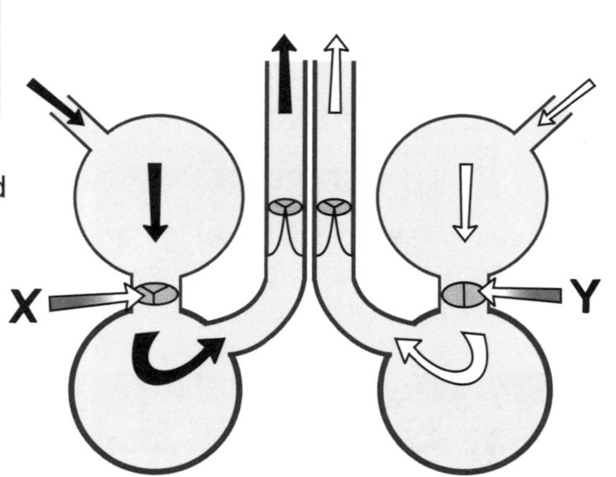

a) Faint o siambrau sydd yn y galon?

b) Pa derm a ddefnyddir am y siambrau uchaf?

c) Pa derm a ddefnyddir am y siambrau isaf?

d) I ba ochr o'r galon y bydd gwaed diocsigenedig yn dychwelyd o'r corff?

e) I ba ochr o'r galon y bydd gwaed ocsigenedig yn dychwelyd o'r ysgyfaint?

f) Mae pedair falf yn y galon. Beth yw eu swyddogaeth?

g) Mae'r galon yn ffurfio dau bwmp. Beth mae'r naill bwmp a'r llall yn ei wneud?

2) Efallai y gofynnir i chi labelu cydrannau'r galon.

Yn y diagram ar y dde gwelir trawstoriad o'r galon ddynol o'r tu blaen. Enwch y rhannau a ddynodir gan A-D. (Dylai eich atebion i gwestiwn 1 eich helpu.) Lluniwch dabl i ddangos eich ateb.

label	y rhan o'r galon

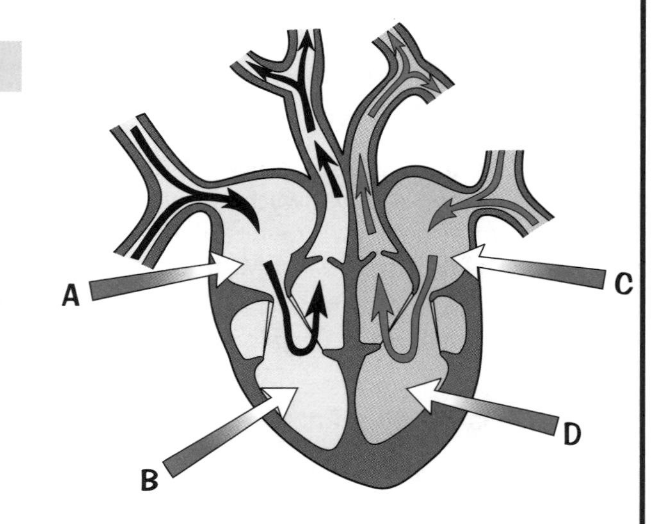

3) Efallai hefyd y gofynnir i chi labelu'r pibellau gwaed sy'n mynd i mewn i'r galon ac allan ohoni.

Yn y diagram ar y dde gwelir trawstoriad o'r galon ddynol o'r tu blaen. Enwch bob un o'r pibellau gwaed a labelwyd 1-4. Lluniwch dabl i ddangos eich atebion.

label	pibell waed

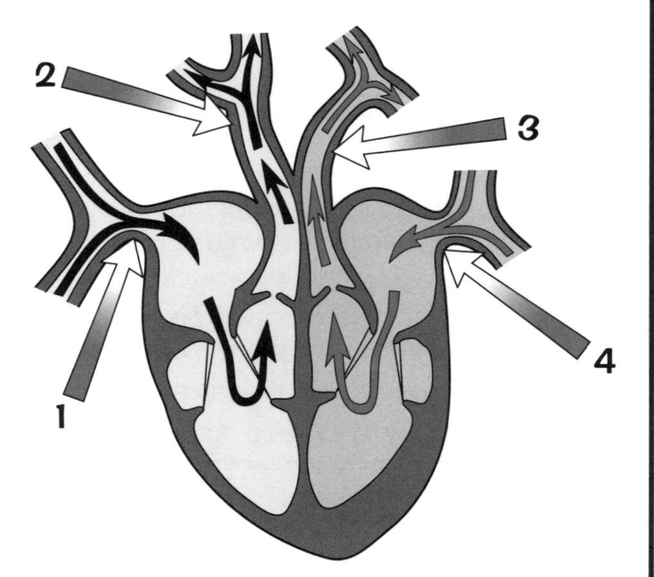

Y Galon

4) Cysylltwch bob pibell waed a'i swyddogaeth gywir:

Mae'r fena cafa...

Mae'r wythïen ysgyfeiniol...

Mae'r rhydweli ysgyfeiniol...

Mae'r aorta...

...yn cludo gwaed ocsigenedig i weddill y corff

...yn cludo gwaed diocsigenedig i'r ysgyfaint

...yn cludo gwaed oscigenedig o'r ysgyfaint

...yn cludo gwaed diocsigenedig i'r galon

5) Yn gyffredinol mae'r muriau ar ochr chwith y galon yn fwy trwchus na'r muriau ar yr ochr dde, ac mae muriau'r fentriglau'n fwy trwchus na muriau'r atria.

a) Awgrymwch resymau dros y gwahaniaethau hyn.

b) O ba fath o feinwe y gwneir muriau'r galon? Eglurwch sut y gallech weithio hyn allan ar sail yr hyn a wyddoch am sut mae'r galon yn gweithio.

c) Beth allai ddigwydd i'r galon pe bai ceulad neu blac brasterog yn creu atalfa mewn rhydweli goronaidd?

d) Mae rhai babanod yn cael eu geni ag agoriad annormal yn cysylltu'r ddau fentrigl. Yn aml gelwir hyn yn 'syndrom baban glas' am fod gwawr las i'w croen. Awgrymwch reswm pam mae eu croen yn edrych yn las.

6) Edrychwch ar y brawddegau isod. Maen nhw i gyd yn disgrifio'r ffordd y bydd ochr dde'r galon yn pwmpio'r gwaed a dderbynnir o'r corff i'r ysgyfaint. I gymhlethu pethau fe'u cymysgwyd.

Mae'r atriwm yn cyfangu i gwblhau llenwi'r fentrigl â gwaed.

Mae'r falfiau cilgant yn atal gwaed rhag llifo'n ôl i mewn i'r fentrigl.

Mae'r falf deirlen yn cau i atal gwaed rhag dychwelyd i'r atriwm.

Mae muriau'r fentrigl yn gwthio'r gwaed allan o'r galon drwy'r rhydweli ysgyfeiniol.

Mae'r fentrigl yn cyfangu gan wasgu'r gwaed y tu mewn.

Daw'r fena cafa â gwaed o'r corff i'r galon.

Tra bo'r fentrigl de yn llaes ac yn llac, bydd gwaed yn llifo i mewn iddo drwy'r falf deirlen agored.

Mae gwaed yn arllwys i mewn i'r atriwm de.

a) Ysgrifennwch y brawddegau yn y drefn gywir, gan ddechrau gyda 'Daw'r fena cafa â gwaed o'r corff i'r galon' a gorffen gyda 'Mae'r falfiau cilgant yn atal gwaed rhag llifo'n ôl i mewn i'r fentrigl'.

b) Beth sy'n digwydd pan fydd ochr chwith y galon yn pwmpio gwaed a dderbynnir o'r ysgyfaint i weddill y corff? Ysgrifennwch eich ateb â'r un manylder ag a roddir yn rhan **a)**.

c) Edrychwch ar eich atebion i rannau **a)** a **b)**. Pa ddigwyddiadau sy'n gyffredin i weithrediad y ddwy ochr? Lluniwch siart llif i ddangos y digwyddiadau cyffredin hyn yn y drefn gywir.

Gair i Gall: Mae'r galon yn **bwmp dwbl** a rhaid cofio pam. Rhaid dysgu diagram y galon oherwydd **bron yn ddi-os** bydd gofyn i chi labelu un yn yr arholiad - cofiwch y caiff y diagram ei lunio o'r tu blaen, felly bydd ochr dde'r galon ar ochr chwith y dudalen.

Pibellau Gwaed

1) Gellir llunio dwy frawddeg o'r un isod drwy ddewis y geiriau cywir o'r parau. Ysgrifennwch y ddwy.

'Mae rhydwelïau/gwythiennau yn cludo gwaed i'r/o'r galon ar bwysedd isel/uchel.'

2) Yn y diagramau isod gwelir trawstoriadau rhydweli a gwythïen. Ni luniwyd nhw wrth raddfa.

a) Copïwch y diagramau a'u labelu.

b) Disgrifiwch yr hyn sy'n debyg rhwng y trawstoriadau hyn a'r hyn sy'n wahanol rhyngddynt.

c) Eglurwch sut mae pob pibell waed wedi'i haddasu ar gyfer ei swyddogaeth. Dylai eich ateb cywir i gwestiwn **1)** eich helpu.

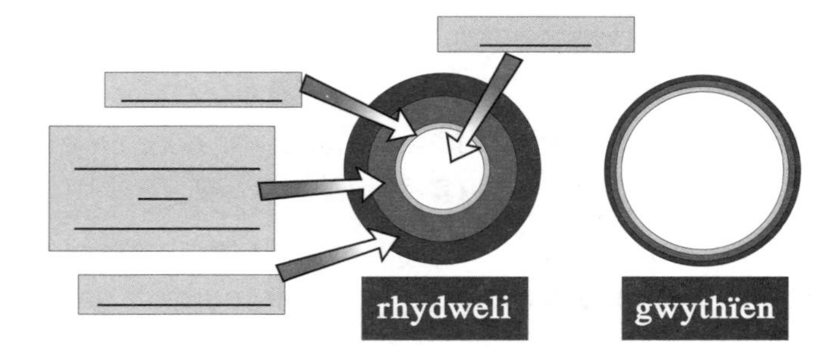

3) Yn y diagramau ar y dde gwelir darnau o rydweli a gwythïen wedi'u torri ar eu hyd. Ni luniwyd nhw wrth raddfa.

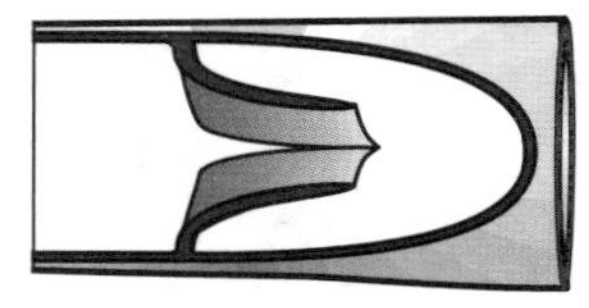

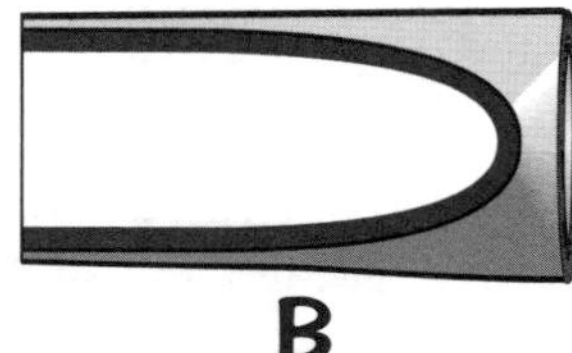

a) Copïwch y diagramau gan roi enwau cywir y pibellau gwaed.

b) Enwch y ffurfiad ychwanegol yn niagram A.

c) Beth yw swyddogaeth y ffurfiad hwn?

d) Ble arall yn system cylchrediad y gwaed y ceir y ffurfiadau hyn?

e) Gweithiwch allan i ba gyfeiriad y mae'r gwaed yn llifo ym mhibell A a rhowch saeth yn eich diagram i ddangos cyfeiriad llif y gwaed. Eglurwch sut y daethoch i'r casgliad yma.

f) Beth sy'n cadw'r gwaed i symud ym mhibell A?

g) Beth sy'n cadw'r gwaed i symud ym mhibell B?

h) Edrychwch ar eich atebion i rannau **f)** a **g)**. Pa fath o feinwe sy'n gyffredin i'r ddau ateb?

4) Mae rhydwelïau'n ymrannu'n rhydweliynnau mwy cul, a rheini'n ymrannu'n bibellau llai byth sef capilarïau (gweler y diagram). Mae'r rhain yn ffurfio rhwydweithiau trwchus rhwng y celloedd mewn meinweoedd ac organau.

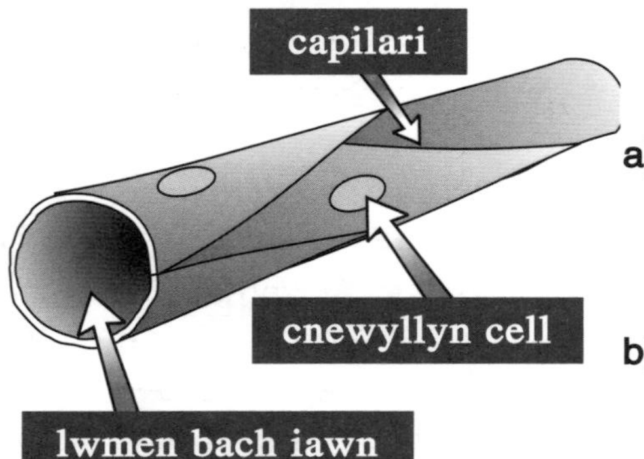

a) Er bod capilarïau'n cysylltu rhydwelïau a gwythiennau, nid dyna'u prif swyddogaeth. Beth yw eu prif swyddogaeth?

b) Sut mae adeiledd mur y capilari yn ei ganiatáu i wneud ei waith yn effeithiol?

Y Gwaed

1) Prif gydrannau'r gwaed yw celloedd coch, platennau, celloedd gwyn a phlasma. Mae tua 5 litr o waed yn yr oedolyn cyffredin. Gallwn gymryd tiwb prawf o waed a'i roi mewn allgyrchydd,

Mae allgyrchydd yn gweithio i raddau fel sychwr dillad ac mae'n tynnu cynnwys y gwaed i lawr tuag at waelod y tiwb profi. Yn y diagram ar y dde gwelir y math o ganlyniadau a gewch o wneud hyn.

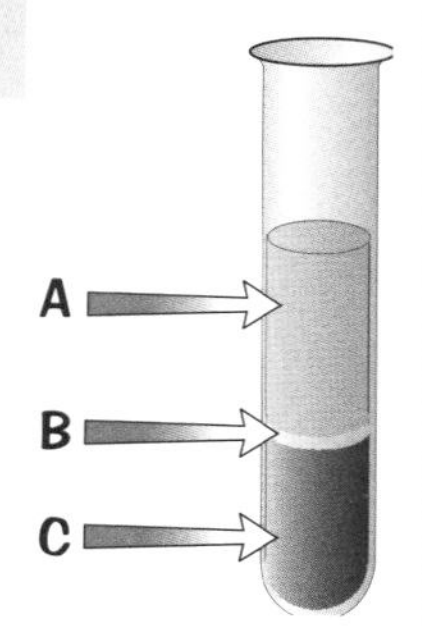

a) Hylif lliw gwellt yw haen A. Beth yw ei enw?

b) Pa gelloedd a geir yn haenau B a C? Beth arall a geir yn haen B?

c) O edrych ar y diagram, amcangyfrifwch pa gyfran o'r gwaed sy'n gelloedd.

2) Mae tua phum miliwn o gelloedd coch y gwaed ym mhob $1 mm^3$ o waed.

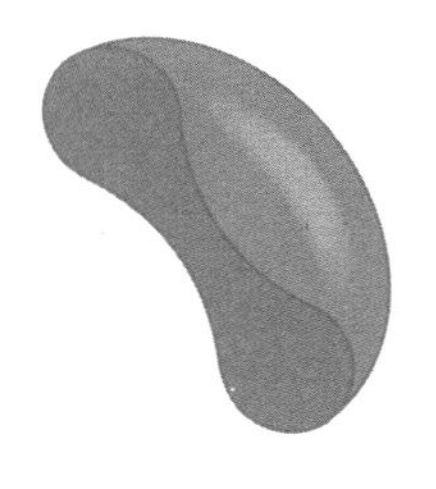

a) Beth yw swyddogaeth celloedd coch y gwaed?

b) Siâp disg deugeugrwm sydd i gelloedd coch y gwaed (gweler y diagram ar y dde). Eglurwch sut mae'r siâp hwn yn helpu cell goch y gwaed i wneud ei gwaith.

c) Pa sylwedd a geir yng nghelloedd coch y gwaed sy'n eu caniatáu i gludo ocsigen. Sut mae'n gweithio?

d) Mae celloedd coch y gwaed mewn pobl a'r rhan fwyaf o'r mamolion eraill heb gnewyllyn. Sut mae'r nodwedd hon yn helpu cell goch y gwaed i wneud ei gwaith yn effeithiol?

3) 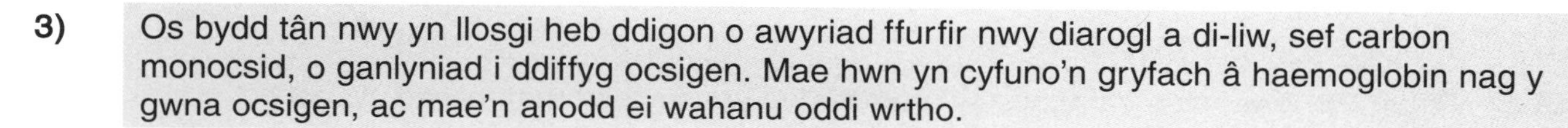
Os bydd tân nwy yn llosgi heb ddigon o awyriad ffurfir nwy diarogl a di-liw, sef carbon monocsid, o ganlyniad i ddiffyg ocsigen. Mae hwn yn cyfuno'n gryfach â haemoglobin nag y gwna ocsigen, ac mae'n anodd ei wahanu oddi wrtho.

Eglurwch pam mae carbon monocsid mor beryglus a pham y dylid profi tanau nwy yn rheolaidd.

4) Darnau bach o gelloedd yw platennau. Does dim cnewyllyn gan y rhain chwaith, ond maen nhw tua thraean maint cell goch. Mae un blaten am bob 12 cell goch yn y gwaed. Beth yw swyddogaeth platennau?

5) Mae un gell wen am bob 600 o gelloedd coch yn y gwaed. Maen nhw'n ymwneud ag amddiffyn y corff rhag haint ac nid yn y gwaed yn unig y'u ceir.

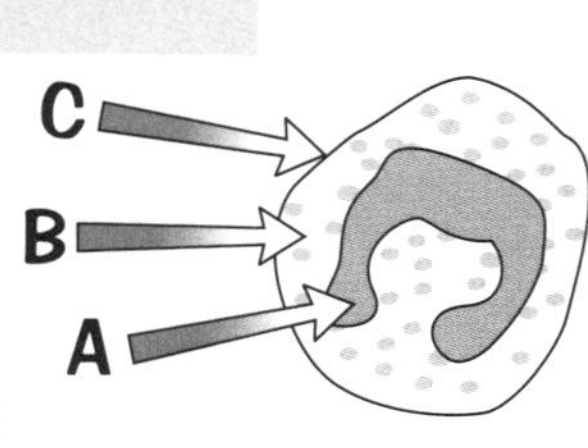

a) Copïwch y diagram o gell wen. Enwch y rhannau a labelwyd.

b) Rhowch dair ffordd y mae celloedd gwyn yn ein hamddiffyn rhag haint.

c) Ble arall yn y corff y ceir celloedd gwyn?

6) Mae plasma'n bwysig am fod y celloedd coch, y platennau a'r celloedd gwyn yn cael eu dal ynddo.

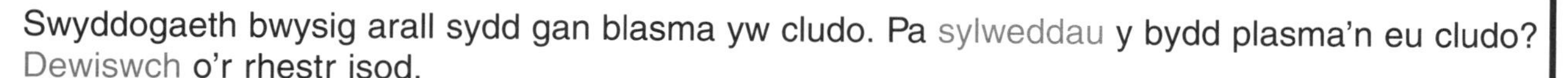
Swyddogaeth bwysig arall sydd gan blasma yw cludo. Pa sylweddau y bydd plasma'n eu cludo? Dewiswch o'r rhestr isod.

cynhyrchion treulio, hormonau, gwrthwenwynau, ocsigen, dŵr, wrea, halwynau mwynol wedi'u hydoddi, carbon deuocsid, gwrthgyrff

7) Lluniwch dabl yn crynhoi swyddogaethau pob un o'r pedair cydran sy'n perthyn i waed.

Gair i Gall: Cofiwch fod **rhydwelïau'n** cludo gwaed **o'r** galon a bod **gwythiennau'n** cludo gwaed **i'r** galon - p'un ai bod y gwaed yn las neu'n goch. Rhaid gwybod am **bedair** prif gydran y gwaed - sut **olwg** sydd arnynt a'r hyn a **wnânt**.

Yr Ysgyfaint ac Anadlu

1) Copïwch y darn isod ynglŷn â'r system anadlu a'i gwblhau drwy ddewis y geiriau cywir o'r parau a ddangosir:

'Mae'r system anadlu yn mynd ag aer/ocsigen i mewn i'r corff ac allan ohono. Mae hyn yn caniatáu i garbon deuocsid/ocsigen symud o'r aer i mewn i lif y gwaed ac i garbon deuocsid/ocsigen symud allan o lif y gwaed i'r aer.'

2) Mae'r diagram ar y dde yn dangos y thoracs.

a) Pa organ a geir fel rheol yn y bwlch X?

b) Cysylltwch y llythrennau A-K â'r labeli cywir canlynol:

- alfeoli
- bronciolyn
- broncws
- llengig
- cyhyrau rhyngasennol
- ysgyfant
- pilenni eisbilennol
- asen
- tracea

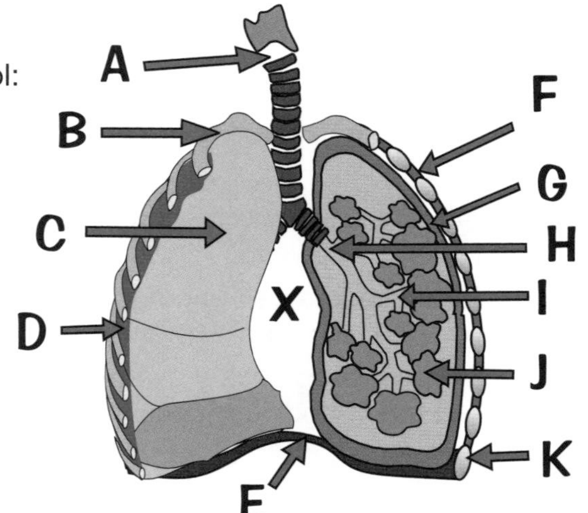

3) a) Pa un o nodweddion y thoracs sy'n amddiffyn yr ysgyfaint rhag niwed allanol?

b) Pa un o nodweddion y thoracs sy'n gwahanu'r ysgyfaint oddi wrth yr abdomen (rhan isa'r corff)?

c) Beth yw swyddogaeth y pilenni eisbilennol?

4) *Pan gaiff aer ei anadlu i mewn drwy'r trwyn neu'r geg, bydd yn symud drwy rannau o'r system anadlu i'r alfeoli.*

Ysgrifennwch y rhannau hyn o'r system anadlu yn y drefn gywir:

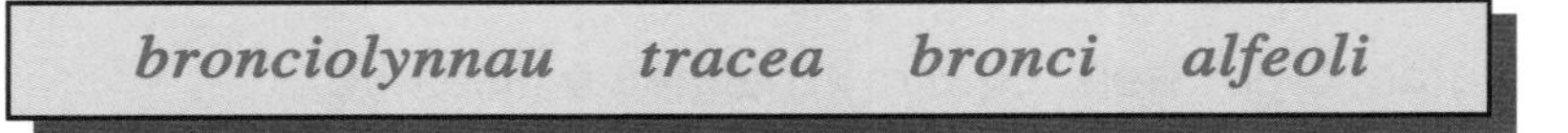

5) Atebwch y cwestiynau hyn ynglŷn â'r pibellau aer.

a) Rhowch enw arall ar y tracea.

b) Mae cylchlynnau cartilag o amgylch y tracea. Beth yw diben y rhain?

c) Mae'r tracea'n ymrannu'n bibellau aer llai eu maint, sef bronci (broncws yw'r unigol). Faint o fronci sydd ym mhob ysgyfant?

d) Beth yw bronciolyn?

e) Beth yw alfeolws?

Yr Ysgyfaint ac Anadlu

6) Mae'r brawddegau isod i gyd yn ymwneud â symudiadau'r thoracs a'r llengig wrth i ni anadlu i mewn, ond i gymhlethu pethau fe'u cymysgwyd.

Mae'r gwasgedd y tu mewn i'r thoracs yn mynd yn llai na'r gwasgedd atmosfferig.

Caiff aer ei wthio i mewn i'r ysgyfaint o'r tu allan i wneud y gwasgeddau'n gyfartal.

Mae hyn yn tynnu'r cawell asennau i fyny.

Mae'r gwasgedd y tu mewn i'r thoracs yn mynd i lawr.

Mae hyn yn achosi i'r llengig wastadu.

Mae cyhyrau'r llengig yn cyfangu.

Mae'r cyhyrau rhwng yr asennau yn cyfangu.

Mae cyfaint y thoracs yn cynyddu.

a) Ysgrifennwch y brawddegau yn y drefn gywir, gan ddechrau gyda 'Mae'r cyhyrau rhwng yr asennau yn cyfangu' a gorffen gyda 'Caiff aer ei wthio i mewn i'r ysgyfaint o'r tu allan i wneud y gwasgeddau'n gyfartal'.

b) Beth sy'n digwydd wrth i ni anadlu allan?
Ysgrifennwch eich ateb â'r un manylder ag a roddir yn rhan **a)**.

7) Os byddwch yn igian (*hiccup*) am fwy na 48 awr dylech weld doctor. Mae'n debyg y bu Charles Osbourne yn igian bob eiliad a hanner am bron 70 o flynyddoedd cyn stopio'n sydyn ym mis Chwefror 1969. Pan fyddwch yn igian caiff aer ei anadlu i mewn yn gyflym iawn.

Beth fydd eich llengig yn ei wneud pan fyddwch yn igian?

8) Mae gan unigolyn fwy na 300 miliwn o alfeoli yn yr ysgyfaint. Mae hynny'n sicrhau y gall drosglwyddo digon o ocsigen i mewn i lif y gwaed a thynnu'r carbon deuocsid gwastraff oddi yno drwy dryledIad.

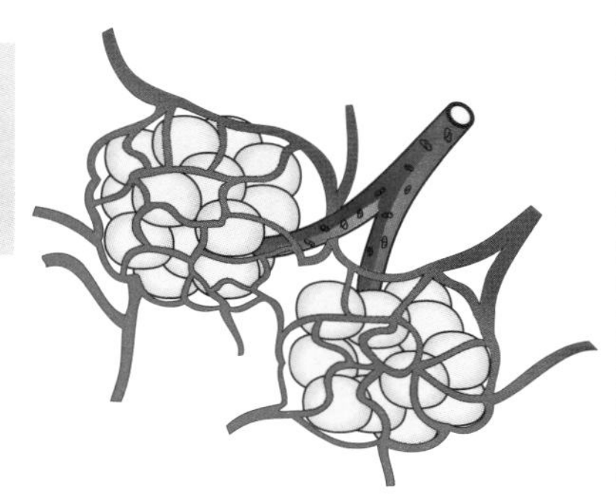

Eglurwch sut mae adeiledd yr alfeoli yn caniatáu i'r cyfnewid nwyon hyn rhwng yr aer a'r gwaed ddigwydd mor gyflym.

9) Dylai'r tabl gyferbyn ddangos yn fras y canrannau o ocsigen, carbon deuocsid a nitrogen yn yr aer y bydd unigolyn yn ei anadlu i mewn ac allan.

Copïwch a chwblhewch y tabl gan roi'r canrannau canlynol yn y mannau cywir:
0.04, 21, 78, 16, 4 a 78.

NWY	% mewn aer mewnanadledig	% mewn aer allanadledig
ocsigen		
carbon deuocsid		
nitrogen		

10) Weithiau gelwir anadlu yn awyru - dydy hynny ddim yr un peth â gadael y ffenestr ar agor. Cofiwch hefyd, mewn gwyddoniaeth, nad yr un peth yw resbiradaeth ac anadlu.

Mae'r cwestiynau uchod yn ymwneud â'r ysgyfaint ac anadlu ond, er mwyn ymarfer, ysgrifennwch yr hafaliad ar gyfer resbiradaeth.

Gair i Gall: Eto mae yna ddiagram y dylech fedru ei labelu. Rhaid gwybod **sut** y daw'r aer i mewn. Cofiwch ei fod yn ymwneud â'r **gwasgedd** y tu mewn a'r tu allan - **nid** â sugno. Cofiwch waith yr alfeoli - mae eu maint, eu nifer a'u hadeiledd yn eu helpu i'w wneud.

Resbiradaeth

1) Beth yw gwir swyddogaeth resbiradaeth - ai cael aer i mewn i'r ysgyfaint ac allan ohonynt, ai rhyddhau egni o gelloedd? Ydy planhigion yn resbiradu?

2) Atebwch y cwestiynau hyn ynglŷn â resbiradaeth aerobig ac anaerobig:

glwcos + __________ → __________ + dŵr (+ egni wedi'i drosglwyddo)

a) Copïwch a chwblhewch yr hafaliad geiriau ar gyfer resbiradaeth aerobig.

b) Y symbol cemegol ar gyfer glwcos yw $C_6H_{12}O_6$. Copïwch a chwblhewch yr hafaliad symbolau ar gyfer resbiradaeth aerobig.

__________ + $6O_2$ → ______ CO_2 + $6H_2O$ (+ egni wedi'i drosglwyddo)

c) Pa sylweddau sy'n angenrheidiol ar gyfer resbiradaeth? Sut y bydd pob sylwedd yn symud i'r man lle y caiff ei ddefnyddio yn y corff. O ba le y daw'r sylweddau hyn?

d) Pa sylweddau a gynhyrchir gan resbiradaeth? Sut y bydd y sylweddau hyn yn ymadael â'r corff?

e) Beth arall a gynhyrchir gan resbiradaeth?

3) Mae'r hafaliad geiriau isod yn dangos proses resbiradaeth anaerobig yng nghelloedd anifeiliaid.

glwcos → asid lactig (+ egni wedi'i ryddhau)

a) Defnyddiwch yr hyn a wyddoch am yr hafaliad geiriau ar gyfer resbiradaeth aerobig i ddisgrifio'r hyn sy'n debyg rhwng resbiradaeth aerobig ac anaerobig a'r hyn sy'n wahanol rhyngddynt.

b) Pam y gelwir y ddau fath o resbiradaeth yn aerobig ac anaerobig?

c) Mae'n bosibl mesur faint o egni a ryddheir gan y ddwy broses. Mae resbiradaeth aerobig yn rhyddhau 16kJ o 1g o glwcos, ac mae resbiradaeth anaerobig yn rhyddhau 833J o 1g o glwcos. Pa broses sy'n rhyddhau fwyaf o egni o glwcos? Faint o weithiau yn fwy o egni y mae'r broses hon yn ei ryddhau?

d) Cemegyn a wneir gan gelloedd sy'n defnyddio egni o resbiradaeth yw adenosin triffosffad, neu ATP. Mae ATP yn gweithredu fel storfa dros dro o egni y gellir ei ddefnyddio i yrru'r adweithiau cemegol mewn celloedd. Mae un moleciwl o glwcos yn cynhyrchu 38 moleciwl o ATP drwy resbiradaeth aerobig, ond 2 foleciwl yn unig o ATP drwy resbiradaeth anaerobig. Awgrymwch reswm dros y gwahaniaeth hwn.

Resbiradaeth

4) Mae Dafydd yn gwneud arbrawf syml i ymchwilio i resbiradaeth a gweithgaredd cyhyrol. Mae'n agor a chau ei ddwrn yn gyflym, gan gyfrif faint o weithiau y gall wneud hyn cyn i'w law deimlo fel pe bai'n mynd i gwympo. Dangosir ei ganlyniadau yn y tabl isod.

Nifer y caeadau	
llaw i lawr	**llaw i fyny**
68	19

a) Pam na all cyhyrau Dafydd barhau i gyfangu?
Pa gemegyn sy'n achosi'r boen y mae'n ei deimlo?

b) Pam y gall Dafydd gadw ei gyhyrau'n gweithio'n hirach o lawer gyda'i law i lawr?

5) Mae'r gair ensym yn golygu 'mewn burum'.
Awgrymwch pam y defnyddiwyd yr enw hwn.

6) Mae Catrin yn rhedeg mewn ras. Yn y graff isod gwelir faint o asid lactig sydd yn ei gwaed a chyfradd ei defnydd o ocsigen yn ystod y ras. Mae'r ras yn digwydd rhwng yr amserau a ddynodir gan A a B ar y graff.

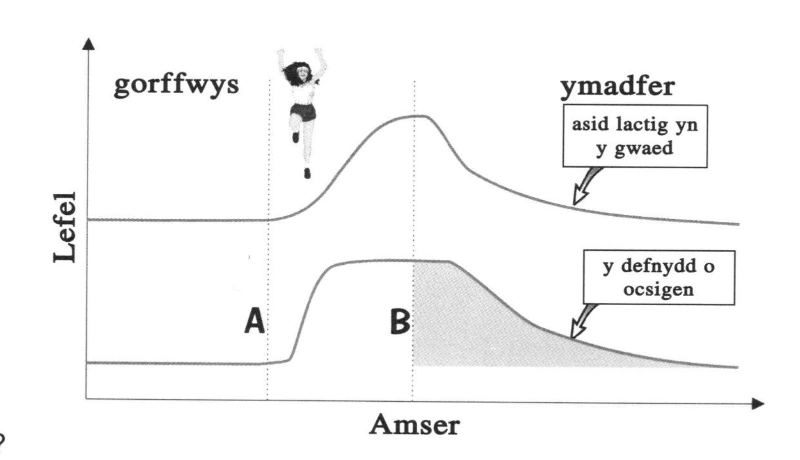

a) Pa fath o resbiradaeth sydd fwyaf tebygol wrth i Catrin orffwys cyn y ras?

b) Pam mae cyfradd ei defnydd o ocsigen yn cynyddu wrth iddi ddechrau rhedeg?

c) Pam mae cyfradd ei defnydd o ocsigen yn cyrraedd uchafbwynt yn ystod y ras? Pam na all hi ddefnyddio mwy o ocsigen na hyn?

d) Pam mae'r crynodiad o asid lactig yn ei gwaed yn cynyddu yn ystod y ras?

e) Pam mae'n cymryd amser i'r crynodiad o asid lactig yng ngwaed Catrin a chyfradd ei defnydd o ocsigen ddychwelyd i'r lefelau gorffwys ar ôl y ras?

f) Gelwir y rhan dywyll ar y graff yn ddyled ocsigen. Beth yw ystyr hyn?

Y System Nerfol

1) Un o swyddogaethau'r system nerfol yw caniatáu i ni adweithio i newidiadau yn ein hamgylchedd.

a) Pa enw a roddir ar y newidiadau yn yr amgylchedd y byddwn yn ymateb iddynt?
b) Pa enw a roddir ar y celloedd sy'n canfod y newidiadau hyn yn yr amgylchedd?
c) Awgrymwch fanteision medru canfod newidiadau yn yr amgylchedd ac ymateb iddynt.

2) Rhaid i chi wybod am bum organ synhwyro: y trwyn, y tafod, y clustiau, y llygaid a'r croen.

a) Cysylltwch yr organau hyn â'r synhwyrau canlynol (mae gan rai organau fwy nag un synnwyr):

cydbwysedd clyw golwg arogleuo blasu tymheredd cyffwrdd

b) Mae'r synhwyrau'n gweithio am fod pob organ synhwyro yn cynnwys celloedd a all ganfod symbyliadau (*stimuli*) penodol. Er enghraifft, ceir synnwyr cydbwysedd am fod yr organ synhwyro priodol yn gallu canfod safle'r corff. Cysylltwch y synhwyrau yn rhan **a)** â'r symbyliadau canlynol (gall rhai symbyliadau gynhyrchu mwy nag un synnwyr):

cemegau golau safle sŵn gwasgedd newid tymheredd

c) Lluniwch dabl gyda'r penawdau a welir ar y dde. Rhowch eich atebion i rannau **a)** a **b)** gyda'i gilydd i lenwi'r tabl. Dylai ddangos pa symbyliadau a ganfyddir gan bob organ synhwyro a'r synnwyr a gynhyrchir o ganlyniad.

Organ synhwyro	Symbyliad	Synnwyr

3) Gall y celloedd derbynnydd mewn organau synhwyro drawsnewid neu drawsddwyn yr egni o symbyliad yn ysgogiad (*impulse*) nerfol.

Beth yw ysgogiad nerfol?
I sawl cyfeiriad y gall ysgogiad nerfol symud?

4) Pe bai eich bys yn cyffwrdd â gwrthrych poeth, byddech yn ei symud i ffwrdd yn gyflym heb feddwl am y peth. Gweithred atgyrch yw hon.

a) Beth yw'r symbyliad yn y weithred atgyrch hon?
b) Beth yw'r ymateb yn y weithred atgyrch hon?
c) Beth yw'r effeithydd sy'n achosi'r ymateb hwn?

Yn y diagram ar y dde gwelir llwybr atgyrch.

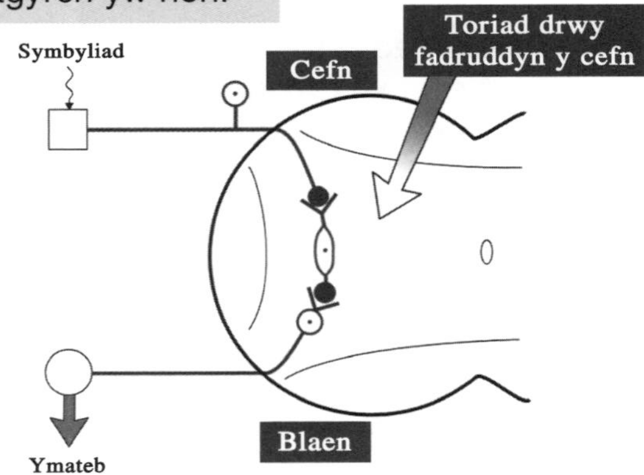

d) Copïwch y diagram. Labelwch y niwron synhwyraidd, y niwron cysylltiol a'r niwron motor. Labelwch y derbynnydd a'r effeithydd yn y cylch neu'r blwch priodol. Ychwanegwch saethau i ddangos cyfeiriad yr ysgogiadau nerfol.

e) Beth yw swyddogaeth y niwronau yn y weithred atgyrch hon?
f) Dangosir isod nodweddion llwybr atgyrch. Rhowch nhw yn y drefn gywir:

niwronau (cyd-drefnydd) → effeithydd → derbynnydd → ymateb → symbyliad

g) Defnyddiwch y llwybr atgyrch i egluro pam mae gweithredoedd atgyrch yn ymateb yn gyflym.

5) Disgrifiwch y llwybrau atgyrch a geir pan gewch ergyd ychydig islaw padell eich pen-glin a phan gewch lwch yn eich llygad.

Y System Nerfol

6) Yn y diagramau ar y dde gwelir niwron synhwyraidd a niwron motor.

a) Disgrifiwch yr hyn a wneir gan niwron synhwyraidd a niwron motor.

b) Pa ddiagram, A neu B, sy'n dangos niwron synhwyraidd? Eglurwch sut y gwyddoch hyn.

c) Copïwch y diagramau. Ychwanegwch saeth at bob un i ddangos cyfeiriad yr ysgogiad nerfol. Labelwch gynifer o nodweddion ag y medrwch ym mhob diagram.

d) Mae pob niwron yn gwneud cysylltiadau â nerfau neu feinweoedd eraill yn y rhan a farciwyd gan X. Labelwch bob diagram i ddangos yr hyn y mae X wedi'i gysylltu ag ef.

e) Eglurwch sut mae adeiledd niwronau wedi'u haddasu i'w swyddogaeth.

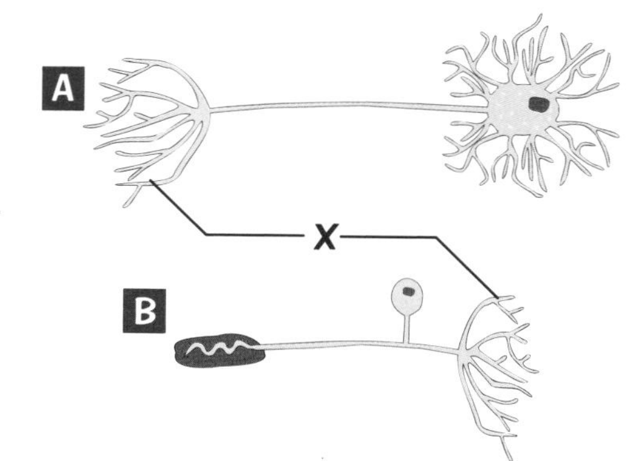

7) Copïwch y brawddegau canlynol, gan ddewis y geiriau cywir o'r parau a ddangosir:

'Mae gweithred atgyrch yn ymateb ymwybodol/awtomatig i symbyliad/dderbynnydd. Mae'n digwydd yn gyflym/araf iawn ac mae gan/nid oes gan yr ymennydd ran yn hyn. Mae gweithredoedd atgyrch yn caniatáu i ni gyd-drefnu gweithgareddau'r corff drwy reolaeth o bell/reolaeth nerfol.'

8) Edrychwch ar y diagram ar y dde:

a) Enwch y rhannau o'r system nerfol a ddynodir gan X, Y, Z.

b) Beth yw'r enw cyfunol ar y rhannau a ddynodir gan X ac Y?

c) I ba gyfeiriad y gall ysgogiadau nerfol symud yn y rhan Y?

d) Rhowch ddwy o swyddogaethau X. Oes gan X ran i'w chwarae mewn gweithredoedd atgyrch?

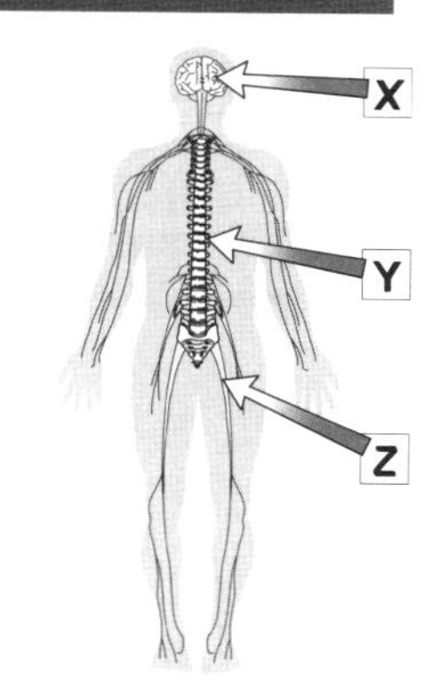

9) Yn y diagram ar y dde gwelir synaps wedi'i chwyddo'n helaeth.

a) Ble y ceir synapsau? Beth yw swyddogaeth synaps?

b) Beth a wna'r swigod cemegyn sy'n croesi'r synaps?

c) Mae mitocondria yn y diagram. Beth mae hynny'n ei awgrymu ynglŷn â gweithrediad synaps?

d) Gellir uno gwifrau trydanol â'i gilydd drwy ddefnyddio sodr, blwch cyswllt neu drwy gordeddu'r pennau. Awgrymwch reswm pam na ellir cysylltu niwronau â'i gilydd yn uniongyrchol yn y modd hwn.

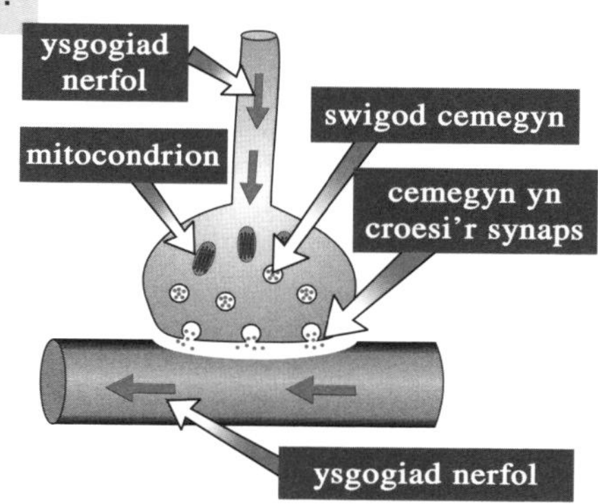

Gair i Gall: Rhaid i chi adnabod rhannau'r system nerfol a gwybod yr hyn a wnânt. Cofiwch fod **atgyrch** yn caniatáu **ymateb cyflym** i symbyliad. Daw'r ymennydd i mewn yn **ddiweddarach** i'n caniatáu i deimlo'r boen.

Y Llygad

1) Yn y diagram ar y dde gwelir toriad trwy lygad.

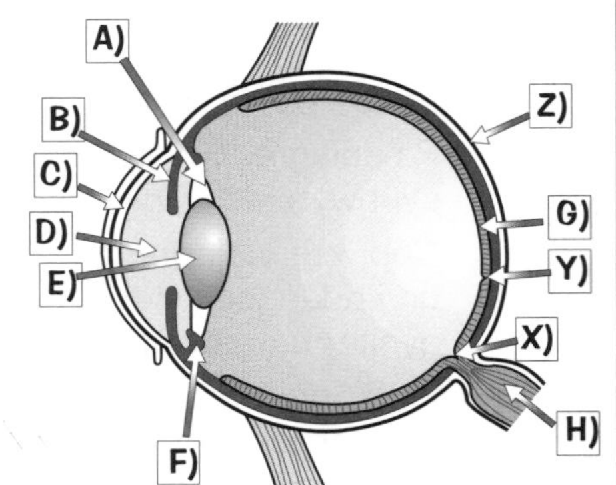

a) Cysylltwch yr enwau isod â'r rhannau o'r llygad a ddynodir gan A-H. Lluniwch dabl ar gyfer eich atebion.

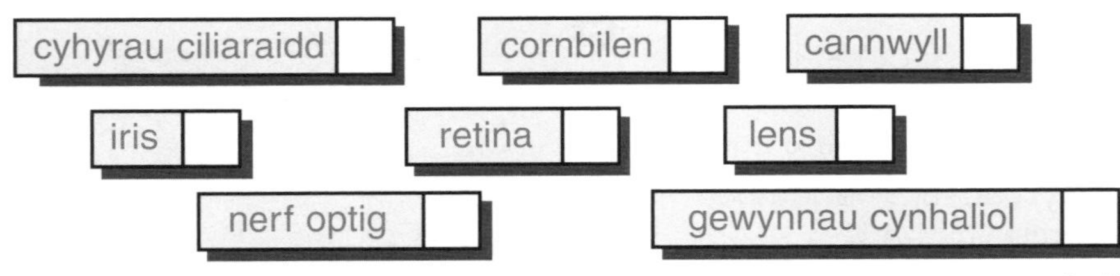

b) Efallai hefyd y gofynnir i chi nodi'r sglera, y dallbwynt a'r ffofea. Cysylltwch y rhannau hyn â'r labelau X, Y, Z ac ychwanegwch y rhain at eich tabl.

2) I sicrhau y gwyddoch yr hyn a wna pob rhan o'r llygad cysylltwch y rhan â'i swyddogaeth:

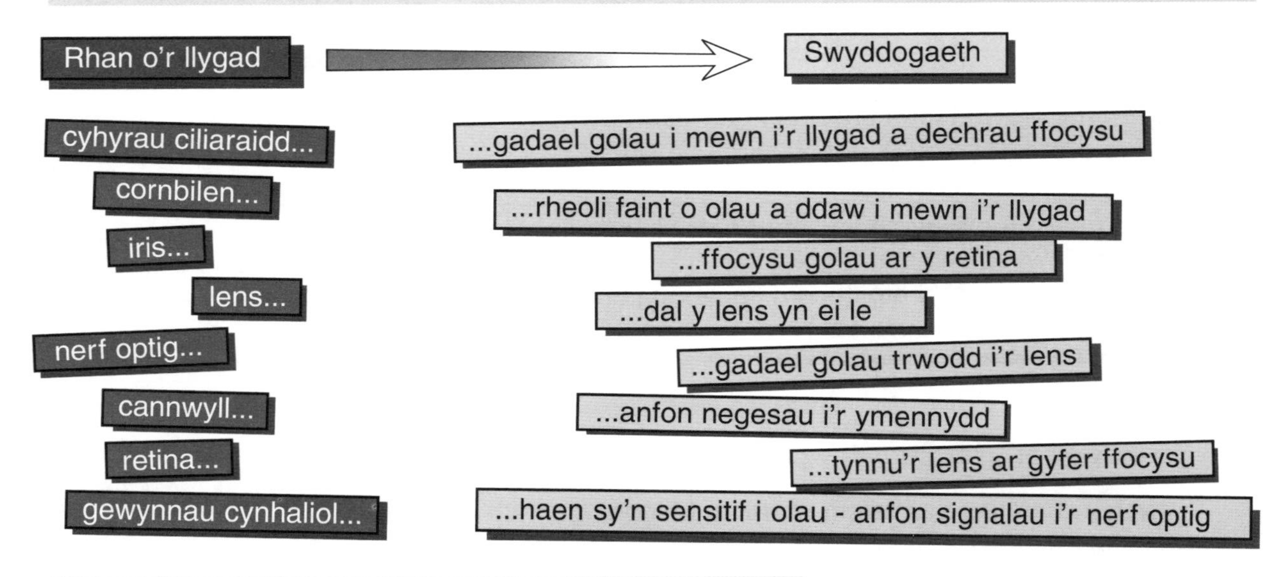

3) Pan ddaw golau i mewn i'r llygad, bydd yn symud drwy rai rhannau o'r llygad ond nid drwy eraill.

a) Trwy ba rannau o'r llygad y bydd golau'n symud? Ysgrifennwch nhw mewn trefn.

b) Pa rannau o'r llygad y bydd golau'n eu taro heb allu symud drwyddynt?

4) Mae'r iris yn cynnwys cyhyrau crwn a chyhyrau rheiddiol. Mae'r cyhyrau hyn yn rheoli diamedr y gannwyll. Yn y diagramau ar y dde gwelir yr iris mewn dwy sefyllfa wahanol o ran golau.

a) Beth yw'r cylch du yn y canol?

b) Enwch y ddau fath o gyhyr A a B.

c) Pa ddiagram, 1 neu 2, sy'n dangos y llygad mewn golau disglair? Eglurwch eich dewis.

d) Yn niagram 1 pa fath o gyhyr sydd wedi'i laesu a pha fath sydd wedi'i gyfangu?

e) Yn niagram 2 pa fath o gyhyr sydd wedi'i laesu a pha fath sydd wedi'i gyfangu?

f) Defnyddiwch eich atebion hyd yma i egluro sut mae'r iris yn rheoli faint o olau ddaw i mewn i'r llygad.

g) Pa gyhyrau eraill sy'n ymwneud â'r llygad? Beth yw eu swyddogaeth?

Y Llygad

5) Yn y diagramau isod gwelir pelydrau o olau yn dod o wrthrych ar y chwith ac yn mynd drwy lens trwchus a thenau.

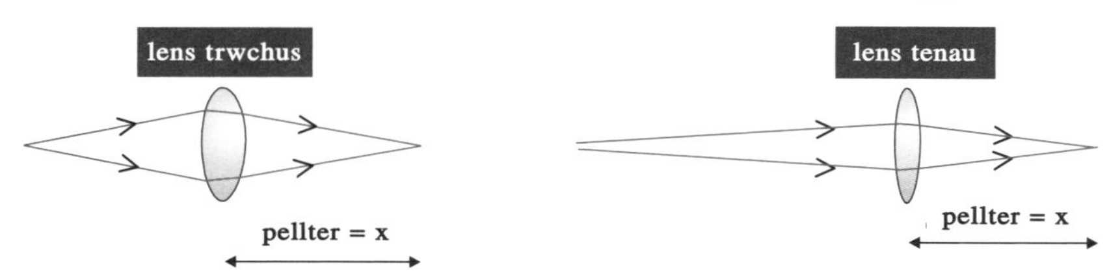

Pe bai sgrin yn cael ei rhoi yn y man lle daw'r pelydrau at ei gilydd i'r dde o'r lens, byddai delwedd y gwrthrych yn cael ei gweld ar y sgrin - byddai'r golau o'r ddelwedd yn cael ei ffocysu ar y sgrin.

a) Pa fath o lens sy'n angenrheidiol i ffocysu'r golau o wrthrych pell ac o wrthrych agos?

b) Ym mha ddiagram y caiff y pelydrau golau eu plygu fwyaf i ddod at ei gilydd ar y dde?

6) Er mwyn i olau gael ei ffocysu ar y retina, rhaid iddo newid cyfeiriad yn y llygad.

a) Pa rannau o'r llygad all wneud hyn?

b) Mae lens ein llygad yn wahanol i lens chwyddwydr - gall newid ei siâp o dew i denau. Beth yw mantais gwneud hyn?

7) Yn y diagram ar y dde gwelir lens y llygad yn ffocysu gwrthrych agos ar y retina.

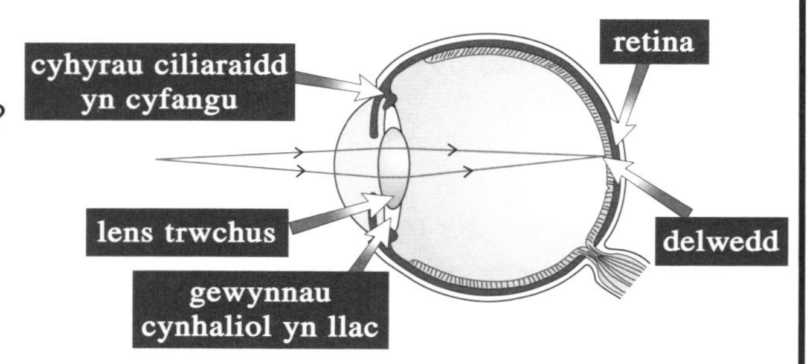

a) Pam mae'n rhaid i'r lens fod yn drwchus yma?

b) Mae'r gewynnau cynhaliol yn llac. Beth mae hynny'n ei ddangos ynglŷn â siâp naturiol y lens?

c) Mae'r cyhyrau ciliaraidd yn y diagram mewn cylch o amgylch y lens. Pe bai'r cyhyrau ciliaraidd yn llaesu, beth ddigwyddai i'r gewynnau cynhaliol? Beth ddigwyddai i'r lens?

d) Pe bai'r lens yn newid fel yn rhan **c)**, pa fath o wrthrych a gâi ei ffocysu ar y retina?

e) Lluniwch ddiagram, yn debyg i'r un yn y cwestiwn hwn, i ddangos sut y gall golau o wrthrych pell gael ei ffocysu ar y retina. Labelwch eich diagram yn eglur.

Gair i Gall: Diagram arall i'w ddysgu a'i labelu. Rhaid deall **sut** mae'r llygad yn ffocysu delweddau gwrthrychau agos a phell ar y retina a sut mae'r **iris** yn gwneud i'r gannwyll fynd yn fwy ac yn llai i amrywio maint y golau.

Hormonau

1) Copïwch y brawddegau canlynol a defnyddiwch y geiriau mwyaf addas isod i'w cwblhau:

derbynyddion *hormonau* *systemau* *chwarennau*
system nerfol *llif y gwaed* *cemegau*

______________ a elwir yn ______________ sy'n cyd-drefnu llawer o'r prosesau yn y corff. ______________ sy'n cynhyrchu'r sylweddau hyn. ______________ sy'n eu cludo i'w cyrch-organau.

2) Copïwch a chwblhewch y tabl canlynol:

Enw'r hormon	Chwarren	Swyddogaeth
a) Inswlin		troi glwcos yn glycogen
b)	Pancreas	troi glycogen yn glwcos
c) Oestrogen		datblygu nodweddion rhywiol benyw
d) Hormon Symbylu Ffoliglau (FSH)		achosi i wyau aeddfedu ac i'r ofarïau gynhyrchu oestrogen
e) LH (Hormon Lwteineiddio)	Chwarren Bitwidol	

AQA yn unig { (b)

3) Yn y diagram gyferbyn gwelir y system sy'n rheoli lefel siwgr gwaed y corff.

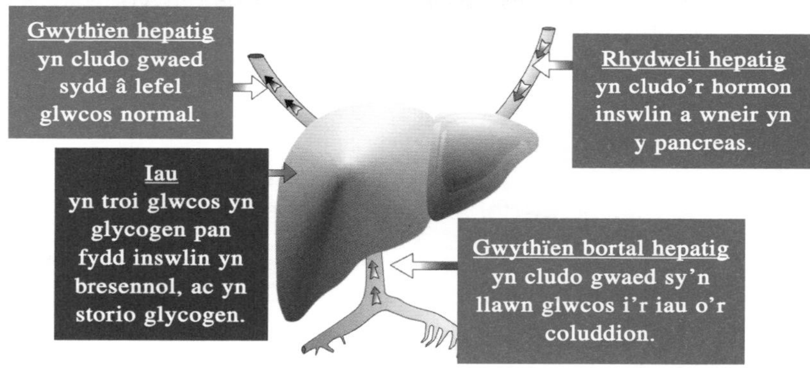

a) O fwyta pryd sy'n llawn carbohydradau, byddai yna ormodedd o ryw sylwedd arbennig yn y gwaed. Enwch y sylwedd hwnnw.

b) Pa hormon y byddai hyn yn symbylu'r pancreas i'w gynhyrchu? Bydd yr hormon hwn yn cychwyn ar y broses o newid y glwcos sydd dros ben yn ffurf y gellir ei storio.

c) Pa organ sy'n gwneud hyn? Ar ba ffurf y mae'n ei storio?

d) Cwblhewch y diagram llif gyferbyn i ddangos sut y caiff lefel y siwgr gwaed ei dychwelyd i'r lefel normal ar ôl pryd llawn carbohydradau.

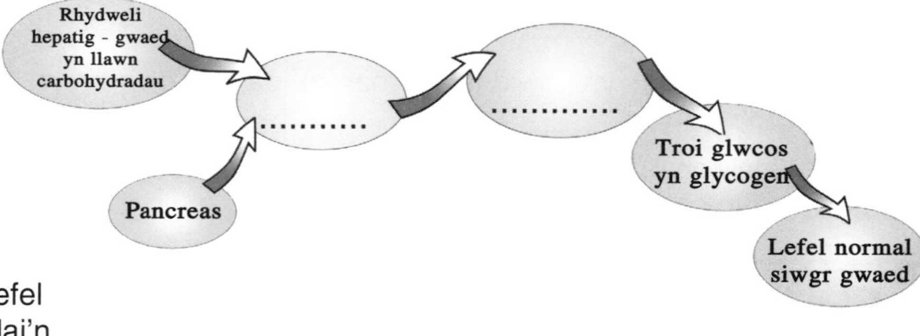

e) (AQA yn unig) Ar ôl sesiwn ymarfer yn y gampfa mae lefel y siwgr gwaed yn disgyn yn is na'r lefel normal. Eglurwch sut y byddai'n cael ei dychwelyd i'r lefel normal.

Defnyddio Hormonau

4) Bydd doctoriaid yn rhoi'r hormonau a'r triniaethau isod i reoli rhai o weithrediadau'r corff. Cysylltwch bob un â'r disgrifiad cywir.

1 - Hormon Symbylu Ffoliglau (FSH)
2 - Oestrogen
3 - Steroidau Anabolig
4 - Therapi Amnewid Hormonau (HRT)
5 - Hormon Twf

A - Hormonau artiffisial na chânt eu cynhyrchu gan y corff
B - Cynyddu twf naturiol
C - Cyffur i symbylu wyau i aeddfedu a chynyddu ffrwythlondeb
D - Pilsen i atal wyau rhag aeddfedu a lleihau ffrwythlondeb
E - Rhwystro esgyrn unigolion rhag gwanhau

5) Ysgrifennwch frawddeg i egluro pob un o'r termau canlynol:

hormon, chwarennau, inswlin, glwcagon, Hormon Symbylu Ffoliglau (FSH), oestrogen

AQA yn unig

6) Eglurwch mewn brawddeg ystyr neu swyddogaeth pob un o'r termau canlynol:

glwcos, glycogen, pancreas, iau, ofarïau, chwarren bitwidol

7) Llif y gwaed yw'r cyfrwng a fydd yn cludo hormonau i'w cyrch-organ.

a) Gan ddefnyddio'r labeli isod, copïwch a chwblhewch y diagram gyferbyn sy'n dangos hormonau a gynhyrchir yn y corff a'r hyn a wnânt.

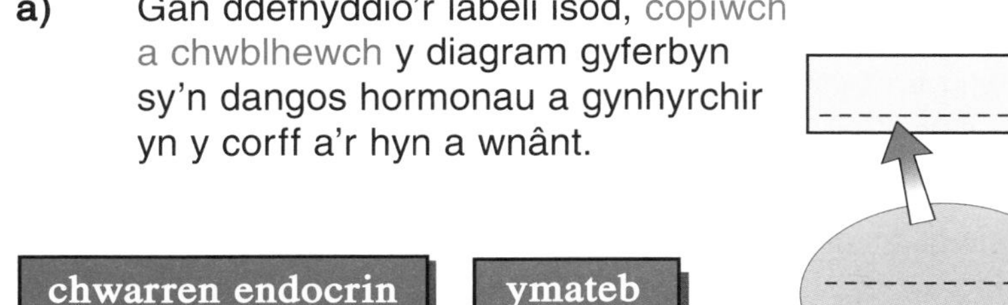

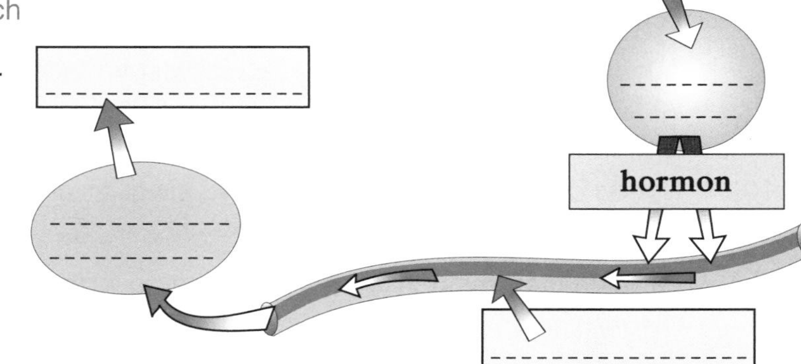

b) Mae dau fath o negesydd yn y corff - rhai cemegol (hormonau) a rhai nerfol. Nodwch bedwar gwahaniaeth rhwng y ddau fath. (Ystyriwch gyflymder y neges a'r ffordd y gweithredant.)

Gair i Gall: Bydd unrhyw hormon a ryddheir i mewn i'r gwaed yn mynd i **bob** organ - dim ond y **cyrch-organau** fydd yn ymateb iddo. Bydd cwestiynau arholiad yn gofyn i chi gymharu'r **system endocrin** â, dyweder, y **system nerfol**. Felly cofiwch y gwahaniaethau rhyngddynt - a sut maen nhw'n **gweithio gyda'i gilydd**.

Clefyd Siwgr Inswlin

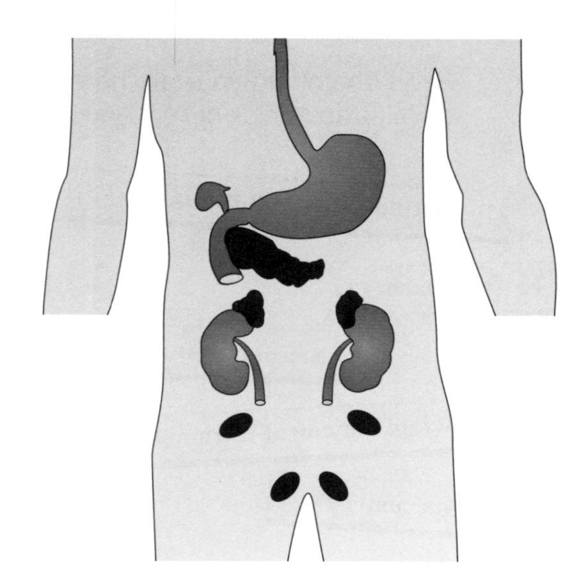

1) Yn y diagram gyferbyn gwelir nifer o organau'r corff a chwarennau (lliw du).

Labelwch y pancreas ar gopi o'r diagram.

2) a) Pa hormon a gynhyrchir gan y pancreas sy'n rheoli lefel y siwgr gwaed?

b) Sut y mae'r broses o gynhyrchu'r hormon yn wahanol mewn unigolyn sydd â'r clefyd siwgr?

c) Sut y byddai hyn yn effeithio ar lefelau glwcos yn llif y gwaed?

3) Nodwch ddwy ffordd y gallai unigolyn sydd â'r clefyd siwgr ymdopi â'r broblem hon.

4) Nodwch broblem y gallai unigolyn sydd â'r clefyd siwgr ei hwynebu:

i) pan fydd lefel y siwgr gwaed yn rhy isel;

ii) pan fydd lefel y siwgr gwaed yn rhy uchel.

5) Faint o glycogen y byddech yn ei ddisgwyl yn iau unigolyn sydd â'r clefyd siwgr?

Eglurwch eich ateb.

6) Mae gwaith yr hormon inswlin yn enghraifft o fecanwaith adborth negatif am fod rhyddhau inswlin yn tueddu i achosi sefyllfa lle mae angen llai o inswlin.

a) Eglurwch sut y gostyngir lefel y glwcos yn y gwaed mewn unigolyn sydd heb y clefyd siwgr os yw'n rhy uchel.

b) Eglurwch sut y cynyddir lefel y glwcos yn y gwaed mewn unigolyn sydd heb y clefyd siwgr os yw'n rhy isel.

AQA yn unig {

7) Mae secretu glwcagon yn ymateb a reolir gan lefel y siwgr gwaed.

a) Rhowch enghraifft o adeg pryd y gallai lefel y siwgr gwaed gael ei gostwng yn gyflym.

b) Yn yr achos hwn, beth fyddai'n digwydd i'r broses o gynhyrchu glwcagon a sut y byddai hyn yn dychwelyd lefel y siwgr gwaed i'r lefel normal?

8) A fyddai'n hawdd newid pigiadau inswlin yn feddyginiaeth drwy'r geg a thrwy hynny ei wneud yn fwy atyniadol i bobl sydd â'r clefyd siwgr? Eglurwch eich ateb.

9) Enwch ensymau a allai dreulio inswlin.

10) Roedd doctor yn amau bod y clefyd siwgr ar un o'i gleifion ac felly gofynnodd iddo roi sampl o droeth i'w brofi yn y labordai patholeg.

a) Pa sylwedd y byddent yn chwilio amdano wrth brofi'r troeth?

b) Disgrifiwch yn gryno sut y byddech yn profi hylif ar gyfer presenoldeb y sylwedd hwn.

11) Ceisiwch ddatrys y geiriau allweddol canlynol sy'n gysylltiedig â'r adran hon. Rhoddir cliw i'ch helpu.

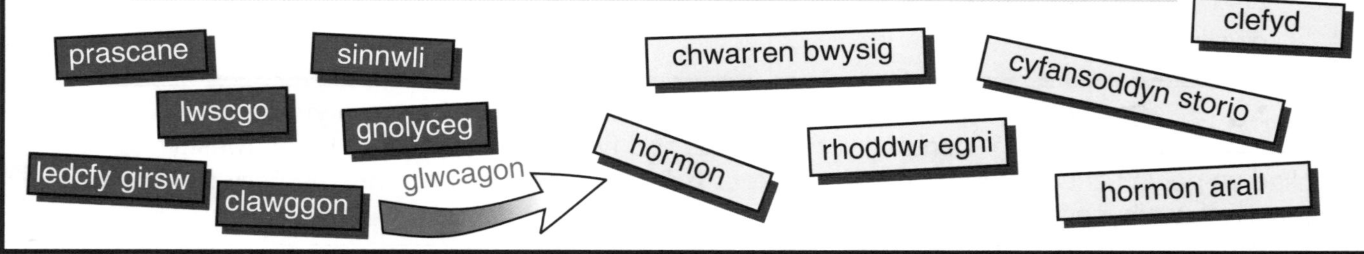

Y Gylchred Fislifol

1) Os na chafwyd ffrwythloniad, bydd leinin y groth yn ymddatod.

Beth yw enw'r broses hon?

2) Pa enw a roddir ar y weithred o ryddhau wy o'r ofari?

3) Gellir ystyried cylchred atgenhedlu y ferch fel taith yr wy a'i ddatblygiad yn ystod yr amser hwnnw.

a) Beth yw enw'r broses o baratoi, rhyddhau wyau ac ymddatod yng nghroth merch?

b) Ym mha ddwy ffordd y gallai'r broses barhau ar ôl ofwliad?

4) Yn gyffredinol faint o wyau a ryddheir bob mis?

5) Llenwch y bylchau yn y brawddegau isod i ddisgrifio'r hyn sy'n digwydd i'r groth yn ystod y gylchred fislifol.

a) Mae lefelau'r hormon ____________ yn gostwng.
O ganlyniad mae leinin y groth yn ____________ .
Y term a ddefnyddir am hyn yw ____________.

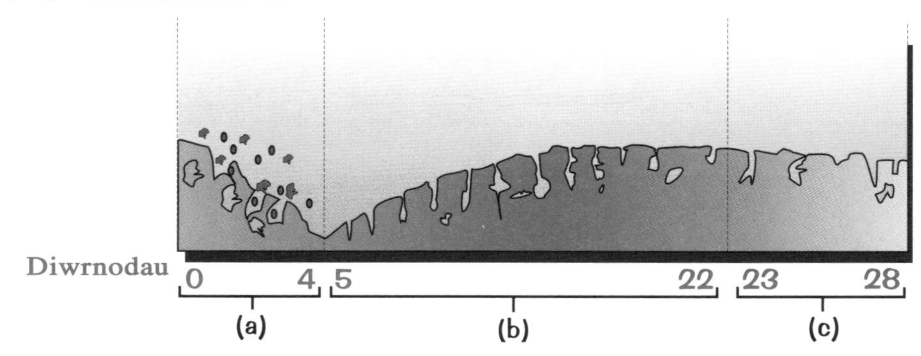

b) Mae lefelau'r hormon _________ yn cynyddu. O ganlyniad mae leinin y groth yn mynd yn _________ gyda'r _________ _________ yn barod i dderbyn _________ wed'i _________.

c) Mae cynnydd yn y _________ a gynhyrchir yn cynnal _________ y _________ hyd nes oddeutu diwrnod _________. Os nad ydy _________ wedi'i _________ wedi glanio yno erbyn hynny, mae'r leinin sbwngaidd yn dechrau ymddatod ac mae'r gylchred yn ailgychwyn.

6) A oes wyau anaeddfed yn y ddau ofari?

7) Yn fras, ar ôl faint o'r gylchred fislifol y caiff yr wy aeddfed ei ryddhau o'r ofari?

8) Pam mai yn ystod ychydig ddiwrnodau yn unig ym mhob cylchred fislifol y bydd ffrwythloni'n debygol o ddigwydd?

9) Mae merch iach yn cynhyrchu tua 400-500 o wyau yn ystod ei hoes.

Ydy'r wyau i gyd yn aeddfed? Os nad ydynt, pryd fyddan nhw wedi aeddfedu?

Y Gylchred Fislifol

Atebwch y cwestiynau hyn ynglŷn ag ofwliad.

1) Pa derm a ddefnyddir am y cyfnod rhwng ofwliadau olynol?

2) Beth sy'n digwydd i'r groth rhwng pob ofwliad?

3) Faint o wyau sy'n debygol o gael eu ffrwythloni ar un adeg?

4) Mae'r diagram isod yn dangos yr hyn sy'n digwydd yn yr ofari yn ystod y gylchred fislifol.

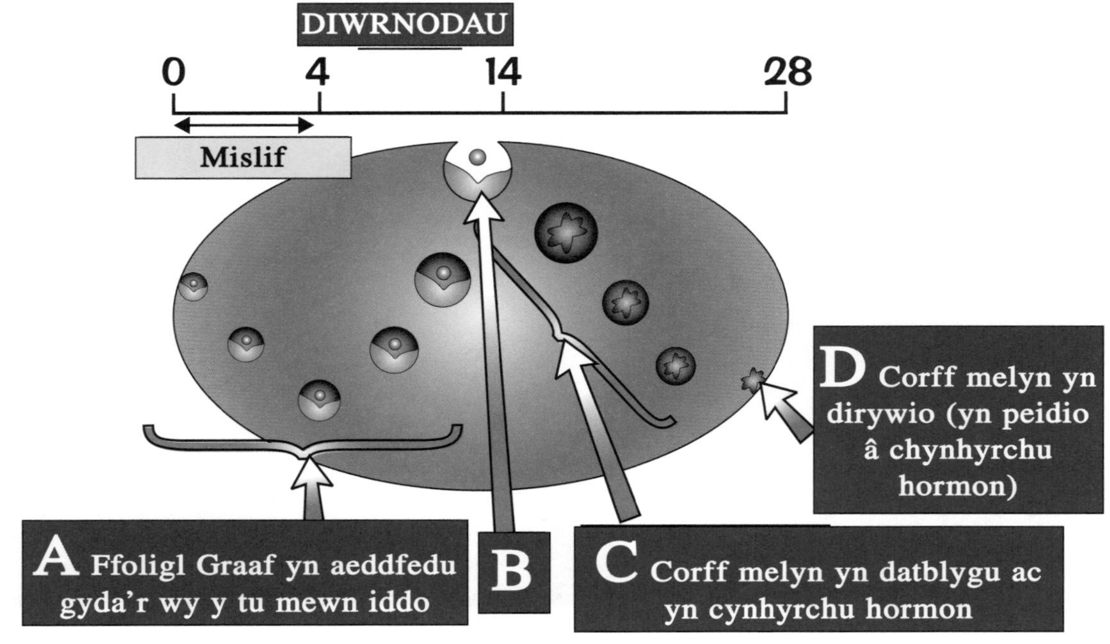

a) Beth sy'n digwydd yn B?

b) Pa hormon a gynhyrchir yn ystod cyfnod C?

c) Yn D ni chynhyrchir yr hormon hwn bellach. Pa derm a ddefnyddir am y cyfnod sy'n dilyn hyn.

5) Eglurwch ystyr y termau canlynol:

ofa, ofari, glasoed, ofwliad, tiwb Fallopio, croth, ceg y groth (*cervix*), gwain, mislif, cylchred fislifol.

Gair i Gall: Dylech fedru llunio a labelu **diagram** sy'n cynnwys holl rannau **system atgenhedlu** y ferch a dweud **yr hyn sy'n digwydd** yn ystod **pob rhan** o'r **gylchred fislifol**.

Hormonau yn y Gylchred Fislifol

1) Pa fath o feinwe sy'n cynhyrchu hormonau?

2) Pa ran o'r corff sy'n cludo'r hormonau hyn?

3) Pedwar hormon sy'n rheoli'r mislif.

Ym mha ddau fan y caiff y rhain eu cynhyrchu?

4) Copïwch y tabl gyferbyn a llenwch y rhannau a ddynodir gan i) i iv).

Enw'r Hormon	Ffynhonnell	Swyddogaeth
FSH (Hormon Symbylu Ffoliglau)	Chwarren Bitwidol	i)
Oestrogen	Ofarïau	ii)
iii)	Chwarren Bitwidol	Symbylu rhyddhau wy
Progesteron	iv)	Achosi i leinin y groth ddod yn fwy trwchus ac yn llawn pibellau gwaed

5) Yn y diagram gyferbyn gwelir ym mha drefn y mae'r chwarennau a'r hormonau yn chwarae rhan yn y gylchred fislifol.

a) Nodwch enwau'r hormonau (i), (ii) a (iii).

b) Pa chwarren sy'n cynhyrchu'r hormonau (i) a (iii)?

c) Pa hormon arall a gynhyrchir gan yr ofarïau i gynnal leinin y groth?

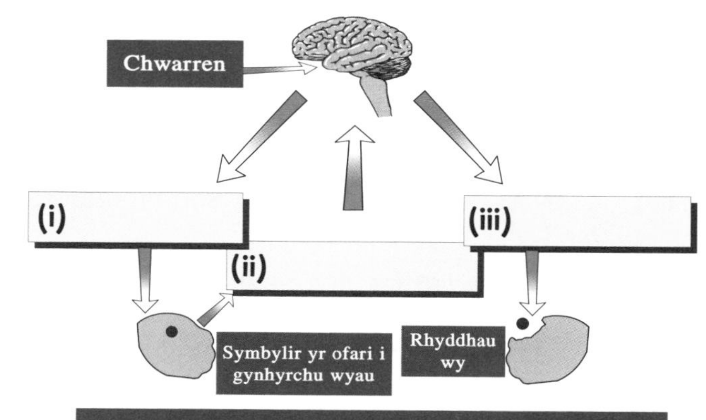

6) Copïwch a chwblhewch y diagram isod i ddangos yr hyn sy'n digwydd ar wahanol adegau yn y gylchred fislifol ac yn ystod beichiogrwydd.

7) Gyda chymorth y diagram, atebwch y cwestiynau canlynol:

a) Enwch yr hormon sy'n achosi i leinin y groth gael ei atgyweirio a'i dewhau.

b) Enwch yr hormon sy'n cynnal leinin y groth ac yn paratoi'r corff ar gyfer beichiogrwydd.

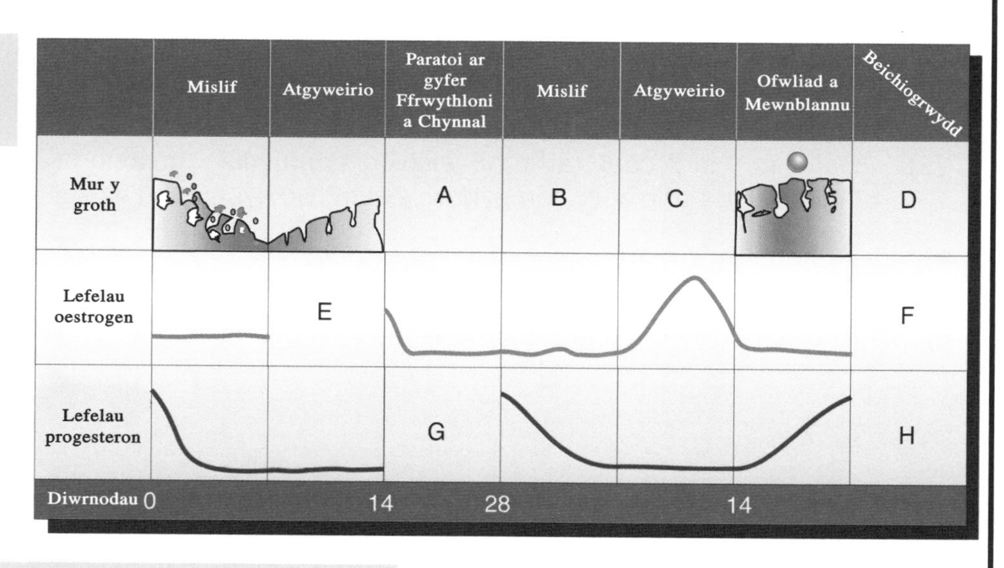

8) Beth yw ystyr 'cyrch-organ' yn y gylchred fislifol?

Hormonau yn y Gylchred Fislifol

9) Copïwch a chwblhewch y diagram, gan lenwi enwau'r hormonau 1 a 2 a'r effeithiau A a B.

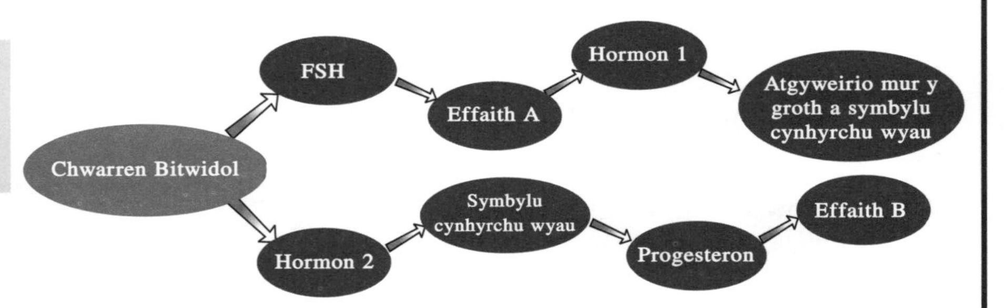

10) Mae merched yn cymryd 'y bilsen' i atal cenhedlu drwy reoli cynhyrchu wyau.

a) Pa ddau hormon y mae'r bilsen yn eu cynnwys?

b) Beth fyddai effaith cymryd y bilsen yn rheolaidd ar lefel yr oestrogen yn y corff?

Mae cadw oestrogen ar y lefel hon yn rhwystro cynhyrchu FSH.

c) Ar ôl cyfnod, pa effaith y byddai hyn yn ei chael ar gynhyrchu wyau?

d) Fyddech chi'n disgwyl i lefel cynhyrchu wyau rhywun sydd ar y bilsen ddychwelyd i'r lefel arferol ar ôl iddyn nhw roi'r gorau i'w chymryd. Pam?

11) Ydy effeithiau cymryd y bilsen yn enghraifft o fecanwaith adborth? Eglurwch eich ateb.

12) Gellir newid ffrwythlondeb merched drwy gyflwyno hormon penodol.

a) Pa hormon fyddai'n cael ei roi i gynyddu ffrwythlondeb merch?

b) Eglurwch sut mae'r hormon hwn yn cael yr effaith a ddymunir.

13) Mae cyfnod beichiogrwydd hefyd yn symbylu cynhyrchu hormon penodol.

a) Pa hormon sy'n parhau i gael ei gynhyrchu drwy gydol y beichiogrwydd?

b) Eglurwch pam mae angen i hyn ddigwydd.

14) Gan ddefnyddio'r gylchred fislifol normal fel enghraifft, nodwch ddwy ffordd y bydd gan un hormon 'reolaeth ar adborth' mewn perthynas â hormon arall.

15) Gall parau sy'n cael trafferth i feichiogi ddefnyddio triniaeth ffrwythlondeb. Gall rhan o'r driniaeth hon gynnwys symbylu cynhyrchu wyau.

a) Pa hormon fyddai'n cael ei gymryd i symbylu datblygu wyau?

b) Pa hormon a gynhyrchir wedyn gan yr ofarïau i symbylu rhyddhau wyau?

c) Rhowch ddwy enghraifft o broblemau sy'n gysylltiedig â'r driniaeth hon.

Gair i Gall: Rhaid i chi wybod am hormonau - ar gyfer **pob hormon** rhaid gwybod **yr hyn sy'n ei reoli** a'r **hyn y mae'n ei reoli**. Dylai llunio **graff** o lefelau'r hormonau eich helpu i gofio'r manylion - a dyma'r math o graff sy'n tueddu i ymddangos mewn arholiadau.

Clefyd mewn Pobl

1) Atebwch y cwestiynau hyn ynglŷn â microbau.

a) Enwch y ddau fath gwahanol o ficrobau.
b) Ym mha amodau y mae'r rhan fwyaf o ficrobau cyffredin yn tueddu i fyw ac amlhau yn dda.
c) Pa effeithiau y gall microbau eu cael yn ein cyrff?

2) Enwch y ddau fath gwahanol o ficrobau a ddangosir gyferbyn.

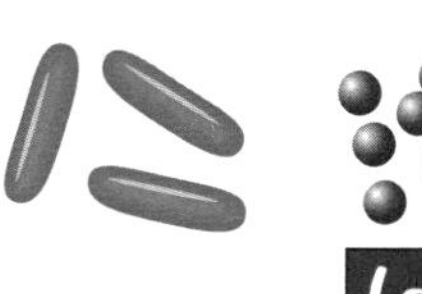
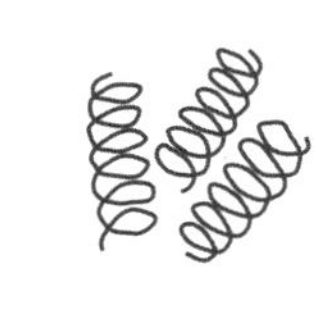

(a)

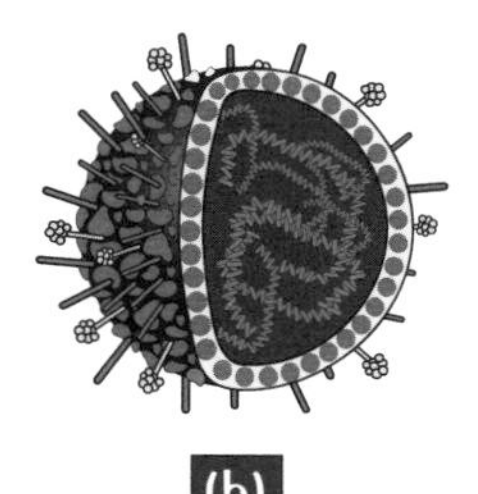

(b)

3) Copïwch a chwblhewch y tabl isod drwy benderfynu a ydy pob nodwedd yn y bocs yn perthyn i facteria, firysau neu'r ddau.

tua 1/10,000mm, tua 1/1,000mm, gall gynhyrchu tocsinau, cellfur, cwpan llysnafedd, bob amser yn cynnwys DNA, caen o brotein, cytoplasm, gall atgenhedlu'n gyflym.

	Bacteria	Firysau
1		
2		
3		
4		
5		
6		
7		
8		

4) Mae bacteria'n fân iawn (tua un rhan o gant y maint sydd gan y mwyafrif o gorffgelloedd). Mae hynny'n eu galluogi i fynd i mewn i'r corff dynol yn hawdd iawn.

a) Pa broses o gyfnewid nwyon y mae eu maint bach yn caniatáu i facteria ei defnyddio?
b) Enwch y sylwedd a ddefnyddir i ladd bacteria mewn pyllau nofio.

5) Nodwch ddwy sefyllfa sy'n caniatáu i niferoedd mawr o ficrobau fynd i mewn i'r corff.

6) Nodwch dri amod yn y corff sy'n ei wneud yn fan delfrydol i ficrobau dyfu.

7) Beth yw ystyr y gair 'pathogen'?

8) Beth yw'r tri phrif grŵp o bathogenau?

9) Pa un o'r prif grwpiau o bathogenau sydd ond yn achosi clefydau ambell waith?

Clefyd mewn Pobl

10) Copïwch a chwblhewch y tabl isod, gan nodi'r math o ficrob sy'n achosi'r clefyd a sut mae'r clefyd yn ymledu wedyn.

Clefyd	Y math o ficrob (bacteria, firws, ffwng) sy'n ei achosi	Sut y caiff ei ymledu (defnynnau aer, dŵr heintiedig, halogi bwyd)
Annwyd		
Y frech goch		
Colera		
Polio		
Y pas		

11) Eglurwch sut y gallai person sydd ag annwyd drosglwyddo'r annwyd i rywun arall drwy disian.

12) Nodwch bedair ffordd y gall microbau ymledu a thrwy hynny drosglwyddo clefyd.

13) Atebwch y cwestiynau hyn ynglŷn â bacteria.

a) Pa fath o amodau sy'n wael ar gyfer twf bacteria?

b) Sut mae bacteria'n eu hamddiffyn eu hunain rhag y mathau hyn o amodau?

14) Gall bacteria a firysau ddatblygu o fod yn ddim ond ychydig i fod yn gytref fawr yn gyflym iawn. Gall fod yn anodd i'r corff ymdopi â hyn.

Pe bai'r haint yn facteriol sut y gallech helpu eich corff i gael gwared â'r haint? Sut y gallech helpu eich corff i gael gwared â haint firaol?

15) Nodwch dair ffordd y gallech atal microbau rhag datblygu ac ymledu yn eich cartref.

Gair i Gall: Dysgwch yn drylwyr am **facteriwm** a **firws**. Dylech fedru **llunio** diagramau ohonynt a'u **labelu**. Yn aml bydd cwestiynau arholiad yn nodi pa mor **gyflym** y bydd bacteriwm yn **ymrannu** ac yn gofyn faint fydd yno ymhen diwrnod. Cofiwch y ffactorau sy'n effeithio ar eu nifer - e.e. **cystadleuaeth**, **cyflenwad bwyd**, **tymheredd** a **thocsinau**.

Ymladd Clefydau

1) Mae gan y corff lawer o systemau amddiffyn naturiol i atal haint a chlefyd.

Rhestrwch dri o'r amddiffyniadau naturiol hyn.

2) Cysylltwch yr enw cywir isod â phob un o'r celloedd gwaed **a)** - **c)**.

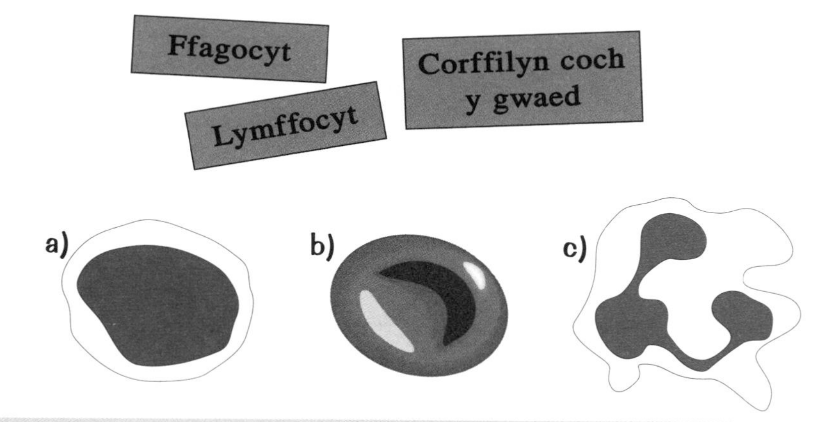

3) Pa un o'r celloedd hyn sy'n cludo ocsigen drwy newid haemoglobin yn ocsihaemoglobin?

4) Pa un o gelloedd y gwaed sy'n cynhyrchu gwrthgyrff?

5) Os bydd bacteria'n mynd i mewn i'r corff, bydd celloedd gwaed arbennig yn ymateb yn awtomatig.

Pa fath o gell waed sy'n amlyncu bacteria?
Eglurwch sut y caiff y bacteria eu dinistrio wedyn.

6) Mae haen allanol wydn ac amlbwrpas yn amddiffyn y corff dynol - hynny yw, y croen.

a) Pa enw a roddir ar haen allanol y croen?
b) Pa rai o nodweddion yr haen allanol hon sy'n atal mynediad pathogenau?
c) O dan ba amgylchiadau y gallai pathogen fynd i mewn i'r corff drwy'r croen?

7) Mae ceulo'n fecanwaith amddiffyn pwysig sydd gan y corff.

a) Pa ddwy ran o'r gwaed sy'n ymwneud â cheulo clwyf?
b) Rhowch ddau reswm pam mae ceulo'r gwaed yn bwysig.

Cyffuriau

1) Defnyddir y term cyffuriau am gemegau a all effeithio ar ymddygiad pobl.

Enwch dri o'r prif grwpiau o gyffuriau.

2) Beth a olygir wrth ddweud:

a) y ceir cyffur o bethau byw;

b) mai sylwedd gwneud (*man-made*) yw cyffur?

3) Copïwch a chwblhewch y tabl gyferbyn, yn dangos effeithiau gwahanol fathau o gyffuriau ar y system nerfol.

Math o gyffuriau	Effaith ar yr ymennydd a gweddill y system nerfol	Enghreifftiau o'r math o gyffuriau
Tawelyddion	(a) ______	*Valium* / barbitwradau
(b) ______	Cyflymu'r ymennydd a chynyddu effrogarwch	Ecstasi / cocên cyffur mwynach (c) ______
(d) ______	Lleihau'r ymdeimlad o boen	Parasetamol / heroin

4) Nodwch ddau reswm pam mae cyffuriau'n beryglus.

5) Beth yw ystyr y canlynol mewn perthynas â chyffuriau:

a) bod yn gaeth i gyffuriau;

b) diddyfnu (*withdrawal*)?

6) Nid ar ffurff tabledi a phils yn unig y ceir cyffuriau. Mae hyn yn amlwg gyda hydoddyddion.

a) Beth yw hydoddyddion?

b) Pam y cyfeirir yn aml at gamddefnyddio hydoddyddion fel 'arogli glud'?

c) Beth yw'r pedwar prif organ y bydd arogli glud yn effeithio arnynt?

d) Pa symptomau y gallai aroglwr glud eu harddangos?

7) Atebwch y cwestiynau hyn ynglŷn â chyffuriau lleddfu poen.

a) Enwch ddau fath o gyffuriau lleddfu poen.

b) Mae heroin yn fath peryglus iawn o gyffur lleddfu poen am ei fod yn gaethiwus iawn. Pa broblemau y gall y cyffur hwn eu hachosi?

8) Copïwch y tabl isod a'i gwblhau drwy lenwi'r bocsys **a) - f)**.

Grŵp cyffuriau	Uchelfannau	Iselfannau	Effeithiau tymor hir
Symbylyddion	a)______	Pryder, Anniddigrwydd	b)______
c)______	Aflunio'r synhwyrau	d)______	Anhwylderau anadlu o ganlyniad i'w ysmygu
e)______	Ymlacio'n llwyr lleddfu poen	Salwch, apathi, esgeuluso'r hunan	f)______

Cyffuriau

9) Yn y bocsys gwelir nifer o gyffuriau a'u heffeithiau. Cysylltwch bob cyffur A-F â'r effaith gywir 1-6.

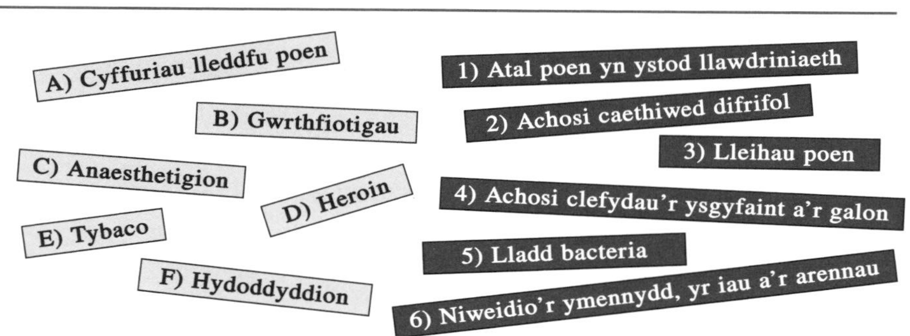

10) **a)** Nodwch organau 1) - 5) yn y diagramau isod.

1) 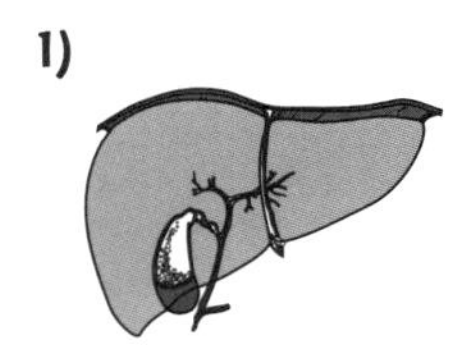

2) 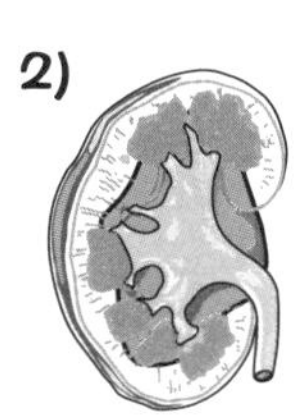

3) 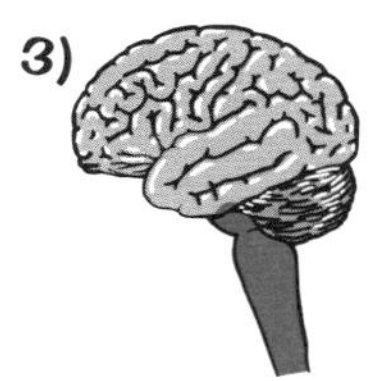

4) 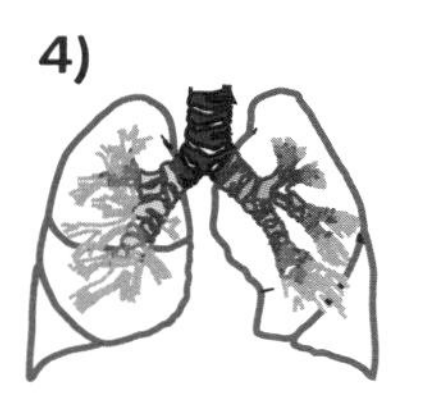

5) 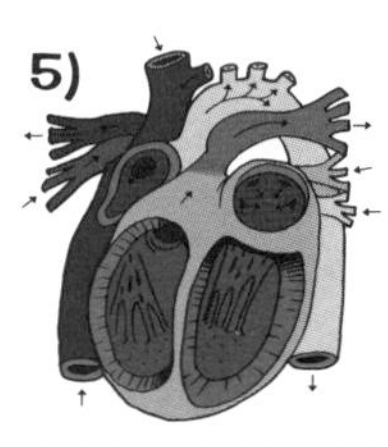

A) Hydoddydd	**B)** Alcohol	**C)** Tybaco	**D)** Symbylyddion	**E)** Tawelyddion

b) Ar gyfer pob cyffur A-E yn y bocs uchod, rhestrwch yr organau y mae'n effeithio arnynt (gall fod mwy nag un).

11) Os bydd unigolyn yn ddibynnol ar gyffur dywedir ei fod yn gaeth i'r cyffur hwnnw.

a) Enwch y ddau fath gwahanol o gaethiwed.

b) Nodwch dair enghraifft o'r symptomau corfforol y gallai diddyfnu oddi ar gyffur eu hachosi.

12) Cwblhewch y brawddegau canlynol ynglŷn â nifer o gyffuriau cyffredin.

Mae symbylyddion yn effeithio ar y system n__________ ac yn gwneud i'r sawl sy'n eu cymryd deimlo fod mwy o egni ganddo. Mae c__________, a geir mewn te, coffi a rhai diodydd ysgafn, yn symbylydd m__________ ac yn weddol ddiniwed, ond bydd pobl yn aml yn dioddef c__________ p__________ ar ôl cymryd llai ohono. Ar y llaw arall, mae symbylyddion cryfach, megis a__________, yn beryglus iawn. Gall eu defnyddio am gyfnod hir achosi rh__________ a n__________ p__________. Bydd rhoi'r gorau iddynt yn arwain at i__________ y__________ difrifol. Mewn dosiau bach mae ecstasi (sy'n rh__________) yn cael effaith debyg ac yn rhoi ymdeimlad o e__________ diddiwedd a all beri bod unigolyn yn g__________ ac yn d__________. Dosbarth arall o gyffuriau yw cyffuriau lleddfu poen. Mae'r rhai cryfaf, megis h__________, yn gaethiwus iawn. Am ei fod mor ddrud, yn aml bydd pobl sy'n ei ddefnyddio yn t__________ er mwyn ariannu'r arfer, ac mae symptomau difrifol d__________ yn ei gwneud hi'n anodd rhoi'r gorau i'r arfer. Hefyd mae'n hawdd g__________. Mae hydoddyddion yn gyffuriau hawdd eu cael. Fe'u ceir mewn pethau fel p__________ a g__________. Ymhlith eu heffeithiau eang mae problemau y__________ a niwed i organau hanfodol megis yr y__________, yr y__________, yr i__________ a'r a__________.

Gair i Gall: Rhaid i chi wybod **sut** y bydd y prif fathau o gyffuriau yn effeithio ar y corff. Cofiwch fod cyffuriau lleddfu poen, tawelyddion a phils cysgu yn helpu pobl sâl, ond yn aml fe'u **camddefnyddir**. Pan fydd y corff wedi **cyfarwyddo** ag **effeithiau** cyffur, fe geir **symptomau diddyfnu poenus** ac **amhleserus** pan fydd yr unigolyn yn ceisio rhoi'r gorau i'r cyffur - dyna sy'n creu **caethiwed** corfforol.

Alcohol

1) Yn ogystal ag effeithio ar ymddygiad unigolyn, gall yfed alcohol effeithio'n sylweddol ar allu'r corff i weithredu'n iawn.

a) Ar ba system yn y corff y bydd alcohol yn effeithio fwyaf yn y tymor byr?
b) Beth yw effeithiau tymor byr yfed alcohol yn gymedrol?

2) Pa ddau organ yn y corff sydd fwyaf agored i niwed o ganlyniad i yfed gormod o alcohol dros gyfnod hir?

3) Edrychwch ar y ddau ddiagram isod, yna atebwch y cwestiynau sy'n dilyn:

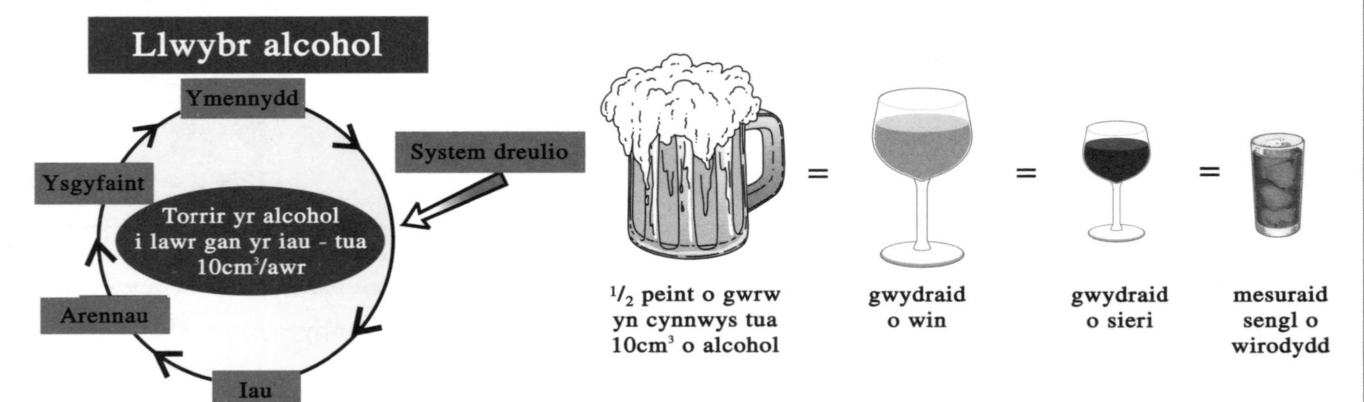

a) Mae unigolyn mewn parti swyddfa yn yfed 2 fesuraid dwbl o wisgi, 3 gwydraid o win a pheint o gwrw. Tua faint o alcohol a yfwyd ganddo? (Dangoswch eich gwaith cyfrifo.)
b) Pe bai'r unigolyn hwn wedi yfed rhwng canol dydd a 3pm, pryd fyddai'r amser cynharaf y byddai ei gorff yn glir o alcohol? (Dangoswch eich gwaith cyfrifo.)

Atebwch y cwestiynau hyn ynglŷn ag effeithiau alcohol.

4) Pam y byddai'n beryglus rhoi brandi neu wisgi i berson sy'n dioddef o hypothermia?

5) Pam nad yw'n gall cymryd diferyn o alcohol cyn cystadlu mewn gweithgaredd pwysig iawn ym myd chwaraeon?

6) Clefyd a achosir gan amlaf gan alcoholiaeth dros gyfnod hir yw sirosis. Ar ba organ mewn alcoholigion y bydd y clefyd hwn yn effeithio?

7) Beth yw alcoholig?

8) Pam mae alcoholigion yn aml yn cael clefydau diffyg?

9) Pam mae yfed a gyrru yn gyfuniad ffôl?

10) Nodwch reswm pam y byddai'r un maint o alcohol yn debygol o gael mwy o effaith ar berson bach nag ar berson mawr.

11) Nodwch dair o effeithiau tymor hir yfed yn drwm yn gyson.

12) Cwblhewch y brawddegau canlynol ynglŷn â defnyddio alcohol a'i effeithiau.

Fel rheol defnyddir alcohol i y_________ neu i leddfu s_________. Mae'n a_________ yr ymennydd a gall wneud i'r unigolyn deimlo'n llai s_________. Fodd bynnag, gall yfed yn ormodol achosi clefyd yr i_________ a gostyngiad yng ngweithrediad yr y_________. Yn aml bydd alcoholigion sy'n ymadfer yn dioddef o i_________ y_________ a salwch.

Tybaco

Atebwch y cwestiynau hyn.

1) Enwch y prif sylwedd caethiwus a geir mewn tybaco.

2) Enwch ddau sylwedd niweidiol a gynhyrchir pan losgir tybaco.

3) Enwch y broblem fwyaf difrifol a achosir i'r ysgyfaint gan fwg tybaco.

4) Enwch ddau o glefydau eraill yr ysgyfaint a achosir gan fwg tybaco.

5) Mae'r carbon monocsid a gynhyrchir gan ysmygu yn cael effaith ddifrifol ar gelloedd coch y gwaed.
Eglurwch pam mae'r nwy hwn mor beryglus.

6) Sut y gall ysmygu effeithio ar y pibellau gwaed?

7) Beth yw 'peswch ysmygwr' a sut y caiff ei achosi?

8) Beth yw 'ysmygu goddefol'?

9) Nodwch bedair o effeithiau ysmygu goddefol ar iechyd unigolyn.

10) Pam y caiff merched beichiog sy'n ysmygu eu cynghori'n daer i roi'r gorau i ysmygu?

11) Yn y diagramau ar y dde gwelir alfeoli ysgyfant normal ac ysgyfant person sy'n dioddef o emffysema.

Pa un yw pa un? Eglurwch eich ateb.

12) Cysylltir canser yr ysgyfaint ag ysmygu.

a) Mae'r tar ym mwg sigaréts yn effeithio ar y celloedd yn yr ysgyfaint.
Sut y gallai hyn achosi canser yr ysgyfaint?

b) Pam mae poen yn yr ysgyfaint wrth anadlu yn symptom cyffredin o ganser yr ysgyfaint?

13) Cwblhewch y brawddegau canlynol ynglŷn ag effeithiau tybaco.

Rhan fach iawn o dybaco yw nicotîn, ond mae'n sylwedd c__________. Achosir llawer o effeithiau tymor hir ysmygu gan y tar ym mwg tybaco. Mae hwn yn c__________ rhannau mewnol yr y__________, ac ni ellir cael gwared yn effeithlon â chorffynnau estron, gan gynnwys b__________. Gall hyn arwain at e__________, b__________ a hefyd c__________ yr y__________. Mae hefyd yn achosi clefydau'r g__________ a'r p__________ g__________, gan arwain at drawiad ar y galon a strôc. Yn aml bydd pobl sy'n ceisio rhoi'r gorau i ysmygu yn dioddef cur pen, i__________ y__________ a phroblemau archwaeth.

Gair i Gall: Mae alcohol a thybaco yn gyfreithlon, ond gallan nhw wneud niwed i'r corff. Mae alcohol yn niweidio'r iau a'r ymennydd, a gall fod yn gaethiwus. Mae'n **arafu** adweithiau'n sylweddol, sy'n gwneud gyrru'n **beryglus iawn**. Ym mwg tybaco **nicotîn** yw'r sylwedd **caethiwus** ac mae **tar** yn niweidio'r ysgyfaint. Mae emffysema, canser yr ysgyfaint, clefyd y galon a strôc i gyd yn effeithiau ysmygu.

Homeostasis

1) Beth yw ystyr y gair homeostasis?

2) Pa grŵp o sylweddau sy'n cyd-drefnu homeostasis?

3) Mae'r corff yn cynhyrchu dau brif sylwedd gwastraff y mae angen iddo gael gwared â nhw.

a) Enwch y ddau sylwedd hyn.

b) Ar gyfer pob un, nodwch y broses sy'n ei gynhyrchu a'r organ sy'n ei ysgarthu o'r corff.

4) Yn y diagram gyferbyn gwelir rhai o brif organau'r corff.

a) Enwch yr organau A-H yn y diagram.

Ystyr organ homeostatig yw organ sy'n helpu i gael gwared â sylweddau o'r corff yn hytrach na rheoli lefelau'r sylweddau yn anuniongyrchol.

b) Pa rai o'r organau A- H sy'n organau homeostatig?

c) Pa organ sy'n gwirio'n barhaol yr holl amodau homeostatig?

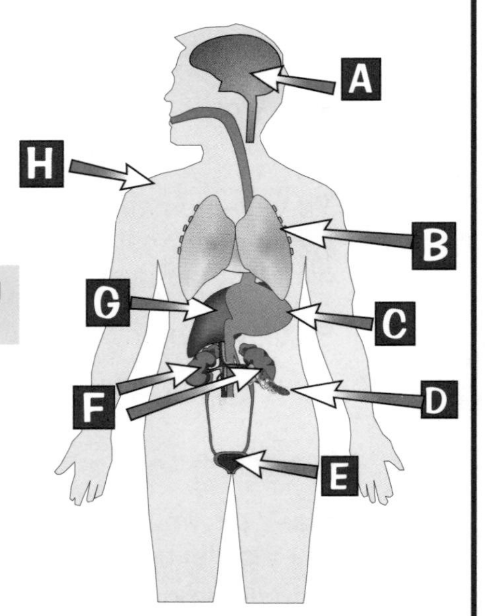

5) Enwch bedwar amod mewnol y mae rheolaethau homeostatig y corff yn ceisio'u cynnal ar lefelau optimaidd.

6) Mae bodau dynol â gwaed cynnes – hynny yw, rheolir tymheredd ein corff yn fewnol.

a) Pa system sy'n rheoli tymheredd y corff?

Yr enw a roddir ar y rhan o'r ymennydd sy'n monitro'r tymheredd ac yn ei addasu yw'r Ganolfan Thermoreoliadol.

b) Os ydy tymheredd craidd bod dynol yn uwch na 37°C, pa ddau ddull y gallai'r system hon eu defnyddio i golli gwres? Disgrifiwch sut mae'r ddau ddull yn cymryd gwres i ffwrdd o'r corff.

Mae un o'r systemau colli gwres yn cynnwys colli dŵr.

c) Beth arall a gollir yn y dŵr ar yr un pryd?

d) Ym mha ddwy ffordd y gallai'r system thermoreoliadol gynyddu tymheredd y corff pe bai'n mynd yn is na 37°C?

Homeostasis a'r Arennau

7) Mae rheoli lefel y siwgr gwaed hefyd yn rhan o homeostasis.

a) Pa ddau organ sy'n ymwneud â rheoli lefel y siwgr gwaed?
b) Enwch y ddau hormon sy'n gweithredu fel negesyddion rhwng y ddau organ hyn.

Mae'r hormonau'n defnyddio mecanwaith adborth i gadw lefel y siwgr gwaed yn weddol gyson.

c) Beth yw ystyr mecanwaith adborth hormonau?
d) Disgrifiwch yn gryno sut mae'r mecanwaith adborth ar gyfer cynnal lefel y siwgr gwaed yn gweithio.

8) Mae dŵr yn gydran bwysig o'r gwaed.

a) Enwch yr hormon sy'n rheoli faint o ddŵr sydd yn y gwaed.
b) Pa chwarren sy'n cynhyrchu'r hormon hwn?
c) Pa ran o'r ymennydd sy'n monitro faint o ddŵr sydd yn y gwaed?
d) Copïwch a chwblhewch y diagram llif isod ar gyfer y ddwy sefyllfa lle mae'r gwaed **(i)** yn rhy wanedig a **(ii)** yn rhy grynodedig, drwy lenwi'r bylchau.

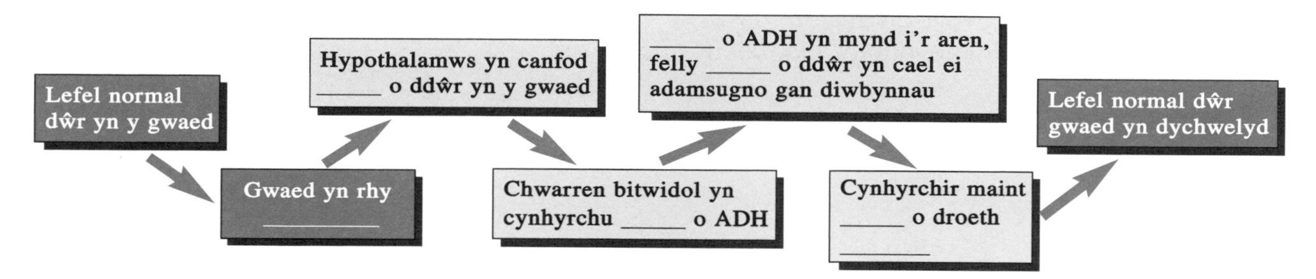

9) Mae'r siart llif gyferbyn yn dangos y broses homeostatig o reoli faint o ddŵr a sylweddau eraill sydd yn y gwaed. Fe'i cyflawnir gan yr arennau.

a) Beth yw **(1)** - y broses sy'n tynnu hylif o'r gwaed?

b) Mae tiwbynnau'r arennau yn addasu faint o ddŵr a thri sylwedd arall sydd yn y gwaed. Enwch y tri sylwedd **(2)**, **(3)** a **(4)**.

c) Pa enw a roddir ar **(5)**? Fe gaiff un o'r sylweddau a enwir yn **(b)** ei gymryd yn ôl i lif y gwaed yn llwyr. Pa un?

d) Beth yw'r hylif gwastraff a gynhyrchir gan yr aren yn y pen draw? Pa dri pheth y mae'n eu cynnwys?

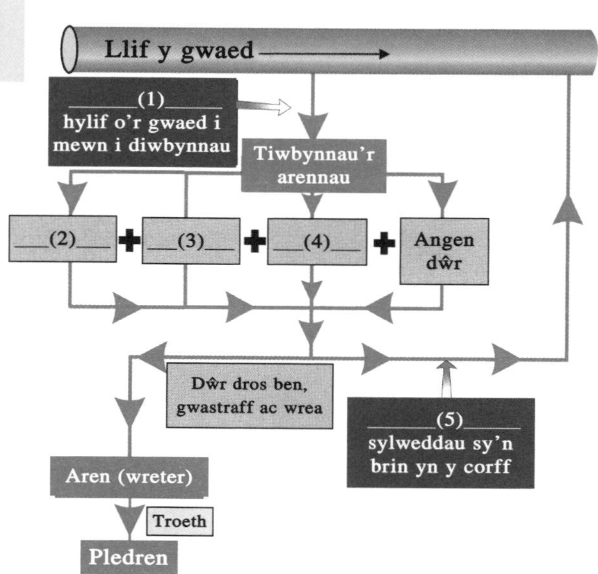

Gair i Gall: Ystyr homeostasis yw **cynnal amgylchedd mewnol cyson** yn y corff. Rhaid i ni gael gwared â gwastraff a chadw'r lefelau cywir o **ïonau**, **dŵr** a **siwgr** a chadw'r **tymheredd** cywir. Mae homeostasis yn digwydd yn **awtomatig** - fe'i rheolir gan yr **hypothalamws** a'r **chwarren bitwidol** yn yr ymennydd.

Yr Arennau

1) Hidlenni'r corff yw'r arennau. Maen nhw'n addasu lefelau gwahanol sylweddau yn y gwaed ac yn cael gwared â'r rhai nad oes arnom eu hangen.

a) Beth yw tair prif swyddogaeth yr arennau?

b) Beth yw ystyr y gair ysgarthu?

2) Yn y diagram isod gwelir rhan o'r system sy'n cynnwys yr arennau:

a) Enwch y rhannau o'r system A - F.

b) Sut mae'r gwaed sy'n symud drwy rannau B a C yn wahanol?

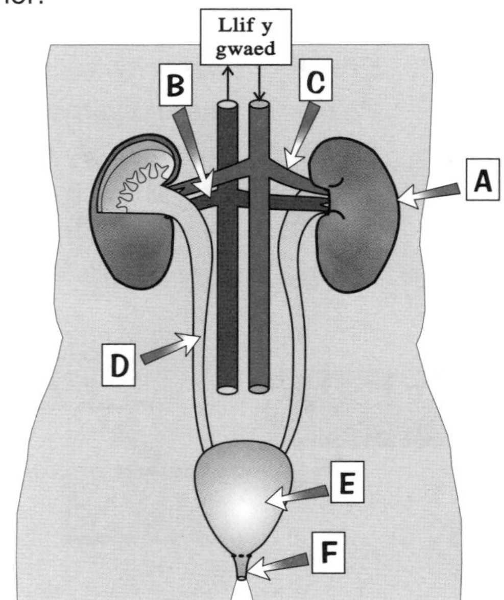

3) Mae tua miliwn o systemau tiwbiau mewn aren.

a) Pa enw a roddir ar y systemau tiwbiau hyn?

b) Beth sy'n amgylchynu pob un ohonynt?

c) Yn y diagram isod gwelir un system diwbiau. Mae'r tabl gyferbyn yn cynnwys disgrifiad o bob rhan.

Cysylltwch y labeli **(a)** - **(j)** â'u disgrifiad cywir 1 -10.

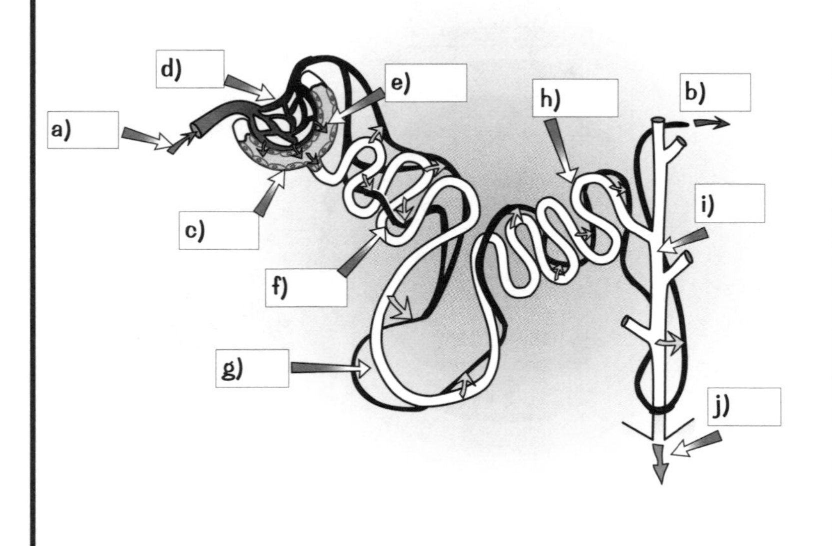

1. Cangen o'r rhydweli arennol - angen 'glanhau' y gwaed sydd yma.	6. Glomerwlws - cwlwm o gapilarïau sy'n cynyddu'r pwysedd gwaed.
2. Hidlif glomerwlaidd - fe'i cynhyrchir gan y broses uwch-hidlo.	7. Cangen o'r wythïen arennol sy'n dwyn ymaith gwaed hidledig.
3. Y tiwbyn torchog cyntaf - yma adamsugnir glwcos ac asidau amino i'r gwaed.	8. Yr ail diwbyn torchog - ceir adamsugno detholus yma i atal colli dŵr a halwynau.
4. Dolen Henlé - mae cyfnewid ïonau'n caniatáu i ddigon o ddŵr gael ei adamsugno - yn dibynnu ar lefel yr ADH yn yr hylif.	9. Dwythell gasglu - yn cludo ymaith hylif gwastraff ar ôl yr adamsugno.
5. Cwpan Bowman - caiff dŵr, wrea, ïonau a glwcos eu gwasgu i mewn yma. Hefyd yn cynnal cwlwm o gapilarïau ac yn arwain at diwbyn.	10. Tiwbiau sy'n arwain at y bledren - yn cludo troeth ymaith, yr hylif gwastraff sy'n cynnwys wrea a dŵr ac ïonau dros ben.

Amrywiadau mewn Planhigion ac Anifeiliaid

1) Pan edrychodd Aled ar y planhigyn iorwg oedd yn tyfu i fyny'r dderwen yn ei ardd, synnodd o weld cymaint roedd maint a lliw y dail yn amrywio.

a) Pa fath o amrywiadau yw'r rhain?
b) Beth all effeithio ar faint a lliw dail iorwg?
c) Mae siâp nodedig iawn i ddail iorwg.
Yr un siâp sydd i bob deilen aeddfed.
Ai ffactorau genetig neu ffactorau amgylcheddol sy'n pennu hyn?

2) 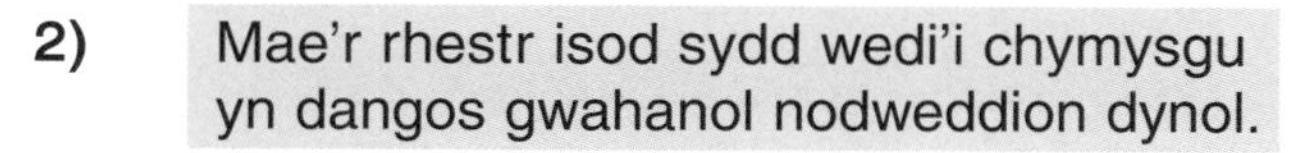
Mae'r rhestr isod sydd wedi'i chymysgu yn dangos gwahanol nodweddion dynol.

Lliw'r llygaid
Ffitrwydd (yn ôl cyfradd curiad y galon wrth orffwys)
Lliw'r gwallt
Màs
Taldra
Deallusrwydd

a) Pa rai o'r nodweddion hyn sy'n dangos:
i) amrywiadau parhaol?
ii) amrywiadau amharhaol?
b) Ar ba rai o'r nodweddion hyn:
i) y bydd yr amgylchedd yn effeithio?
ii) na fydd yr amgylchedd yn effeithio?
c) Ar ba nodwedd y bydd etifeddiaeth yn effeithio leiaf?
d) Dewiswch un nodwedd ac eglurwch sut y bydd yr amgylchedd yn effeithio arni.

3) Mae gan efeilliaid unfath yr un genynnau, felly maen nhw'n enetig unfath. Mae'r tabl yn dangos nodweddion pedwar unigolyn, a nodir gan y llythrennau a, b, c, d.

Nodwedd	Unigolyn			
	a	b	c	d
Lliw haul	✔	✔		
Yn wryw	✔	✔	✔	
Yn fenyw				✔
Yn gallu rholio'r tafod	✔		✔	
Brown yw lliw arferol y gwallt	✔	✔	✔	✔
Gwallt wedi'u gwynnu			✔	✔
Llygaid brown	✔	✔	✔	

a) i) Defnyddiwch y wybodaeth yn y tabl i nodi pa ddau unigolyn sy'n efeilliaid unfath.
ii) Eglurwch eich ateb.
b) Rhowch un nodwedd yn y tabl sy'n dangos:
i) amrywiadau parhaol.
ii) amrywiadau amharhaol.

4) Ticiwch y mannau priodol yn y tabl gyferbyn i roi'r wybodaeth gywir ar gyfer pob un o'r nodweddion dynol.

Nodwedd (ddynol)	Math o Amrywiadau		Amgylchedd yn effeithio arni	
	Parhaol	Amharhaol	Ydy	Nac ydy
Pwysau geni				
Lliw'r croen				
Grŵp gwaed				
Rhychwant llaw				
Lliw'r llygaid				
Haemoffilia				

5) Mae pobl yn perthyn i un o'r pedwar grŵp gwaed hyn: A, B, AB ac O. Defnyddiwch y geiriau yn y rhestr i lenwi'r bylchau.

amharhaol amgylcheddol etifeddol amrywiaeth

Mae grwpiau gwaed yn dangos amrywiadau ______________. Yma, does dim ______________ eang o nodweddion. Mae ein grŵp gwaed yn ______________ ac ni chaiff ei newid gan amodau ______________.

Geneteg

1) Cwblhewch y croesair drwy ateb y cwestiynau hyn.

Ar Draws

1 - Gamet gwrywol. (3,5)
3 - Y genynnau sy'n bresennol. (8)
4 - Celloedd wy. (3)
7 - Yr alel a gaiff ei guddio pan fydd genyn trechol yn bresennol. (8)
9 - Mae ganddi gnewyllyn, cytoplasm a philen. (3)
10 - Mae'n cael ei gynhyrchu pan fydd sberm yn uno ag wy. (5)
12 - Rhyw plentyn pan fydd ofwm yn uno â chell sberm sy'n cludo Y. (5)
13 - Mae'r _____ mewn DNA bob amser yn paru. (5)

I Lawr

1 - Unigolyn sy'n enetig unfath. (4)
2 - Y broses o gellrannu sy'n creu celloedd rhyw. (7)
3 - Cell ryw. (5)
5 - Un o ddau enyn sy'n rheoli nodwedd arbennig. (4)
6 - Y cyflwr pan fydd y ddau alel yn wahanol. (12)
8 - Mae'n cynnwys genynnau. (8)
11 - Darn o DNA sy'n rheoli nodwedd arbennig. (5)

2) Mewn bodau dynol y nifer haploid yw 23.

a) Ydy sberm yn haploid neu'n ddiploid?
b) Pa broses sy'n uno sberm â chell wy?
c) Faint o gromosomau sydd yn sygot bod dynol?
d) Faint o gromosomau sydd yn sygot cimwch yr afon sydd â'i nifer diploid yn 112?
e) Pa fath o gellraniad sy'n cynhyrchu celloedd wy a sberm?
f) Pa fath o gellraniad a ddefnyddir ar gyfer twf?
g) Beth yw gamet?

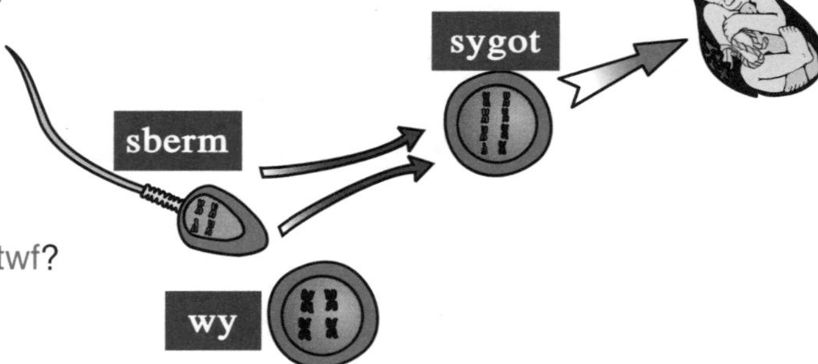

3) Mae'r diagram isod yn dangos trefniant pedwar genyn ar bâr o gromosomau.

a) Rhowch lythrennau dau enyn sy'n alelau.
b) Pa alelau sy'n:
i) drechol;
ii) enciliol?
c) Mae 'B' yn pennu llygaid lliw brown ac mae 'b' yn pennu llygaid lliw glas. Pa liw fyddai llygaid yr unigolyn sydd â'r trefniant yn y diagram? Eglurwch eich ateb.

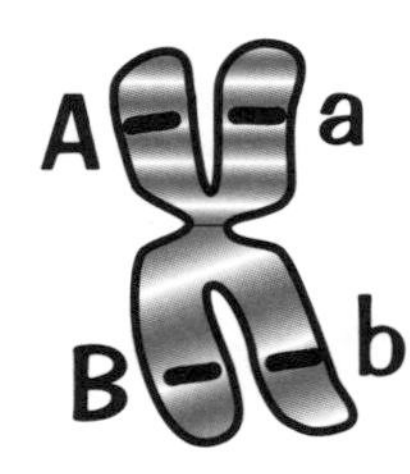

Geneteg

4) Cwblhewch y brawddegau drwy ddewis y gair cywir oddi mewn i'r cromfachau.

a) Mae'r alel sy'n pennu nodwedd yn y cyflwr heterosygaidd yn (drechol/enciliol).
b) Enw arall ar gell ryw yw (gamet/sygot).
c) Y genynnau sydd gan unigolyn yw (genoteip/ffenoteip) yr unigolyn.
d) Mae cromosomau'n cynnwys (carbohydradau/DNA).
e) Mewn bodau dynol, dywedir bod cell sydd â'r 46 cromosom yn (ddiploid/haploid).
f) Mae ein cyrff yn defnyddio (meiosis/mitosis) i gynhyrchu celloedd ar gyfer twf.
g) Ceir y cyflwr (heterosygaidd/homosygaidd) pan fydd dau alel yr un fath.
h) Mae cell wy yn enghraifft o (gamet/sygot).
i) (Clonau/mwtaniadau) o'i gilydd yw organebau sy'n enetig unfath.
j) Mae hapgyfuniad o gromosomau mewn meiosis yn creu (mwtaniad/amrywiad).

5) Cysylltwch y bocsys tywyll â'r bocsys golau cywir ar y dde. Mae enghraifft wedi'i gwneud ar eich cyfer.

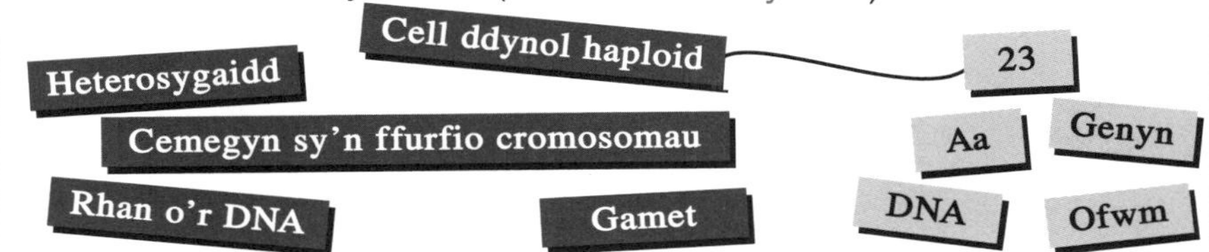

6) Ar y dde gwelir diagram genetig yn dangos sut y gallai dau blanhigyn pys rannu eu genynnau drwy groesffrwythloni.

a) Beth yw ystyr:
   i) ffenoteip?
   ii) genoteip?
b) Beth yw ystyr 'cenhedlaeth F1'?
c) Beth yw cymhareb:
   i) eu genoteipiau?
   ii) eu ffenoteipiau?
d) Nodwch bob genoteip posibl o'r alelau T a t.
e) Beth yw'r ffenoteipiau posibl o'r alelau hyn?

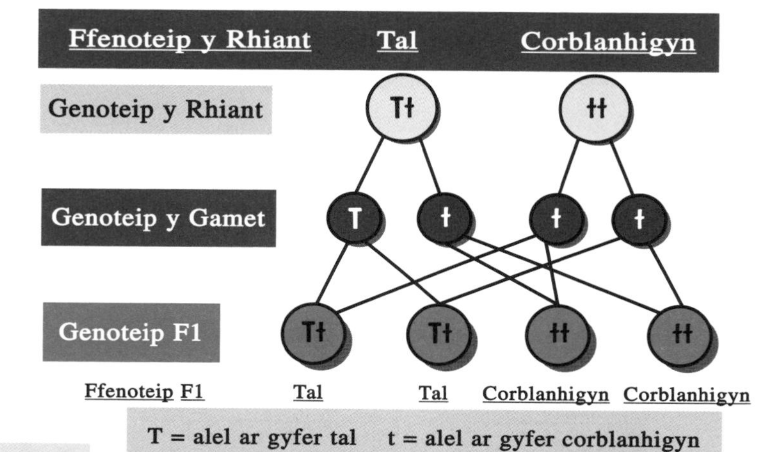

7) Llenwch y bylchau â'r geiriau canlynol.

alelau *sentromer* *cromatidau* *DNA* *trechol*
genyn *heterosygaidd* *homosygaidd* *enciliol*

Mae cromosomau'n cynnwys ________________. Maen nhw'n cynnwys breichiau ar wahân, sef ________________. Yr enw ar y rhan ganol o gromosomau, sy'n cysylltu'r cromatidau yw'r ________________. Darn o DNA yw ________________. Y term am fersiynau gwahanol o'r un genyn yw ________________. Mae'r alel sy'n pennu'r nodwedd yn alel ________________. Mae'r alel y mae ei nodwedd yn cael ei chuddio yn alel ________________. Pan fydd y ddau alel yr un fath, dywedwn fod yr unigolyn yn ________________. Ond pan fyddan nhw'n wahanol dywedir bod yr unigolyn yn ________________.

Gair i Gall: Y peth pwysig yma yw **dysgu'r geiriau**. Os na wyddoch eu hystyr, wnewch chi ddim deall gweddill y pwnc hwn. Yng Nghwestiwn 4 mae llawer o eiriau sy'n **edrych** yn debyg ond sydd ag ystyr **gwahanol** iawn.

Genynnau, Cromosomau a DNA

1) Dyma gell nodweddiadol mewn anifail.

a) Ym mha ran o'r gell y ceir cromosomau?

b) Pe bai hon yn gell ym moch bod dynol, sawl cromosom fyddai ynddi?

c) Pa gemegyn y mae cromosomau'n ei gynnwys?

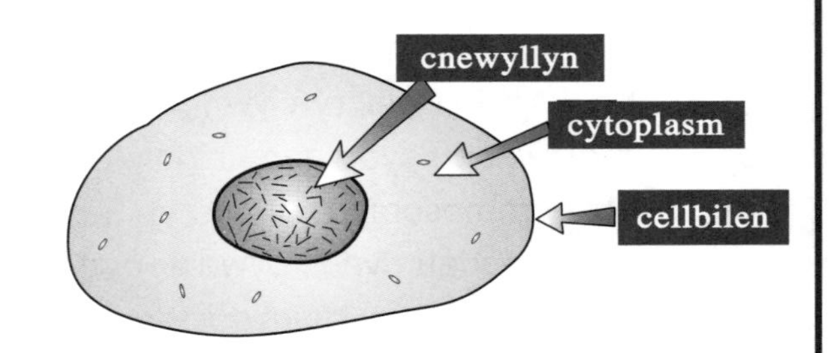

2) Llenwch y bylchau â'r geiriau canlynol.

cromosomau *cytoplasm* *diploid*
ymrannu *DNA* *genynnau*
haploid *cnewyllyn* *protein* *rhyw*

Mae'r ____________ yn cynnwys y cromosomau sydd â'r genynnau. Mae nifer y ____________ yn dibynnu ar y rhywogaeth; mae gan bob rhywogaeth ei nifer ei hun ohonynt. Mewn bodau dynol y nifer yw 23 pâr (46 cromosom). Gelwir hyn yn nifer ____________. Mae gan bob cell yng nghorff pethau byw y nifer diploid, ar wahân i'r celloedd ____________. Mae gan y celloedd hyn y nifer ____________, sef 23 cromosom mewn bodau dynol. Y ____________ ar y cromosomau sy'n rheoli nodweddion organebau. Mae cromosomau'n cynnwys helics dwbl o ____________. Mae genyn yn rhan o DNA sy'n gweithredu fel cod ar gyfer cynhyrchu ____________ arbennig. Y rhan o'r gell lle mae proteinau i'w cael yw'r ____________. Pan fydd celloedd yn ____________ mae'n rhaid i'r DNA gael ei gopïo'n fanwl gywir.

3) Mae'r diagram yn dangos y cysylltiad rhwng DNA a sawl nodwedd.

a) **i)** Ble y ceir y DNA mewn celloedd?
ii) Ble y gwneir proteinau yn y gell?

b) Llenwch y bylchau i gwblhau'r diagram.

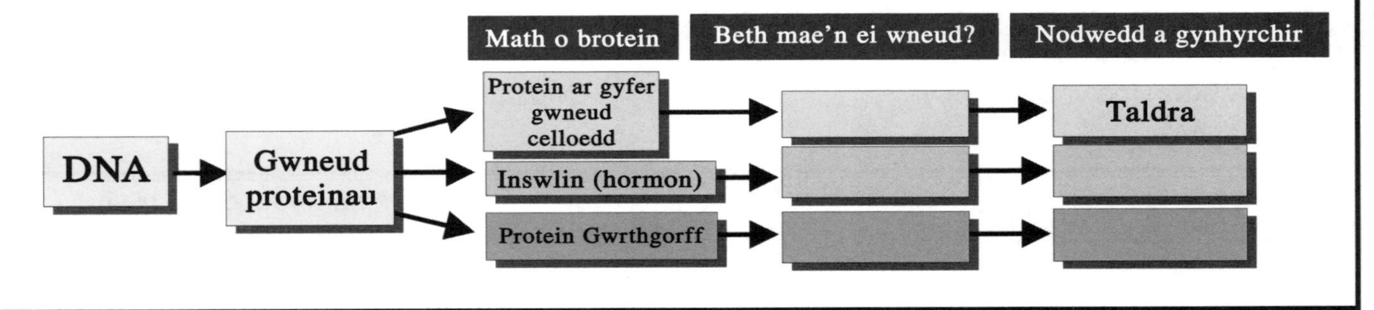

Genynnau, Cromosomau a DNA

c) Beth sy'n digwydd i'r nodweddion os caiff y DNA ei newid (ei fwtanu)? Eglurwch eich ateb.
d) Mae'r proteinau mewn llaeth yn wahanol ar gyfer mamolion gwahanol. Pam?

4) Mae'r diagramau isod yn dangos cromosomau gwryw dynol a benyw ddynol.

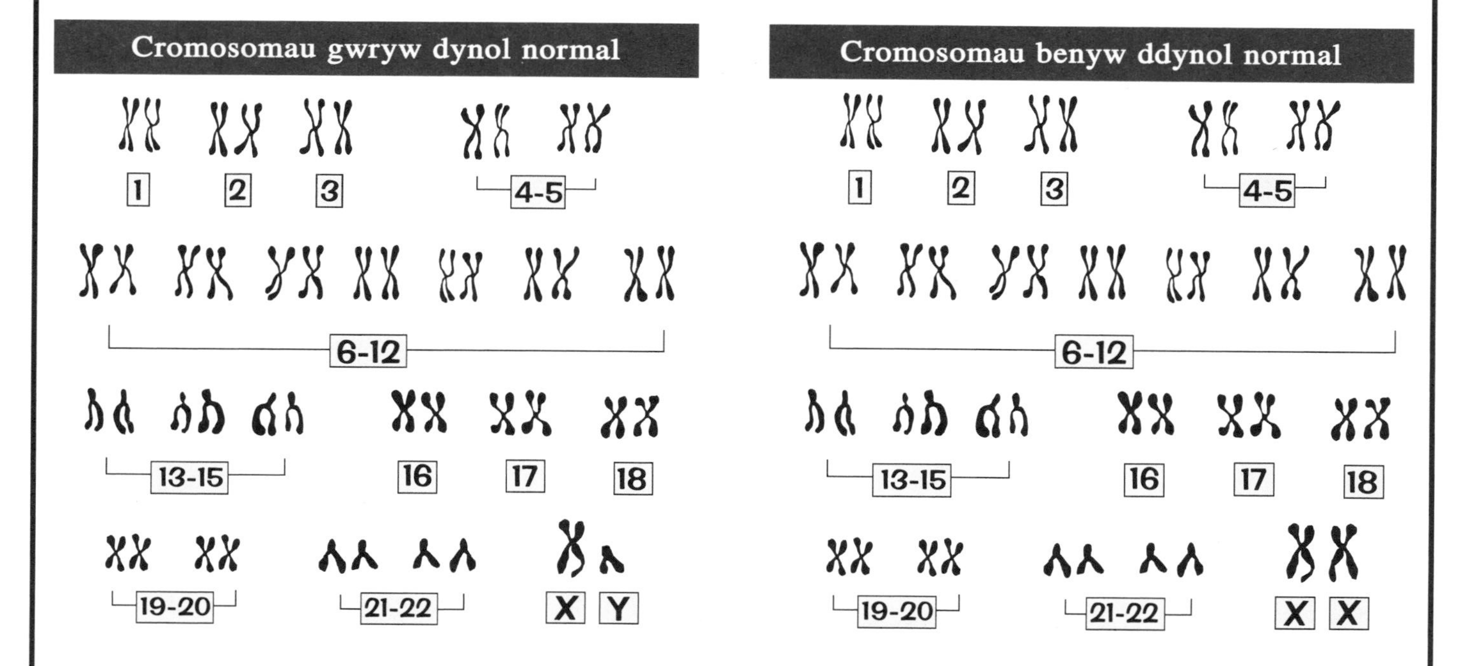

a) Beth yw'r gwahaniaeth rhwng y ddwy set o gromosomau?

b) Pam y soniwn am barau o gromosomau?

c) i) Sawl cromosom sydd gennym ym mhob corffgell?
ii) Ble yn y gell y ceir y cromosomau?

d) i) Pa gemegyn y mae cromosomau'n ei gynnwys?
ii) Sut y trefnir y cemegyn hwn?
iii) Pa enw a roddir ar ddarnau o'r cemegyn hwn?

Gair i Gall: Mae angen i chi wybod beth yw **cromosom** a **ble** mae i'w gael yn y gell a beth yw **genyn**, beth mae'n ei **gynnwys** a beth mae'n ei **wneud**. Cofiwch mai rhannau o DNA sydd â'r cod ar gyfer un protein yw genynnau. Mae gennym **barau** o gromosomau, un o bob rhiant.

Mitosis a Meiosis

1) Defnyddiwch y geiriau canlynol i lenwi'r bylchau.

anrhywiol *union* *gametau* *wreiddiol* *lleihaol* *dwy*

Proses a ddefnyddir yn ystod tyfu ac atgynhyrchu ____________ yw mitosis. Bydd pob cromosom yn y gell wreiddiol yn gwneud ____________ gopi ohono ei hun. Pan fydd y math hwn o ymraniad wedi'i gwblhau, cynhyrchir ____________ epilgell. Bydd gan y naill a'r llall yr un nifer o gromosomau â'r gell ____________. Mae meiosis yn ymraniad ____________, sy'n golygu bod nifer y cromosomau yn y gell wreiddiol wedi'i leihau (wedi'i haneru). Defnyddir y broses hon wrth gynhyrchu ____________ gwryw a benyw. O ganlyniad i feiosis bydd y defnydd genetig yn cael ei ad-drefnu rywfaint, gan greu amrywiadau.

2) Ydy'r gosodiadau canlynol yn gysylltiedig â meiosis neu â mitosis?

a) Cynhyrchu celloedd *haploid.*

b) Cynhyrchu celloedd sydd yr un fath â'r gell *wreiddiol.*

c) Ar ddiwedd yr ymraniad cynhyrchir dwy *epilgell.*

d) Fe'i defnyddir mewn atgenhedlu *rhywiol.*

e) Fe'i defnyddir mewn atgynhyrchu *anrhywiol.*

3) Mae'r diagram isod yn dangos y gwahaniaeth rhwng y ddau fath o gellraniad.

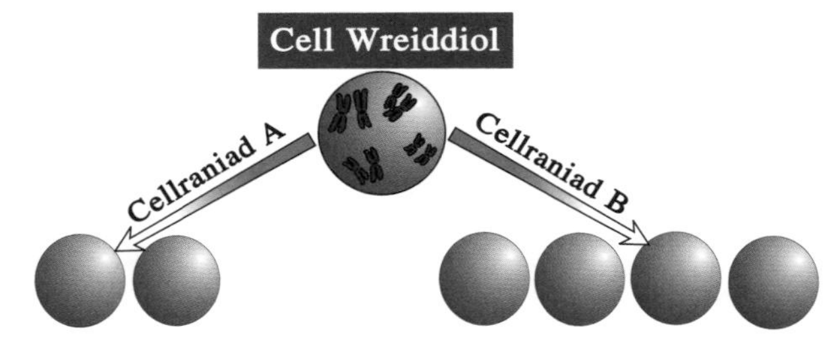

a) Enwch y math o gellraniad a geir yn A a B.

b) Ble fydd A yn digwydd yn y corff dynol?

c) Ble fydd B yn digwydd:

i) mewn planhigyn? **ii)** yn y corff dynol?

d) Pe bai'r diagram yn cynrychioli cellraniad yn y corff dynol, faint o gromosomau fyddai yn un o'r celloedd a fyddai'n cael ei chynhyrchu:

i) o gellraniad A? **ii)** o gellraniad B?

Mitosis a Meiosis

4) Cwblhewch y wybodaeth yn y bylchau yn y tabl.

Organeb	Nifer y cromosomau mewn corffgell	Nifer y parau o gromosomau	Nifer y cromosomau ym mhob gamet	Nifer haploid	Nifer diploid
Pryf Ffrwythau	8				
Cangarŵ	12				
Planhigyn Rhyg	20				
Iâr	36				
Llygoden	40				
Bodau Dynol	46				
Cimwch yr Afon	200				

5) Mae diagram A yn dangos y camau wrth atgynhyrchu celloedd drwy fitosis.
Mae diagram B yn dangos y camau wrth atgynhyrchu celloedd drwy feiosis.

Ar gyfer pob diagram, disgrifiwch yr hyn sy'n digwydd ym mhob cam a labelwyd â rhif.

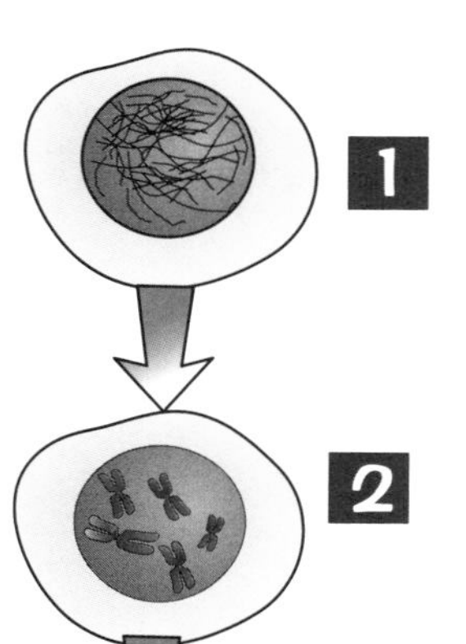

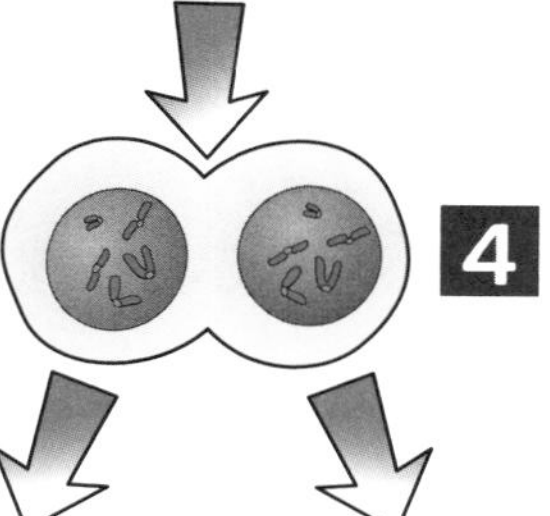

Diagram A

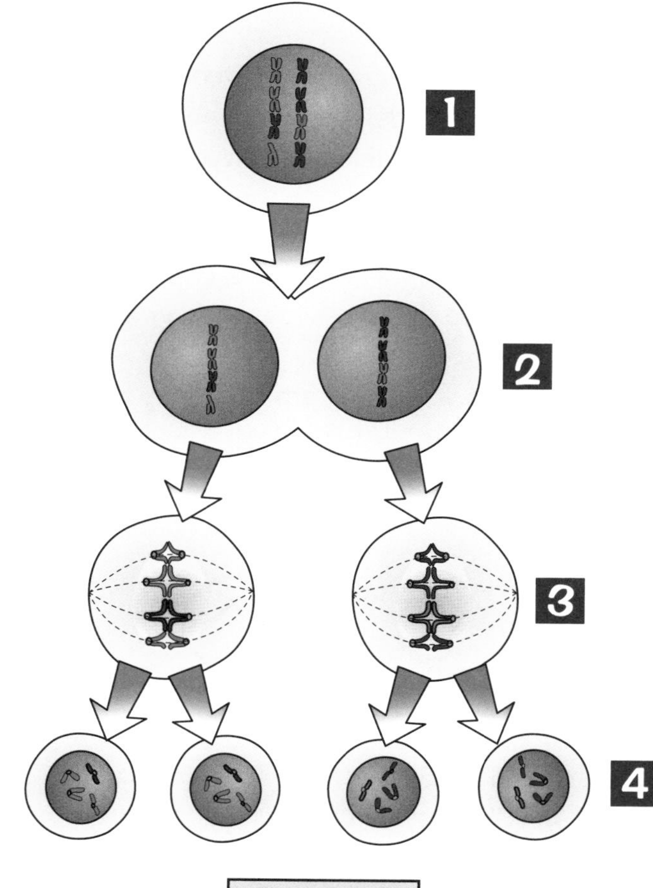

Diagram B

Gair i Gall: Y peth pwysig yw cofio'r gwahaniaeth rhwng mitosis a meiosis. Mae **mitosis** yn rhoi **dwy gell ddiploid unfath** - fe'i defnyddir ar gyfer tyfu, atgyweirio ac atgynhyrchu anrhywiol. Mae **meiosis** yn rhoi **pedair cell haploid wahanol** a **dim ond** ar gyfer cynhyrchu celloedd rhyw y caiff ei ddefnyddio.

Ffrwythloni

1) Mae'r diagram yn dangos y datblygiad o gelloedd rhyw i faban.

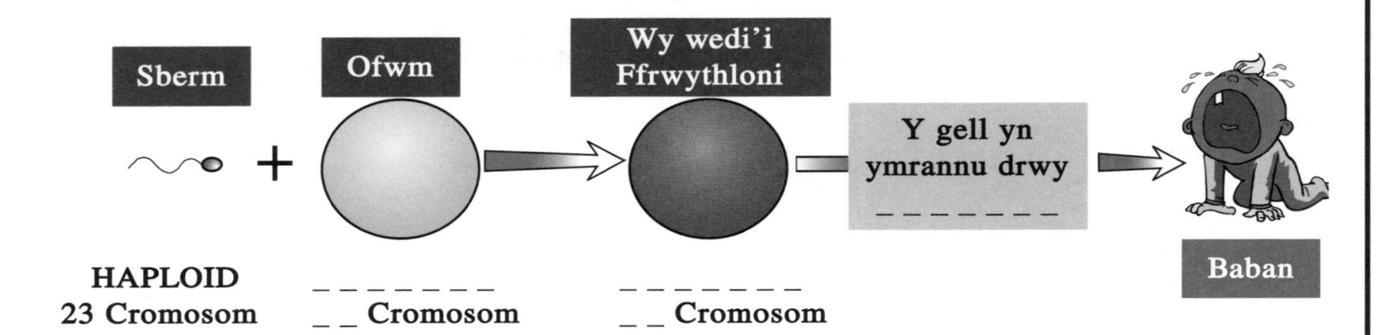

a) Llenwch y pum bwlch yn y diagram uchod.

b) Enwch yr organau atgenhedlu sy'n cynyhyrchu:

i) celloedd sberm.

ii) ofa.

c) Pa air sydd hefyd yn golygu celloedd wy a sberm?

d) Beth yw enw arall ar wy wedi'i ffrwythloni?

e) Pa derm a ddefnyddir am y broses lle mae celloedd wy a sberm yn uno â'i gilydd?

f) Ble mae ffrwythloni'n digwydd yng nghorff y fenyw ddynol?

2) Mae gametau'n haploid, h.y. maent yn cludo un cromosom yn unig o bob pâr sydd yn eu celloedd gwreiddiol.

a) Cwblhewch y diagram isod drwy lunio sut olwg fyddai ar y cromosomau yn yr wy wedi'i ffrwythloni ar ôl i'r sberm uno â'r ofwm.

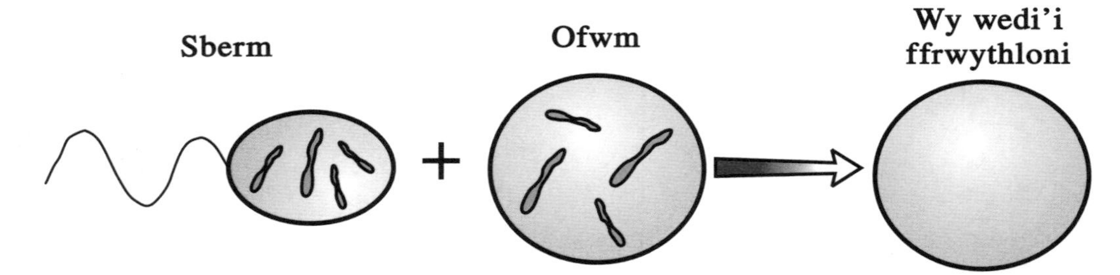

b) **i)** Ble y cynhyrchir celloedd sberm?

ii) Ble y cynhyrchir celloedd wyau?

c) Sut y caiff gwybodaeth ei chludo:

i) o'r tad i'r plentyn?

ii) o'r fam i'r plentyn?

d) Daw cromosomau mewn parau.

i) Pa air sy'n disgrifio pâr cyfatebol o gromosomau?

ii) Sawl pâr o gromosomau sydd gennym yn ein corffgelloedd?

Ffrwythloni

3) Defnyddiwch y geiriau canlynol i lenwi'r bylchau.

plant	*cromosom*	*diploid*	*wy*	*ffrwythloni*	*gametau*
meiosis	*ofa*	*ofarïau*	*sberm*	*ceilliau*	*amrywiadau*

I ganiatáu atgenhedlu rhywiol bydd ____________ yn cael eu cynhyrchu, ac yn dilyn hynny bydd ____________ yn digwydd. Mae hapgyfuniad cromosomau mewn ____________ yn creu ____________ genetig ymhlith y sberm a'r celloedd ____________ a gynhyrchir. Mae hapgyfuniad gametau yn achosi amrywiadau yn y ____________. Y gametau gwrywol yw'r celloedd ____________ a'r celloedd benywol yw'r celloedd wy (a elwir hefyd yn ____________). Cynhyrchir gametau gwrywol yn y ____________ a chynhyrchir gametau benywol yn yr ____________. Mae'r gametau'n cynnwys un ____________ o bob pâr homologaidd. Pan fydd ffrwythloni'n digwydd, daw'r cromosomau hyn at ei gilydd i gynhyrchu'r nifer ____________ cywir, sef 46 mewn bodau dynol.

4) Diffiniwch y geiriau canlynol:

diploid ffrwythloni gamet haploid ofa ofarïau sygot

5) Cysylltwch y disgrifiad priodol ar y chwith â'r termau ar y dde.

Disgrifiadau → **Termau**

Disgrifiadau:
- gamet gwrywol
- gametau'n cyfuno
- cellraniad ar gyfer cynhyrchu gametau
- hanner nifer y cromosomau
- wy wedi'i ffrwythloni
- cellraniad ar gyfer datblygu sygotau
- cell wy

Termau:
- sygot
- sberm
- meiosis
- ffrwythloni
- mitosis
- ofwm
- haploid

6) Cwblhewch y brawddegau isod drwy ddewis gair oddi mewn i'r cromfachau.

a) Mae gametau'n cael eu cynhyrchu drwy'r broses (meiosis/mitosis).

b) Enw arall ar gelloedd rhyw yw (gametau/sygotau).

c) Mae cromosomau i'w cael mewn parau (homologaidd/homosygaidd).

d) Celloedd (diploid/haploid) yw gametau.

e) Enw arall ar gell wy yw (ofari/ofwm).

Gair i Gall: Rydych yn gwybod y pwynt sylfaenol mai sberm a chell wy yn ymasu â'i gilydd yw ffrwythloni, ond cofiwch fod dwy gell **haploid** yn ymasu â'i gilydd i ffurfio cell **ddiploid**. **Ar ôl** ffrwythloni gelwir y gell hon yn **sygot**.

Mwtaniadau

1) Daw celloedd A a B o ddau bryf ffrwythau gwahanol. Mae un gell yn normal, mae mwtaniad gan y llall sy'n rhoi llygaid afluniaidd i'r pryf. Cell A sydd â'r genyn mwtan.

a) Beth yw genyn?

b) Sut y gall mwtaniadau fel hyn godi?

c) **i)** A oes unrhyw siawns y bydd y mwtaniad gan epil y pryf hwn?

ii) Eglurwch eich ateb.

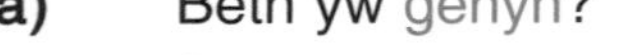

Llygaid Pryfed Ffrwythau

Llygaid afluniaidd | Llygaid normal

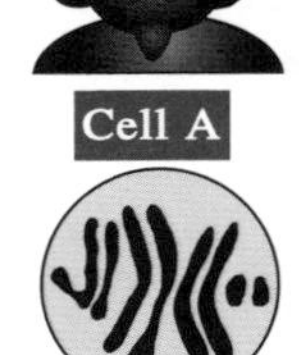

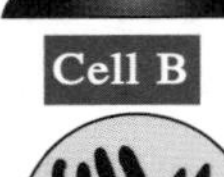

2) Llenwch y bylchau gan ddefnyddio'r geiriau canlynol.

gwrthfiotigau *yn fuddiol* *carsinogenau* *ymrannu*
genetig *rhyw* *niweidiol* *ïoneiddio* *mitosis*
mwtagenau *mwtaniadau* *naturiol* *niwtral*
cromosom *cnewyllyn* *dyblygiad*

Ystyr mwtaniad yw newid mewn genyn neu mewn ______________. Gall genynnau gwahanol ddeillio o newid o'r fath. Gall mwtaniadau ddigwydd yn ______________ pan fydd DNA yn cael ei gopïo'n anghywir yn ystod ______________. Gall mwtaniadau genynnau ddechrau mewn ______________ unigol mewn un gell. Wrth i'r celloedd ______________ i gynhyrchu mwy o gelloedd, bydd nifer y celloedd sydd â'r ffurf newydd yn cynyddu. Gall y siawns o gael ______________ gael ei gynyddu drwy fod yn agored i belydriad ______________, pelydrau X, golau uwchfioled a hefyd rhai cemegau. Po fwyaf yw'r dos, mwyaf i gyd o siawns sydd o gael mwtaniadau. Yr enw ar gemegau sy'n achosi mwtaniadau yw ______________ ac maent yn cynnwys sylweddau a geir ym mwg sigaréts. Defnyddir y term ______________ am sylweddau o'r fath am eu bod yn cynyddu'r siawns o bobl yn cael canser. Mae'r rhan fwyaf o fwtaniadau'n ______________ . Os ceir mwtaniadau mewn celloedd ______________, gallai'r plant ddatblygu'n annormal. Gall hyn arwain at farwolaeth gynnar. Gall mwtaniadau mewn corffgelloedd achosi cellraniad (______________) afreolus, gan arwain at ganser. Mae rhai mwtaniadau'n ______________ o ran eu heffeithiau, fyddan nhw ddim yn achosi niwed na budd amlwg i'r unigolyn. Ar adegau prin, gall mwtaniad fod ______________, gan gynyddu gobaith yr organeb o oroesi. Mae cael bacteria'n mwtanu yn sicr wedi bod o fudd iddyn nhw drwy roi iddynt wrthiant i'r ______________ a ddefnyddiwn yn eu herbyn. Mwtaniad yw ffynhonnell amrywiadau ______________. Newid trwy gael ffurfiau newydd ar hen enynnau yw'r modd y mae pethau byw wedi esblygu drwy ddethol naturiol.

3) Atebwch y cwestiynau hyn ynglŷn â mwtaniadau:

a) Gall mwtaniadau fod yn fuddiol ac yn niweidiol. Rhowch enghraifft o'r naill a'r llall.

b) Ymddangosodd y lliw glas mewn byjis fel mwtaniad mewn byjis gwyrdd. Dydy hyn ddim yn effeithio o gwbl ar oroesiad byjis. Beth mae hyn yn ei ddangos ynglŷn â rhai mwtaniadau?

Cromosomau X ac Y

1) **Yn y graff ar y dde gwelir y berthynas rhwng maint pelydriad ïoneiddio a nifer yr alelau marwol enciliol a achoswyd yng nghelloedd sberm llygoden.**

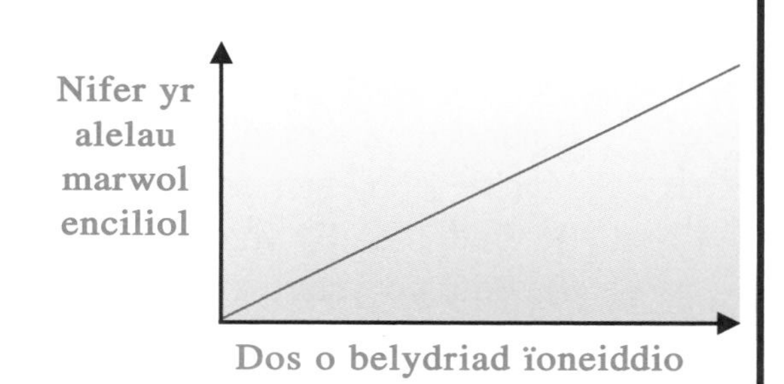

a) Beth mae'r graff yn ei ddangos i ni?

b) i) Beth mae pelydriad ïoneiddio yn ei wneud i enynnau?

ii) Beth yw alel?

c) Beth arall, ar wahân i belydriad ïoneiddio, all achosi effeithiau tebyg?

2) **Celloedd atgenhedlol gwrywol a benywol yw celloedd A a B.**

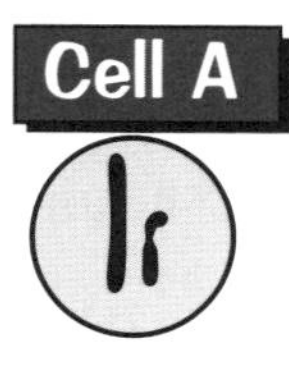

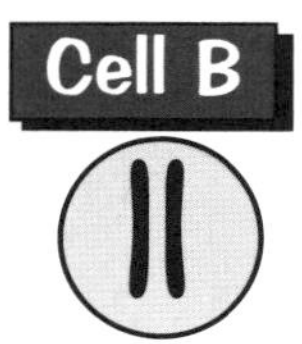

a) Labelwch y ddau gromosom rhyw yng nghelloedd A a B.

Pa gell sy'n wrywol a pha un sy'n fenywol?

b) Ble yn y corff y ceir y celloedd A a B?

c) Pa enw a roddir ar y gametau gwrywol a'r gametau benywol?

3) **Atebwch y cwestiynau hyn:**

a) Copïwch a chwblhewch y diagram sy'n dangos sut yr etifeddir rhyw.

b) Ar sail y diagram cyfrifwch y gymhareb rhwng bechgyn a merched.

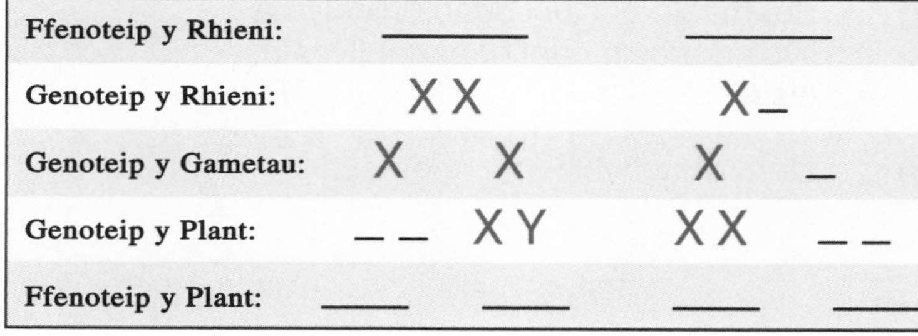

Ffenoteip y Rhieni:	______		______	
Genoteip y Rhieni:	XX		X_	
Genoteip y Gametau:	X	X	X	_
Genoteip y Plant:	__	XY	XX	__
Ffenoteip y Plant:	____	____	____	____

c) Mae gan bâr un plentyn, Siân. Mae'r pâr yn sicr y bydd eu plentyn nesaf yn fachgen am fod ganddynt ferch eisoes. Ydy hyn yn wir? Eglurwch eich ateb.

d) Gellir gweithio allan genoteipiau epil hefyd â diagram sgwariau (a elwir weithiau yn Sgwâr Punnett).

Cwblhewch y diagram ar y dde.

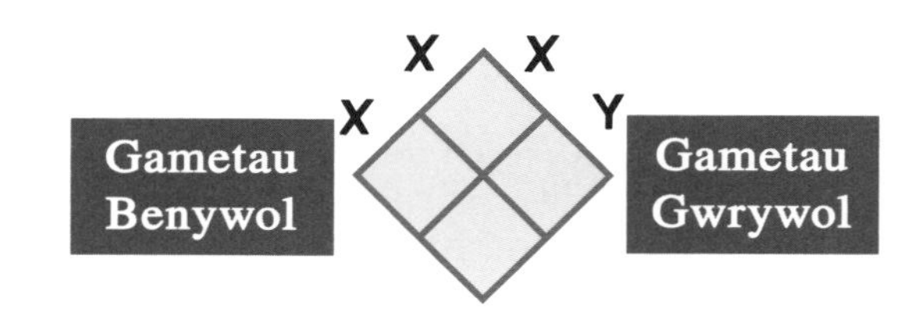

4) **Yn yr hen ddyddiau, dienyddiodd rhai brenhinoedd eu gwragedd am beidio â rhoi meibion iddynt.**

a) Pa gromosomau rhyw sydd gan gelloedd sberm?

b) Pa gromosomau rhyw sydd gan gelloedd wy?

c) i) Ai gametau'r dyn neu'r ferch sy'n pennu rhyw y plentyn?

ii) Eglurwch eich ateb.

Croesiadau Monocroesryw

1) Mae'r diagram yn dangos croesiad rhwng llygoden wrywol ddu a llygoden fenywol frown.

a) Beth yw ystyr homosygaidd?
b) Pam mae rhai genynnau'n cael eu dynodi gan "B" ac eraill gan "b"?
c) Eglurwch pam mae B a b yn alelau.
d) Mae'r F1 i gyd yn ddu heterosygaidd.
  i) Beth mae F1 yn ei ddynodi?
  ii) Beth yw ystyr heterosygaidd?
e) **i)** Pa alel sy'n drechol?
  ii) Eglurwch ystyr trechol.
f) **i)** Beth yw ystyr genoteip?
  ii) Beth yw ystyr ffenoteip?
g) Cymerir dau unigolyn o'r F1, gwryw a benyw, a'u cyplu.
  i) Defnyddiwch ddiagram sgwariau i ddangos y croesiad.
  ii) Beth yw ffenoteipiau a genoteipiau yr epil.
  iii) Beth yw cymhareb ffenoteipiau yr epil?
  iv) Pa derm a ddefnyddir am y genhedlaeth hon?

Ffenoteip y Rhieni:	Gwryw Du Homosygaidd		Benyw Frown Homosygaidd	
Genoteip y Rhieni:	BB		bb	
Genoteip y Gametau:	B	B	b	b
Genoteip yr Epil:	Bb	Bb	Bb	Bb
Ffenoteip yr Epil:	Pob un yn Ddu Heterosygaidd			

2) Priododd dyn â llygaid brown ferch â llygaid glas. Mae'r alel ar gyfer llygaid brown yn drechol ac mae'r alel ar gyfer llygaid glas yn enciliol. (Mae'r tad yn heterosygaidd ar gyfer y genyn.)

a) Pa lythrennau y byddech yn eu defnyddio ar gyfer yr alelau brown a glas?
b) Ar y diagram, cwblhewch y croesiad drwy lenwi'r bylchau.
c) Pa unigolion sy'n homosygaidd?
d) Sut mae'n bosibl i ddau unigolyn â llygaid brown gael baban â llygaid glas?

Ffenoteip y Rhieni:	Mam â Llygaid Glas		Tad â Llygaid Brown	
Genoteip y Rhieni:	______		______	
Genoteip y Gametau:	___	___	___	___
Genoteip yr Epil:	____	____	____	____
Ffenoteip yr Epil:	______	______	______	______

3) Llenwch y bylchau â'r geiriau hyn.

alelau F1 F2 genoteip taldra heterosygaidd
homosygaidd monocroesryw ffenoteip enciliol

Mewn croesiadau ____________, rydym yn croesi ar gyfer un nodwedd yn unig, megis ____________ mewn planhigion pys neu liw mewn llygod. Mae dwy ffurf wahanol ar bob genyn - gelwir y rhain yn ____________. Alel ____________ yw'r alel y bydd ei nodwedd yn cael ei chuddio ym mhresenoldeb genyn trechol. Os ydy dau alel yr un fath, dywedwn eu bod yn ____________ ac os ydynt yn wahanol, maen nhw'n ____________. Mae'r gair ____________ yn cyfeirio at y nodwedd ffisegol sy'n ganlyniad i hyn, ac mae'r gair ____________ yn cyfeirio at yr alelau sy'n bresennol. Mewn croesiadau genetig, soniwn am genedlaethau gwahanol: _________ yw'r plant ac ____________ yw'r wyrion a'r wyresau.

4) Daw'r teulu Owen o Abergele. Gwraig â gwallt tywyll yw Marged Owen. Mae gan ei mab, Carwyn, wallt cochfrown. Gwallt cochfrown sydd gan fam Marged. Mae gan hanner o frodyr a chwiorydd Marged wallt tywyll ac mae gan yr hanner arall wallt cochfrown.
Mae gwallt cochfrown yn enciliol i wallt tywyll.

a) Pa lythrennau y byddech yn eu defnyddio i ddynodi'r ddau alel?
b) Beth yw genoteipiau'r canlynol:
  i) Marged? **ii)** Carwyn? **iii)** rhieni Marged? **iv)** brawd Marged sydd â gwallt tywyll?
  v) chwaer Marged sydd â gwallt cochfrown?

Croesiadau Monocroesryw

5) Dyma siart tras yn dangos sut yr etifeddir y gallu i flasu'r cemegyn PTC. Mae PTC yn gemegyn sy'n blasu'n chwerw i rai bobl ond sy'n ddi-flas i eraill. Mae'r gallu i flasu'r sylwedd hwn yn cael ei bennu gan alel trechol.

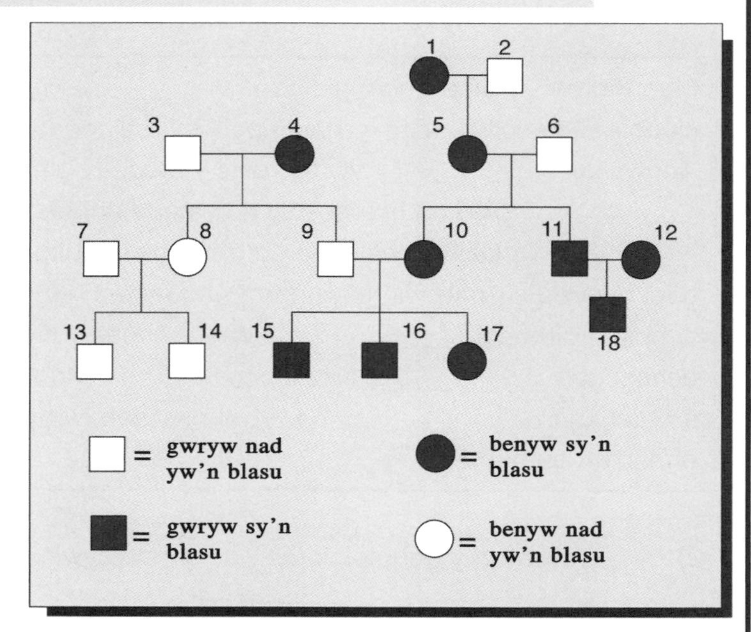

a) i) Ydy unigolyn 9 yn wryw neu'n fenyw?
   ii) Ydy unigolyn 9 yn un sy'n blasu neu'n un nad yw'n blasu?

b) i) Pa lythrennau y byddech yn eu defnyddio i ddynodi'r ddau alel?
   ii) Beth yw genoteip unigolyn 2?
   iii) Sut y gweithioch chi hyn allan?

c) i) Beth yw genoteip unigolyn 4?
   ii) Beth yw'r dystiolaeth dros hyn?

d) Rhowch un enghraifft o unigolyn sy'n gorfod bod:
   i) yn homosygaidd.
   ii) yn heterosygaidd.

e) Lluniwch ddau ddiagram genetig i ddangos y genoteipiau posibl ar gyfer epil 1 a 2.

6) Mynach o Awstria oedd Gregor Mendel. Cafodd hyfforddiant mewn mathemateg ac astudiaethau natur ym Mhrifysgol Fienna. Ar ei randir yn y mynachlog, sylwodd Mendel sut y trosglwyddwyd nodweddion mewn planhigion o un genhedlaeth i'r nesaf. Mae'r diagramau'n dangos dau o'r croesiadau a gyflawnodd Mendel.

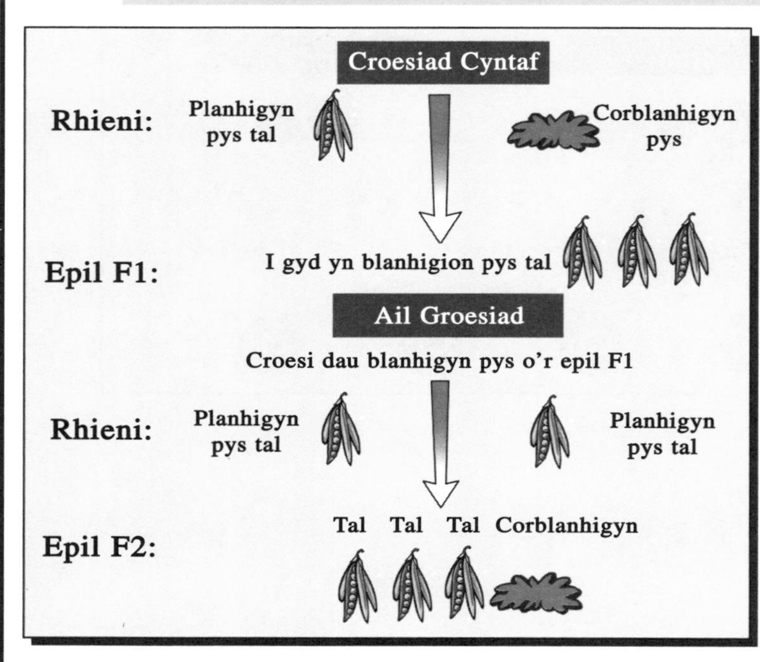

O'r croesiad cyntaf:

a) i) Beth yw genoteipiau'r corblanhigyn a'r planhigyn tal sy'n rhieni?
   ii) Beth yw genoteipiau'r epil F1?

O'r ail groesiad:

b) i) Beth yw cymhareb genoteipiau'r epil F2?
   ii) Beth yw cymhareb ffenoteipiau'r epil F2?
   iii) Pa unigolion sy'n homosygaidd?
   iv) Pa unigolion sy'n heterosygaidd?

c) Â pha nodweddion eraill mewn planhigyn pys y gallai Mendel fod wedi arbrofi?

Gair i Gall: Mae **croesiad monocroesryw** yn golygu eich bod yn croesi ar gyfer **un** nodwedd yn unig. Cofiwch fod unigolyn **heterosygaidd** yn arddangos y nodwedd **drechol**, **nid** rhywbeth rhwng trechol ac enciliol.

Ffibrosis y Bledren

1) Defnyddiwch y geiriau hyn i lenwi'r bylchau.

alel	*cludo*	*treulio*	*genetig*
ysgyfaint	*cellbilenni*	*mwcws*	*enciliol*

Mae ffibrosis y bledren yn glefyd ____________. Mae un ym mhob ugain o bobl ym Mhrydain yn cludo'r alel enciliol. Mae'n rhaid i bobl sy'n dioddef o'r clefyd fod â dau alel ____________. Anhwylder ____________ yw ffibrosis y bledren. Yn yr ysgyfaint mae'r pilenni'n cynhyrchu ____________ gludiog trwchus sy'n gwneud anadlu'n fwy anodd ac yn achosi mwy o heintiau i'r ____________. Caiff yr heintiau eu trin â gwrthfiotigau. Gall ffisiotherapi a thylino'r corff yn rheolaidd gael gwared â'r mwcws. Mae gormod o fwcws hefyd yn cael ei gynhyrchu yn y pancreas, gan achosi problemau ____________. Mae hyd oes y dioddefwyr yn llai. Gan fod y clefyd yn cael ei achosi gan ____________ enciliol, mae'n rhaid iddo gael ei etifeddu o'r ddau riant. Mae rhieni sydd â'r alel enciliol yn ____________ yr anhwylder. Nid yw'r cludyddion yn dioddef o unrhyw ddrwg effeithiau eu hunain.

2) Cysylltwch y genoteipiau â'r disgrifiad cywir.

cludydd

normal

dioddefwr

CC

cc

Cc

3) Yn y diagram isod gwelir croesiad rhwng dau unigolyn nad effeithiwyd arnynt.

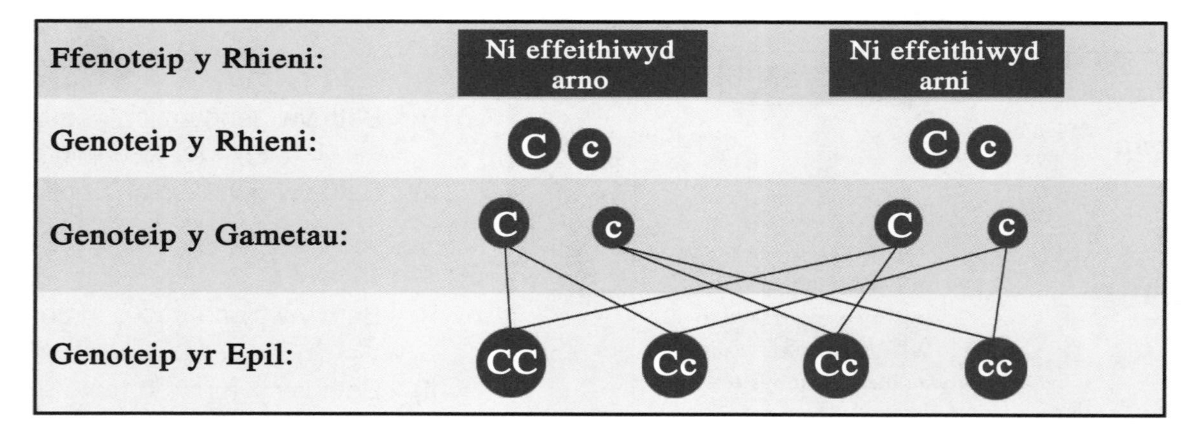

a) Ar sail y diagram, pa unigolion sydd:

i) yn gludyddion?

ii) yn ddioddefwyr?

iii) yn homosygaidd?

iv) yn heterosygaidd?

b) Beth yw ystyr cludyddion?

c) Lluniwch y diagram hwn ar ffurf bwrdd sgwariau.

Ffibrosis y Bledren

4) Cwblhewch y brawddegau drwy ddewis y gair/geiriau cywir oddi mewn i'r cromfachau.

a) Clefyd (heintus/etifeddol) yw ffibrosis y bledren.
b) Achosir ffibrosis y bledren gan alel (trechol/enciliol).
c) Gall plant etifeddu'r clefyd ffibrosis y bledren pan fydd gan y (naill/ddau) riant yr alel enciliol.
d) Mae gan ddioddefwyr ffibrosis y bledren broblemau anadlu oherwydd (bod ganddynt ysgyfaint bach/eu bod yn cynhyrchu gormod o fwcws).
e) Mae'r alel ar gyfer ffibrosis y bledren i'w gael (mewn dynion a merched i'r un graddau/mewn dynion yn unig).

5) Yn y diagram gwelir teulu a brofwyd ar gyfer alel ffibrosis y bledren.

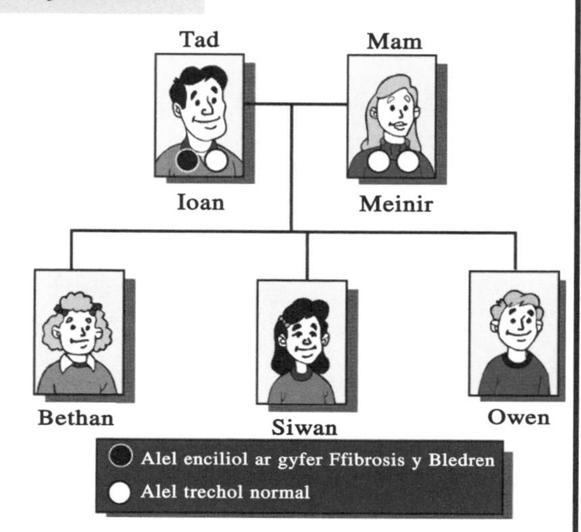

a) Defnyddwich y llythrennau priodol i roi genoteipiau'r fam a'r tad.
b) A fydd unrhyw rai o'r plant yn ddioddefwyr?
c) **i)** Fedrwch chi ddweud pa blant fydd yn cludo alel enciliol?
ii) Eglurwch eich ateb.
d) Pa siawns sydd gan Bethan o fod yn gludydd?
e) Pa ganran o'u plant sy'n debygol o fod yn normal?
f) **i)** Ar sail y diagram, fedrwn ni ddweud a oedd dau riant y tad yn gludyddion?
ii) Eglurwch eich ateb.

6) Pe bai dau gludydd yn cael plant, byddai gan bob plentyn 1 siawns ym mhob 4 o gael y clefyd.

a) Dangoswch sut y cawn y gymhareb hon gan ddefnyddio diagram genetig.
b) Allai plant ddioddef o'r clefyd hwn pe bai alel enciliol gan un rhiant yn unig?
c) Ym Mhrydain mae un ym mhob ugain o bobl yn cludo'r alel ar gyfer ffibrosis y bledren. Beth yw ystyr "cludo'r" alel?

7) Cysylltwch y gosodiadau ar y chwith â'r atebion cywir ar y dde.
Efallai y bydd mwy nag un ateb cywir.

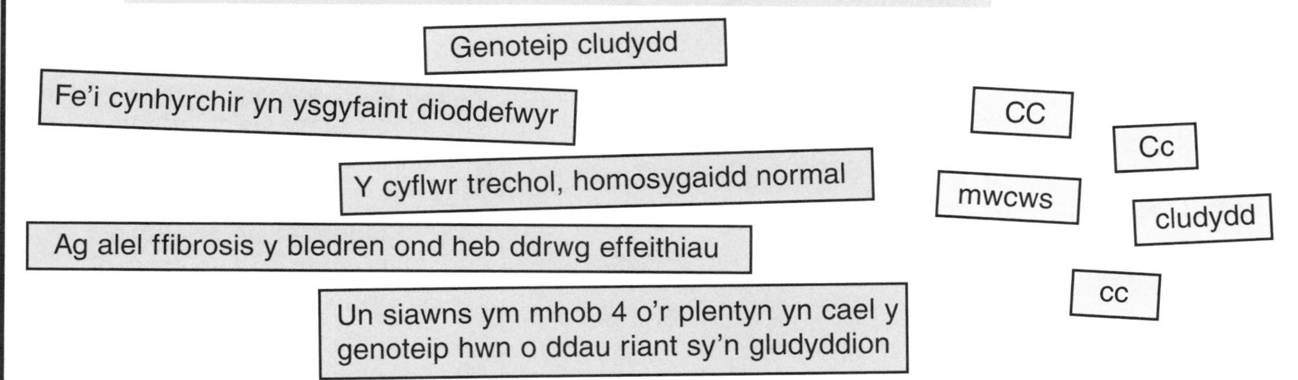

Gair i Gall: Dyma enghraifft dda o glefyd genetig a achosir drwy gael **un** genyn diffygiol. Gallwch, felly, weithio allan **croesiad monocroesryw**, fel y gwnaethoch yng nghwestiwn 3. Bydd disgwyl i chi wybod am y **symptomau** yn ogystal â geneteg y clefyd.

Clefydau Genetig

1) Defnyddiwch y geiriau canlynol i lenwi'r bylchau:

alel gwaed cludo malaria ocsigen amddiffyn enciliol coch

Clefyd celloedd ________________ y gwaed yw anaemia cryman-gell. Mae'n cael ei achosi gan alel ________________. Mae ________________ yr anhwylder hwn yn gallu bod yn fantais mewn gwledydd lle mae ________________ yn gyffredin. Bydd cludydd yn cael ei ________________ rhag malaria. Daw enw'r clefyd o siâp celloedd coch y ________________. Bydd gan blant sy'n etifeddu dau ________________ enciliol o'u rhieni gelloedd coch sy'n cludo ocsigen yn llai effeithlon. Bydd celloedd coch y gwaed hefyd yn glynu wrth ei gilydd yn y capilarïau gwaed. Bydd hynny'n amddifadu'r corffgelloedd o ________________.

2) Mae Map A yn dangos dosbarthiad yr alel cryman-gell yn Affrica.
Mae Map B yn dangos dosbarthiad malaria yn yr un ardal ddaearyddol.

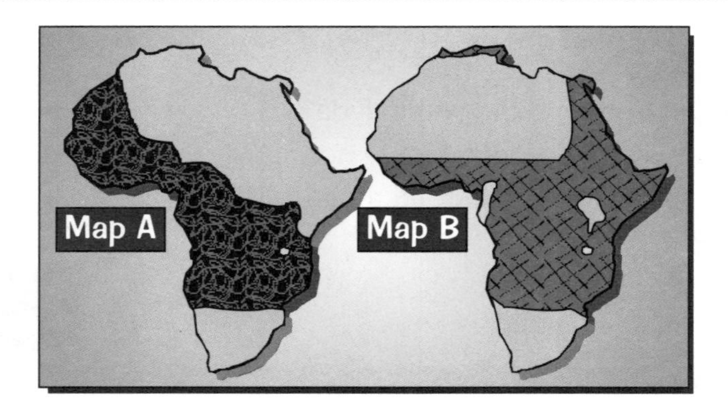

a) Pam mae'r dosbarthiadau mor debyg?

b) Mae anaemia cryman-gell yn glefyd sy'n lladd.
   i) Nodwch fantais sydd gan bobl sy'n gludyddion y clefyd.
   ii) Nodwch anfantais sydd gan bobl sy'n gludyddion y clefyd.

3) Mae dau gludydd yn priodi ac yn cael tri phlentyn.

a) Llenwch y bylchau yn y diagram.

Ffenoteip y Rhieni:	________		________	
Genoteip y Rhieni:	________		________	
Genoteip y Gametau:	___	___	___	___
Genoteip yr Epil:	_____	_____	_____	_____
Ffenoteip yr Epil:	______	______	______	______

b) i) Beth yw'r siawns y bydd un o'r plant yn ddioddefwr anaemia cryman-gell?
   ii) Pa broblemau y mae didoddefwyr anaemia cryman-gell yn eu cael?

c) Gall cludyddion gael iechyd da, ar wahân i'r ffaith y gallan nhw fod yn anaemig.
   i) Beth yw anaemia?
   ii) Beth yw mantais bod yn gludydd?

Clefydau Genetig

4) Defnyddiwch y geiriau canlynol i lenwi'r bylchau.

alel clefyd trechol meddyliol nerfol un

Achosir Corea Huntington gan alel ______________. Felly, gall ______________ rhiant drosglwyddo'r anhwylder. Bydd gan blentyn 50% o siawns o etifeddu'r anhwylder o un rhiant sydd ag ______________ trechol sengl. Mae'r clefyd hwn yn effeithio ar y system ______________. Yn aml, bydd symptomau'n datblygu pan fydd yr unigolyn sydd wedi etifeddu'r alel dros 35-40 oed. Mae'r ______________ yn achosi symudiadau anwirfoddol a dirywiad ______________. Does dim gwellhad a bydd yr anhwylder yn gwaethygu'n raddol.

5) Atebwch y cwestiynau hyn.

a) Mae dyn sy'n heterosygaidd ar gyfer yr anhwylder yn priodi merch normal. Beth yw'r siawns y bydd eu plentyn cyntaf yn cael y clefyd?

b) Yn aml disgwylir i glefydau a achosir gan alel trechol ddiflannu.
i) Eglurwch pam. **ii)** Pam nad ydy Corea Huntington yn diflannu?

6) Mae'r tabl yn dangos pa mor gyffredin y mae Corea Huntington mewn nifer o leoedd. Tasmania sydd â'r nifer uchaf o achosion ac mae'n gymuned fach.

Awgrymwch reswm posibl pam mai Tasmania sydd â'r nifer uchaf o achosion o Gorea Huntington.

Niferoedd sy'n dioddef o Gorea Huntington (am bob miliwn o'r boblogaeth)	
Cernyw	50
Tasmania	170
Victoria	45
UDA	50

7) Defnyddiwch y diagram ar y dde i ateb y cwestiynau hyn ynglŷn â Chorea Huntington:

a) Llenwch y bylchau i ddangos croesiad rhwng dyn heterosygaidd a merch sy'n homosygaidd enciliol.

b) Pa gyfran o epil y croesiad hwn sy'n ddioddefwyr?

	Tad		Mam	
Ffenoteip y Rhieni:	______		______	
Genoteip y Rhieni:	______		______	
Genoteip y Gametau:	___	___	___	___
Genoteip yr Epil:	___	___	___	___
Ffenoteip yr Epil:	___	___	___	___

Gair i Gall: Cofiwch fod angen dau alel enciliol er mwyn i unigolyn **ddioddef** o anaemia cryman-gell, ond bod y **cludyddion** wedi'u **hamddiffyn** rhag malaria. Y peth pwysig ynglŷn â Chorea Huntington yw mai alel **trechol** sy'n ei achosi.

Bridio Detholus

1) Defnyddiwch y geiriau canlynol i lenwi'r bylchau.

alelau *bridio* *nodweddion* *lliwiau* *clustiau*
llaeth *pobl* *detholus* *amrywiaeth* *amrywiaethau*

Bridio detholus yw lle bydd ____________ yn dewis pa nodweddion i'w bridio i mewn i bethau byw. Gellir defnyddio hyn i gynhyrchu ____________ newydd a bridiau newydd o organebau. Byddwn yn dewis yr unigolion sydd â ____________ sy'n ddefnyddiol i ni. Yna byddwn yn ____________ o'r unigolion hynny. Dewiswn unigolion o'r epil sydd â'r nodweddion sy'n ddefnyddiol i ni, a byddwn yn bridio o'r rhain. Gwnawn hyn dro ar ôl tro. Y term am hyn yw bridio ____________. Un defnydd a wneir o fridio detholus mewn amaethyddiaeth yw cynhyrchu amrywiaethau o blanhigion a bridiau o anifeiliaid sy'n cynhyrchu mwy o gynnyrch neu nodweddion eraill a ddymunir. Enghreifftiau o fridio detholus mewn anifeiliaid yw'r fuwch Ffrisia i gynyddu'r cynnyrch ____________ a chŵn fel y ci baset i gael ____________ llipa. Mae planhigion fel gwenith wedi cael eu bridio i dyfu tywysennau mwy sydd â mwy o wenith. Hefyd, mae yna fathau newydd o rosynnau erbyn hyn sydd ag amrywiaeth eang o siapiau a ____________ i'r blodau. Mae bridio detholus, fodd bynnag, yn lleihau'n sylweddol nifer yr ____________ mewn poblogaeth (y cyfanswm genynnol) ac felly yn lleihau ____________.

2) Mae pobl wedi cynhyrchu bridiau newydd o gŵn er mwyn cael golwg neu natur arbennig yn y ci. Ond dydy rhai o'r nodweddion a fridiwyd mewn cŵn ddim yn fanteisiol i'r ci.

Shar-pei **Ci baset** ***Bedlington*** **Daeargi tarw**

a) Mae pob ci wedi'i fridio o hynafiaid oedd yn fleiddiaid. Rhowch ddwy o nodweddion bleiddiaid nad ydynt i'w cael bellach mewn rhai bridiau modern o gŵn.

b) Pam mae mwngreliaid (croesfridiau ar hap) yn fwy iach na chŵn pedigri?

c) Dydy rhai nodweddion sy'n cael eu bridio i mewn i gŵn ddim o unrhyw fantais i'r ci, maen nhw hyd yn oed yn niweidiol i les y ci. Awgrymwch nodweddion yn y bridiau uchod a allai achosi problemau i'r cŵn o ran eu hiechyd.

d) Mae cluniau cul gan ddaeargwn tarw. Yn aml, dim ond os cân nhw gymorth gan bobl y gall y cŵn hyn roi genedigaeth. Beth fyddai'n digwydd i'r brid hwn o gi pe bai pobl yn peidio â'u cynorthwyo i roi genedigaeth?

3) Dewiswch y gair cywir oddi mewn i'r cromfachau i gwblhau'r brawddegau.

a) Y term am y broses lle mae pobl yn bridio anifeiliaid sydd â'r nodweddion gorau yw dethol (artiffisial/naturiol).

b) Bydd bridio detholus yn (cynyddu/lleihau) nifer yr alelau mewn poblogaeth.

c) Yn aml bydd ffermwyr yn bridio'n ddetholus er mwyn (cynyddu/lleihau) cynnyrch bwyd.

d) Mae bridio detholus yn cynnwys atgenhedlu (anrhywiol/rhywiol).

e) Mae bridio nodweddion fel clustiau llipa i mewn i gŵn yn (fanteisiol/anfanteisiol) i'r ci.

Gair i Gall: Yma mae pobl yn **dethol** y nodweddion y maent am eu bridio i mewn i blanhigion ac anifeiliaid - mae'n ddefnyddiol iawn. Bydd angen i chi wybod **enghreifftiau** o blanhigion ac anifeiliaid sydd wedi'u bridio'n ddetholus. Cofiwch yr **anfanteision** hefyd.

Clonio

1) Mae Prydain yn allforio palmwydd datys i Iran a phalmwydd olew i Malaysia. Gellir gwneud hyn am fod gan Brydain dechnoleg flaengar mewn meithrin meinwe (*tissue culturing*). Mae'r diagram yn dangos sut mae meithrin meinwe yn gweithio.

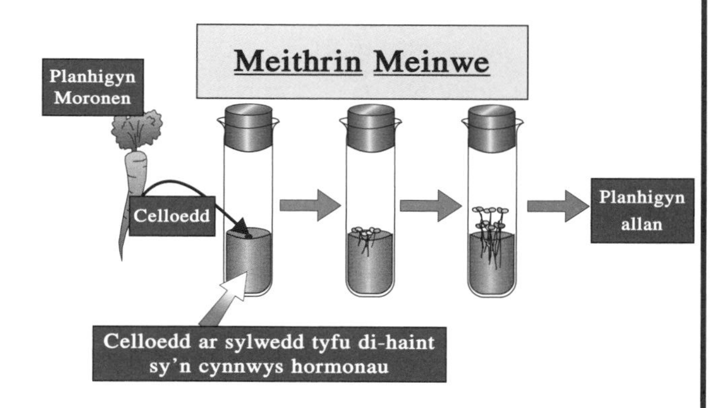

a) Pa fath o atgenhedlu yw hyn?
b) i) Pam mae'r holl blanhigion a gynhyrchir yn unfath?
   ii) Pa enw a roddir ar epil unfath?
c) i) Beth yw manteision defnyddio meithriniadau meinwe?
   ii) Beth yw anfanteision defnyddio meithriniadau meinwe?
d) Pa dechneg arall sy'n cynhyrchu planhigion unfath?

2) Pan fyddwn yn tyfu rhannau o blanhigion yn blanhigion newydd, yr enw ar y rhain yw toriadau.

Fioled Affrica a dyfwyd o un ddeilen

Deilen

a) Pa fath o atgenhedlu a arddangosir yma?
b) Sut y mae'r planhigion ar y dde yn y diagram yn cymharu'n enetig â'r planhigion y cymerwyd y toriadau oddi wrthynt?
c) Sut y mae had o'r planhigion hyn yn cymharu'n enetig â'r planhigion gwreiddiol?
d) i) Beth yw mantais cymryd toriadau?
   ii) Beth yw anfantais cymryd toriadau?

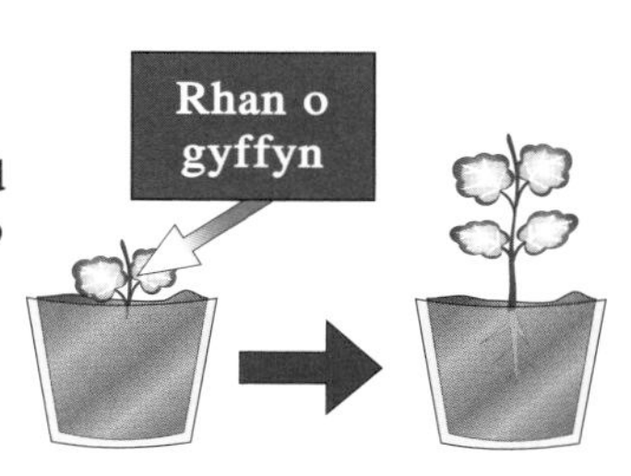

Planhigyn mynawyd y bugail a dyfwyd o ran o gyffyn

3) Dewiswch y gair cywir oddi mewn i'r cromfachau i gwblhau'r brawddegau.

a) Bydd planhigion a gynhyrchwyd o doriadau yn tyfu'n blanhigion newydd drwy gellraniad (meiotig/mitotig).
b) Mae meithriniadau meinwe yn ffordd ddefnyddiol o gynhyrchu nifer mawr o blanhigion (gwahanol/unfath) o nifer bach o gelloedd.
c) Cynhyrchir planhigion genetig unfath drwy atgenhedlu (anrhywiol/rhywiol).
d) Bydd tyfu planhigion o feithriniadau meinwe yn (lleihau/cynyddu) y cyfanswm genynnol.
e) Defnyddir technegau clonio hefyd wrth gynhyrchu anifeiliaid unfath drwy hollti celloedd embryo (ar ôl/cyn) iddynt arbenigo.

Clonio

4) Defnyddiwch y geiriau canlynol i lenwi'r bylchau.

anrhywiol *celloedd* *toriadau* *embryo* *genetig*
unfath *mitosis* *naturiol* *hollti* *meinwe*

Organebau ______________ unfath yw clonau. Fe'u cynhyrchir mewn planhigion yn ystod atgenhedlu ______________ pan fydd ______________ yn digwydd. Mewn planhigion, enghreifftiau yw atgynhyrchu drwy fylbiau, cloron coesynnau ac ymledyddion, yn ogystal â defnyddio ______________. Bydd defnyddio meithriniadau ______________ hefyd yn achosi epil, planhigion neu gloniau sy'n enetig ______________. Mae'r dechneg hon yn cynnwys tyfu planhigion newydd o grwpiau bach o'r ______________ sydd mewn rhan o blanhigyn. Defnyddir technegau clonio hefyd wrth gynhyrchu celloedd unfath mewn amaethyddiaeth. Gwneir hyn drwy ______________ celloedd embryo (cyn iddynt ddod yn arbenigol) o ______________ anifail sy'n datblygu ac yna trawsblannu'r embryonau unfath i mewn i fam letyol (*host mother*). Bydd clonau hefyd yn cael eu cynhyrchu'n ______________ megis yn achos gefeilliaid unfath.

5) Yn y diagram gwelir sut y cynhyrchir clonau anifeiliaid, fel buchod, mewn amaethyddiaeth. (Gyda llaw, nid fel hyn y cynhyrchwyd y ddafad enwog, Dolly.)

a) Trwy ba broses y bydd yr wy wedi'i ffrwythloni yn ymrannu?

b) Pam y gelwir y ddau epil a gynhyrchir yn glonau?

c) **i)** Beth yw manteision defnyddio'r dechneg hon?

ii) Beth yw anfanteision defnyddio'r dechneg hon?

d) Mae gan ffermwr ddafad sydd â chot ragorol ar gyfer gwneud gwlân. Mae'r ffermwr am gynyddu nifer y defaid fel hyn sydd ganddo.

i) Fyddech chi'n ei gynghori i ddefnyddio technegau clonio neu fridio?

ii) Rhowch reswm dros eich ateb.

6) Cysylltwch y diffiniad â'r gair cywir.

- cellraniad sy'n cynhyrchu celloedd unfath
- unigolion genetig unfath
- atgenhedlu sy'n cynhyrchu amrywiadau mewn planhigion
- atgenhedlu sy'n cynhyrchu planhigion unfath
- cellraniad sy'n cynhyrchu amrywiadau mewn epilgelloedd

- rhywiol
- clonau
- anrhywiol
- mitosis
- meiosis

Gair i Gall: Organebau **genetig unfath** yw clonau. Bydd angen i chi fedru disgrifio sut y caiff **planhigion** eu clonio yn naturiol ac yn artiffisial a manteision ac anfanteision cynhyrchu cnydau a da byw sy'n glonau.

Ffosiliau

1) Mae ffosiliau mewn cyflwr da i'w cael bron bob amser mewn creigiau gwaddod.

a) Mannau cyffredin lle gwelir ffosiliau yw chwareli, traethau creigiog a lle caiff creigiau eu torri ar gyfer adeiladu ffyrdd.
Rhowch reswm pam mae'r rhain yn lleoedd da i gael hyd i ffosiliau.

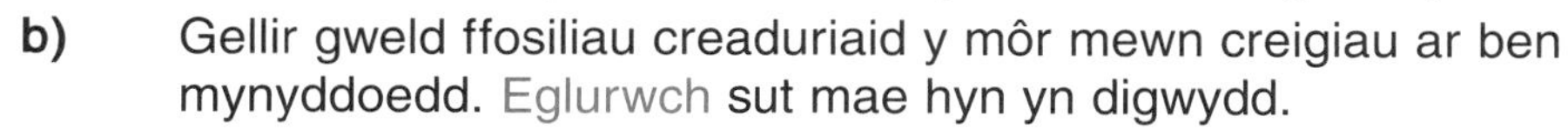

b) Gellir gweld ffosiliau creaduriaid y môr mewn creigiau ar ben mynyddoedd. Eglurwch sut mae hyn yn digwydd.

c) Ffosiliau anifeiliaid y môr yw'r rhan fwyaf o'r ffosiliau a ddarganfyddir. Pam?

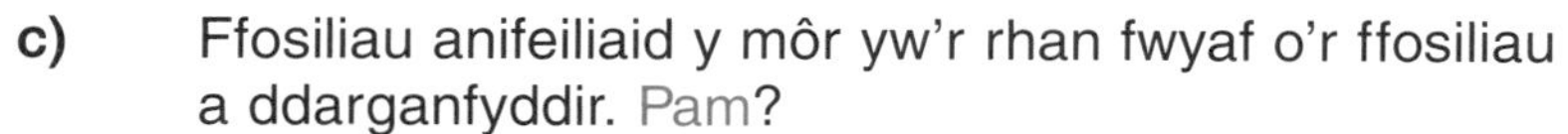

d) Dim ond y gragen y mae'r rhan fwyaf o ffosiliau anifeiliaid y môr yn ei dangos. Dydy rhannau meddal yr anifail ddim yno. Eglurwch pam.

Ffosil Cragen

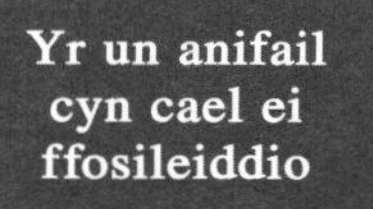

2) Yn y diagramau isod gwelir y pedwar cam y byddai anifail â chragen yn mynd trwyddynt i gael ei ffosileiddio.

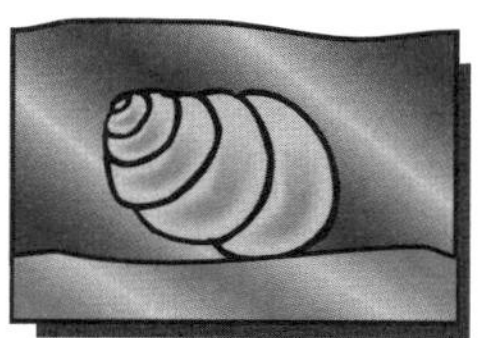

a) Cwblhewch y diagram llif i ddangos sut y caiff pysgodyn cragen ei ffosileiddio.

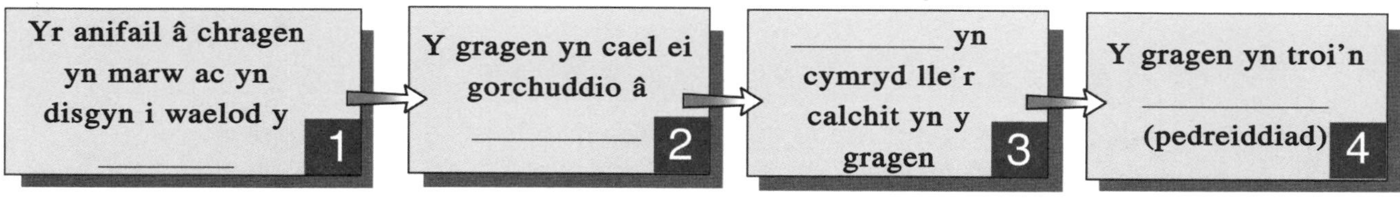

b) **i)** Pam na chaiff corff meddal y pysgodyn cragen ei ffosileiddio?
ii) Pam y caiff y gragen galed ei ffosileiddio cystal?

c) Pa amodau y mae'n rhaid eu cael os ydy ffosiliau i gael eu ffurfio?

d) Mae organebau sydd wedi'u cadw wedi cael eu darganfod mewn mawn, iâ ac ambr. Absenoldeb pa elfen sydd wedi cyfrannu at eu cadw?

3) Daw glo o goed wedi'u ffosileiddio sydd wedi cael eu claddu a'u cadw. Fel rheol pan fydd coed yn marw, byddan nhw'n pydru ac yn rhyddhau eu mwynau yn ôl i'r tir.

a) Pam nad oedd rhai coed wedi pydru, ond yn hytrach wedi'u ffosileiddio yn lo?

b) Sut y gwyddwn mai coed wedi'u ffosileiddio yw glo?

4) Dewiswch y gair/geiriau cywir oddi mewn i'r cromfachau i gwblhau'r brawddegau.

a) Er mwyn i bydru ddigwydd, (mae/nid oes) angen ocsigen.

b) Fe geir y rhan fwyaf o ffosiliau o rannau caled anifeiliaid am eu bod yn pydru'n (gyflym/araf).

c) Mae'r ffosileiddio gorau yn digwydd (dan y môr/ar dir).

d) Po (uchaf/isaf) mewn dilyniant creigiau y caiff ffosil ei ddarganfod, lle nad ydy'r dilyniant wedi symud o gwbl, hynaf i gyd yw'r ffosil.

Gair i Gall: Mae ffosiliau'n rhoi tystiolaeth dda i ni ynglŷn â'r olwg ar greaduriaid cynhanes a phryd y buon nhw'n byw. Cofiwch fod **tair** ffordd y gall organeb gael ei ffosileiddio - a **thair** ffordd y gall yr organeb **gyfan** gael ei chadw.

Esblygiad

1) Defnyddiwch y geiriau canlynol i lenwi'r bylchau.

addasiadau nodweddion newid Darwin dirywio amgylchedd bwyd
esblygiad ymdrech darfod cymhwysaf natur organebau goroesiad naturiol

Mae esblygiad yn ymwneud â sut mae pethau byw wedi ______________ dros filiynau o flynyddoedd. Roedd gan Lamarck a ______________ syniadau gwahanol ynglŷn â sut y digwyddodd hyn. Credai Lamarck y byddai ffurfiadau newydd yn ymddangos pan fyddai angen amdanynt ac y byddai'r rhai hynny na ddefnyddiwyd yn ______________. Awgrymodd hefyd fod newidiadau a gafwyd yn ystod oes organebau yn cael eu trosglwyddo wedyn i'r epil. Awgrymodd Darwin, ar y llaw arall, mai organebau sydd â'r ______________ gorau i'r ______________ sy'n goroesi ac yn cael epil sy'n etifeddu'r addasiadau hynny. Daw nodweddion defnyddiol yn fwy cyffredin. Bydd organebau nad ydynt wedi addasu cystal yn darfod.

Bydd yr holl ______________ yn goratgenhedlu, felly bydd yn rhaid i organebau unigol gystadlu, yn enwedig i gael ______________. Bydd clefydau ac ysglyfaethu yn achosi i niferoedd mawr o organebau farw. Y term am hyn yw'r ______________ i fodoli. Mae'r ymdrech hon yn achosi i'r ______________ oroesi. Hynny yw, yr unigolion hynny â'r ______________ mwyaf addas sydd fwyaf tebygol o oroesi. Felly, mae ______________ yn dewis y nodweddion sy'n mynd i helpu ______________. Y term am hyn yw dethol ______________. Y newidiadau graddol hyn yw'r mecanwaith ar gyfer ______________.

2) Rhowch y brawddegau hyn mewn trefn i egluro esblygiad y jiraff.

- achosodd mwtaniad i rai jiraffod gael gyddfau hirach na'i gilydd.
- roedd gan bob jiraff wddf byr.
- achosodd dethol naturiol i'r epil oedd â gyddfau hirach oroesi.
- roedd gan boblogaeth y jiraffod unigolion â gyddfau o hydoedd gwahanol.
- dim ond jiraffod â gyddfau hir oroesodd y gystadleuaeth am fwyd.

3) Yn y diagram gwelir pryd oedd y cynharaf y cafwyd fertebratau ffosil a'u helaethrwydd (*abundance*).

a) Beth oedd y fertebratau cyntaf i esblygu?

b) Bu i'r dinosoriaid ddarfod tua 60 miliwn o flynyddoedd yn ôl. Pa dystiolaeth sydd o hyn yn y diagram?

c) Pa rai oedd y fertebratau diwethaf i esblygu?

d) Sut mae ffosiliau yn ein helpu i ddeall esblygiad?

e) Er bod y diagram yn dangos esblygiad fel rhywbeth di-dor, mae llawer o gysylltiadau coll yn hanes ffosilaidd llawer o anifeiliaid.

Sut y gallwn egluro'r cysylltiadau coll hyn?

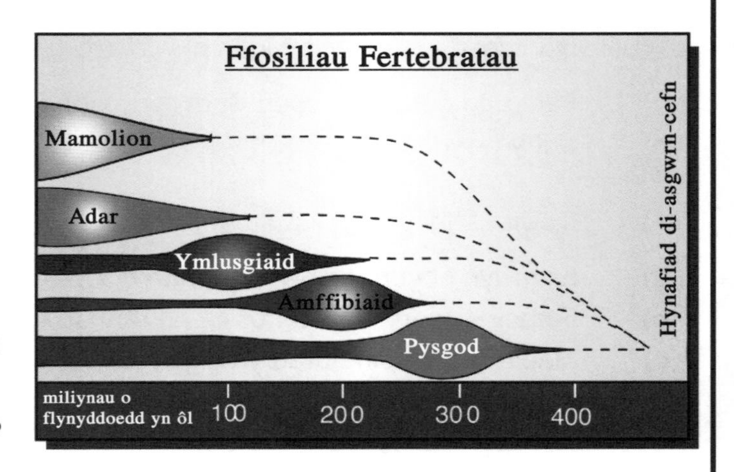

Gair i Gall: Ystyr esblygiad yw sut mae pethau byw yn newid yn **raddol** dros **filiynau o flynyddoedd** - ystyriwch sut mae dethol naturiol yn dylanwadu ar esblygiad gwahanol anifeiliaid.

Dethol Naturiol

1) Defnyddiwch y geiriau canlynol i lenwi'r bylchau.

alelau clefydau amgylchedd ffafriol epil
naturiol marw rhywogaeth goroesi amrywiadau

Mae yna amrywiaeth eang o ______________ o fewn ______________ benodol oherwydd y gwahaniaethau yn eu genynnau. O ganlyniad i ysglyfaethu, ______________ a chystadlu (yn aml am fwyd), bydd niferoedd mawr o unigolion yn ______________. Yr unigolion sy'n goroesi yw'r rhai sydd fwyaf addas ar gyfer yr ______________. Bydd yr unigolion hynny sy'n goroesi yn trosglwyddo'u genynnau (ac felly eu nodweddion) i'r ______________ y byddant yn eu cael. Y term am y broses hon yw dethol ______________. Gall dethol naturiol newid amlder ______________ penodol mewn poblogaeth. Bydd amlder alelau sy'n pennu nodweddion ______________ yn cynyddu. Y rheswm yw bod alelau sy'n caniatáu bod unigolion yn ______________ yn cael eu trosglwyddo i'r genhedlaeth nesaf.

2) Fel rheol mae'r gwyfyn brith yn olau o ran lliw. O bryd i'w gilydd, bydd math du yn ymddangos. Bydd adar sy'n bwyta pryfed, fel y fronfraith, yn ysglyfaethu'r gwyfynod hyn.

a) i) Sut mae gwyfyn du yn ymddangos mewn poblogaeth o wyfynod golau.
ii) Sut y caiff poblogaeth y gwyfynod hyn ei chadw'n gyson?

b) Yn 1848 sylwyd ar yr un du cyntaf ym Manceinion. Erbyn 1895 roedd 98% o boblogaeth gwyfynod Manceinion yn ddu. Yn ystod y cyfnod hwn aeth yr amgylchedd hefyd yn fwy tywyll o ganlyniad i gynnydd mewn llygredd. Pam y cafwyd cynnydd mor sylweddol yn nifer y gwyfynod du rhwng 1848 ac 1895?

c) Heddiw, mewn ardaloedd diwydiannol, mae poblogaeth y gwyfynod du bron yn 100%. Yn Yr Alban a De-Orllewin Lloegr mae'r gwrthwyneb yn wir. Pam?

d) Pam nad yw'r math du yn rhywogaeth newydd?

e) Pa enw a roddir ar y broses sy'n pennu nodweddion goroesi poblogaeth?

Gwyfyn Brith

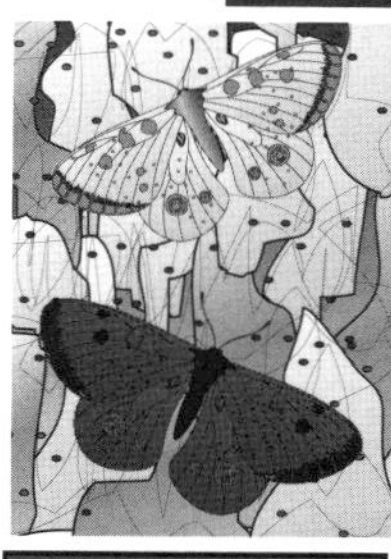

Gwyfynod brith gwyn a du ar risgl coeden mewn ardal anllygredig.

Gwyfynod brith gwyn a du ar risgl coeden mewn ardal lygredig.

3) Cwblhewch y brawddegau drwy ddewis y geiriau cywir oddi mewn i'r cromfachau.

a) Bydd amlder yr alelau sy'n pennu nodweddion defnyddiol yn (lleihau/cynyddu) mewn poblogaeth.
b) Mae ffactorau fel clefydau yn achosi i boblogaeth (leihau/gynyddu).
c) Y goroeswyr gorau yw'r organebau sydd (fwyaf addas ar gyfer eu hamgylchedd/gryfaf).
d) Bydd goroeswyr yn trosglwyddo'u genynnau i'w (hepil/partner).
e) Trwy broses dethol naturiol y bydd (esblygiad/mwtaniad) yn digwydd.
f) Er mwyn i newidiadau ddigwydd yn nodweddion poblogaeth, mae'n rhaid i (fwtaniad/ysglyfaethu) ddigwydd.

Gair i Gall: Dethol naturiol - mae'r **amgylchedd** yn dethol nodweddion sy'n gwneud unigolion yn **oroeswyr**. Gall goroeswyr **drosglwyddo'u genynnau** i'w plant sy'n eu trosglwyddo i'w plant nhw ac yn y blaen - dyna sut mae esblygiad yn **gweithio**.

Maint Poblogaethau

1) Mae deuddeg sycamorwydden mewn coedwig. Mae eu hamgylchedd yn weddol heulog, gyda digon o faetholynnau yn y pridd. Maen nhw'n rhannu'r goedwig â llawer o blanhigion eraill ac anifeiliaid.

a) Beth yw poblogaeth y sycamorwydd?
b) Beth yw cynefin y sycamorwydd?
c) Cysylltwch y termau â'r diffiniadau cywir:

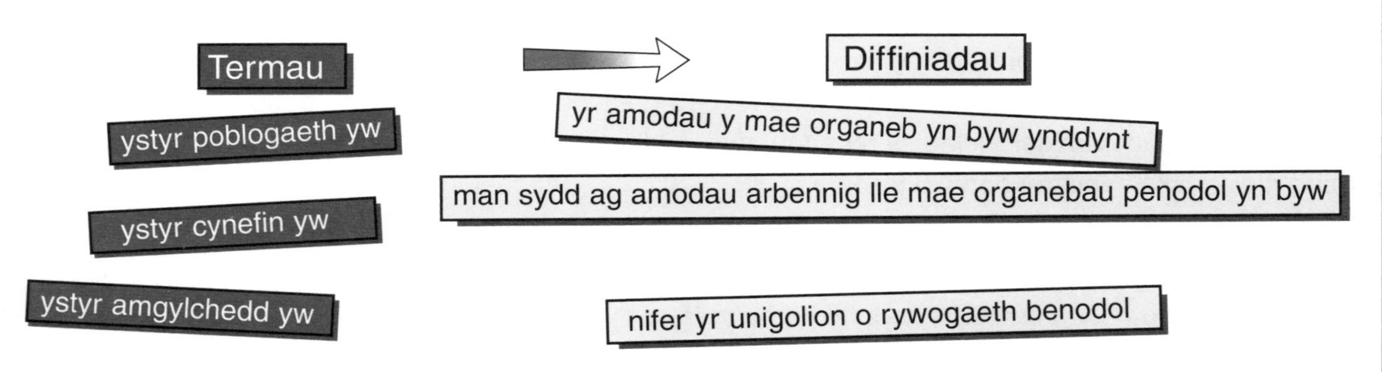

2) Cymerwyd y llyffant gwiail (*cane toad*) i Awstralia yn 1935.

Gall ei hyd fod i fyny at 24cm a gall ddodwy hyd at 40,000 o wyau mewn un tymor. Mae'n wenwynig iawn i anifeiliaid eraill, ac ni all y rhan fwyaf o benbyliaid brodorol fyw yn yr un dŵr â phenbyliaid llyffantod gwiail. Mae'r map ar y dde yn dangos pa mor bell y mae wedi ymledu - ac mae'n dal i ymledu.

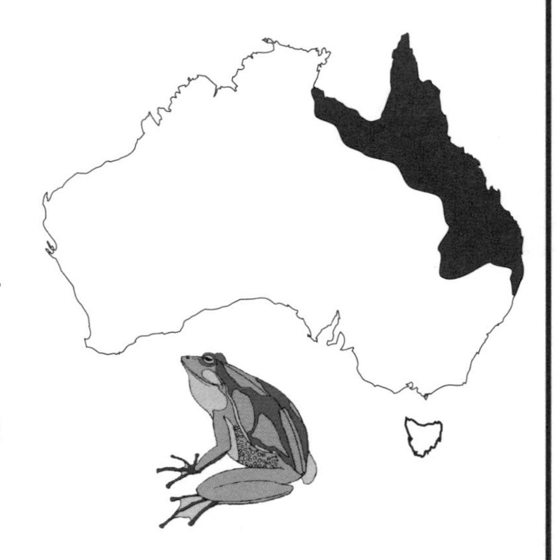

Awgrymwch resymau pam mae'r llyffant gwiail wedi bod mor llwyddiannus yn Awstralia.

3) Cyflwynwyd gwiwer lwyd Gogledd America i Brydain yn 1876.

Tan hynny, y wiwer goch oedd yr unig wiwer ym Mhrydain. Mae'r mapiau ar y dde yn dangos yn fras lle y gellid gweld y gwiwerod hyn. Mae'r map ar y chwith o 1990 ac mae'r map ar y dde o 1940.

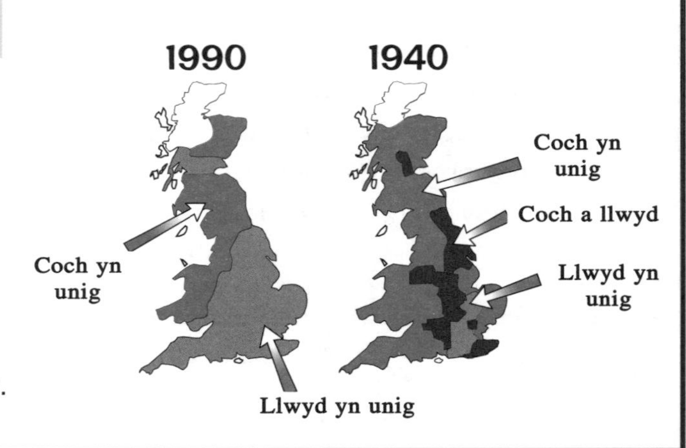

a) Disgrifiwch y newidiadau yn nosbarthiad y gwiwerod.
b) Awgrymwch resymau dros y newidiadau hyn.

Maint Poblogaethau

4) Yn y graff isod gwelir y newid yn niferoedd rhywogaeth o ysglyfaethwr a'i ysglyfaeth dros gyfnod.

a) Beth yw ystyr y geiriau ysglyfaethwr ac ysglyfaeth? Rhowch ddwy enghraifft o ysglyfaethwr a'i ysglyfaeth.

b) Beth sylwch chi ynglŷn â'r newidiadau yn niferoedd yr ysglyfaethwr a'r ysglyfaeth dros gyfnod? Eglurwch pam mae'r newidiadau hyn yn digwydd.

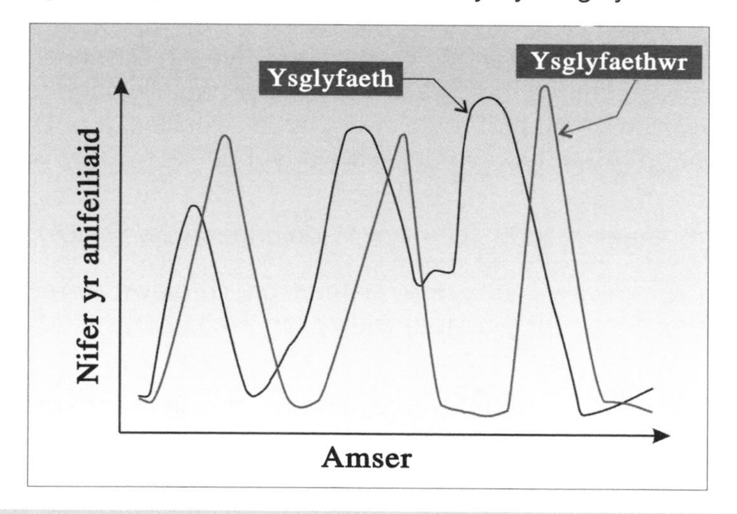

5) Amcangyfrifwyd nifer y llygod mewn coedwig ar yr un adeg bob blwyddyn am dair blynedd ar ddeg. Dangosir y canlyniadau a gafwyd yn y siart isod.

a) Adeiladwyd ffordd drwy ganol y goedwig ar ddiwedd blwyddyn 8. Pa effaith gafodd hyn ar nifer y llygod yn y goedwig? Pa effaith fydd y ffordd hon yn ei chael ar yr astudiaeth yn y dyfodol?

b) Awgrymwch ddau reswm pam y gostyngodd nifer y llygod yn y goedwig rhwng blynyddoedd 4 a 5 yn yr astudiaeth.

c) Awgrymwch ddau reswm pam y cynyddodd nifer y llygod yn y goedwig rhwng blynyddoedd 6 a 7 yn yr astudiaeth.

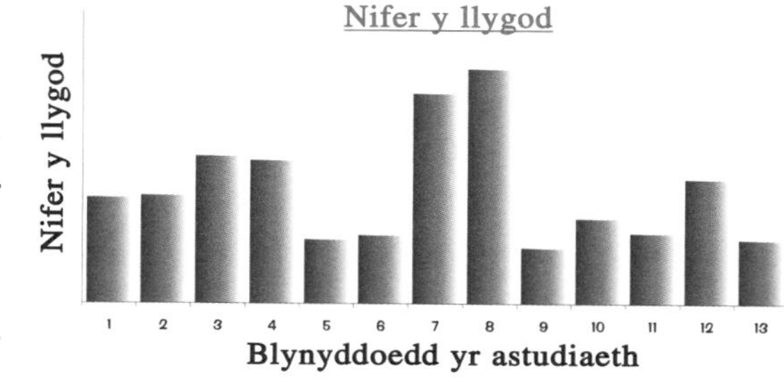

(Peidiwch ag ysgrifennu'r gwrthwyneb i'ch atebion i ran **b** a dim mwy na hynny.)

6) Lluniwch dabl â'r penawdau a welir ar y dde.

Yn y golofn 'Ffactor' rhestrwch y pethau a all effeithio ar faint poblogaeth o organebau. Yn y golofn 'Enghreifftiau' rhowch enghraifft o'r ffactor hwn ar waith. (Ceisiwch feddwl am enghreifftiau ym myd planhigion yn ogystal ag ym myd anifeiliaid.)

Mae un llinell wedi'i gwneud ar eich cyfer fel enghraifft.

Ffactor	Enghreifftiau
Cystadlu am ddŵr	Chwyn a gwenith

Gair i Gall: Mewn gwirionedd mater o **synnwyr cyffredin** yw maint poblogaethau os cofiwch y bydd organebau'n **ffynnu**: os bydd ganddynt yr **hyn sydd eu hangen arnynt** (dŵr, golau, bwyd, ayb.); os byddan nhw'n **well** na'u **cystadleuwyr** o ran cael y pethau hynny; os na chânt eu **bwyta** ac na fyddant yn **sâl**. Cofiwch hyn ac ni fydd y gwaith yn rhy gymhleth.

Cymunedau (Addasu a Goroesi)

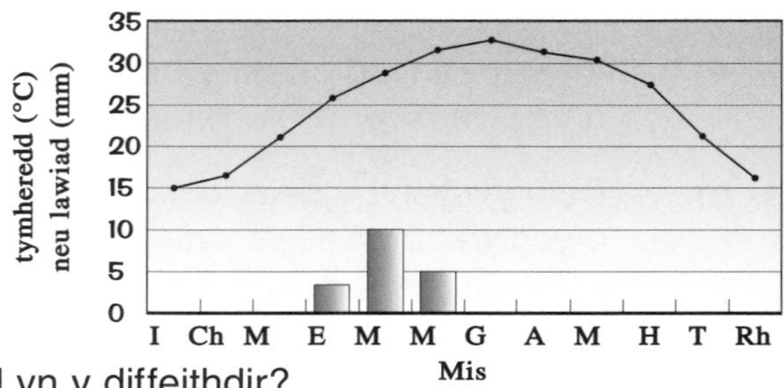

1) Yn y graff ar y dde gwelir y tymheredd cyfartalog yn ystod y dydd (llinell) a'r glawiad (barrau) ar ymyl gogleddol diffeithdir Y Sahara. Gall y tymheredd fod yn uwch na 57°C yn ystod y dydd, ond yn y nos gall ddisgyn yn is na 0°C. Weithiau ni cheir glaw am flynyddoedd.

a) Ar sail y wybodaeth hon, pa fath o amgylchedd sydd yn y diffeithdir?

b) Mae'n bosibl i chi gredu nad yw diffeithdir yn ddim ond tywod. Dim ond 15% o ddiffeithdir Y Sahara sydd wedi'i orchuddio â thwyni tywod fodd bynnag; llwyfandiroedd cerrig neu arwynebau graean yw'r gweddill. Pa broblemau y bydd anifeiliaid a phlanhigion sy'n byw yn y diffeithdir yn eu hwynebu? Beth fydd yn digwydd iddynt os na fyddant wedi'u haddasu ar gyfer y diffeithdir?

2) Neidr sy'n byw mewn diffeithdiroedd yw'r Neidr Ddolennog (*Sidewinder*).

Mae'n symud i'r ochr ar draws y tywod drwy daflu ei chorff mewn cyfres o siapiau S, gan gadw un ddolen o'r siâp S oddi ar y ddaear a dwy ran arall yn cyffwrdd. Eglurwch pam mae'n gwneud hyn.

3) Bydd llawer o anifeiliaid y diffeithdir, fel y llygoden fawr godog (*kangaroo rat*), yn treulio'r dydd mewn twll ac yn dod allan yn y nos.

Beth yw manteision ac anfanteision gwneud hyn?

4) Mae'n debyg mai camelod yw'r anifeiliaid mwyaf adnabyddus yn y diffeithdir.

Mae dau fath, sef y camel dau grwb (ar y dde) a'r camel Arabaidd neu'r dromedari (chwith).

a) Disgrifiwch y nodweddion sy'n gyffredin i'r ddau fath sy'n eu gwneud yn addas ar gyfer amodau'r diffeithdir.

b) Darganfuwyd fod camel wedi'i eillio (*shaved*) yn colli bron ddwywaith gymaint o ddŵr y corff â chamel heb ei eillio. Awgrymwch pam y gallai colli ei flew achosi'r gwahaniaeth hwn.

c) Mae angen i fodau dynol gadw tymheredd eu corff yn weddol gyson, ond gall camelod oddef newid mawr yn nhymheredd eu corff. Gallan nhw adael iddo godi i lefel rhwng 34°C a 41°C yn ystod y dydd, ac yna oeri yn ystod y nos. Yn ystod y dydd, felly, does dim angen defnyddio'r dulliau oeri a ddefnyddir gan fodau dynol. Sut mae hyn yn fanteisiol i'r camel?

5) Addasiadau planhigion y diffeithdir i'w galluogi i oroesi'r amgylchedd yw'r nodweddion canlynol.

Astudiwch bob un o'r nodweddion yn ofalus. Ar gyfer pob nodwedd, penderfynwch ar gyfer pa amod yn yr amgylchedd y mae'r planhigyn wedi'i addasu, ac eglurwch sut mae'r addasiad yn helpu'r planhigyn i oroesi yn y diffeithdir.

a) Gall had planhigion blodeuol y diffeithdir barhau'n gwsg yn y pridd am flynyddoedd cyn i'r glaw ganiatáu iddyn nhw egino, tyfu a blodeuo'n gyflym.

b) Mae gan rai planhigion wreiddiau hir sy'n mynd ymhell i lawr dan y ddaear.

c) Mae gan rai planhigion wreiddiau bas sy'n ymledu ychydig dan yr arwyneb.

d) Bydd planhigion suddlon yn storio dŵr yn eu dail, eu coesynnau a'u gwreiddiau.

e) Bydd rhai planhigion yn gollwng eu dail yn ystod cyfnod sych. Fel rheol dail bach sydd ganddynt.

f) Bydd rhai planhigion yn cymryd carbon deuocsid i mewn yn y nos a'i storio. Yn ystod y dydd mae eu stomata ar gau.

g) Mae gan lawer o blanhigion ddail wedi'u haddasu sy'n ffurfio drain, a bydd ffotosynthesis yn digwydd yn y coesynnau.

Cymunedau (Addasu a Goroesi)

6) Yn y graff isod gwelir y tymheredd cyfartalog yn ystod y dydd (llinell) a'r glawiad (barrau) yn yr Arctig. Gall y tymheredd ddisgyn i -80°C a gall y gwynt chwythu ar gyflymder o fwy na 300 km yr awr. Yn y gaeaf mae'n dywyll drwy'r amser, ond yn yr haf mae'r haul yn tywynnu drwy'r amser.

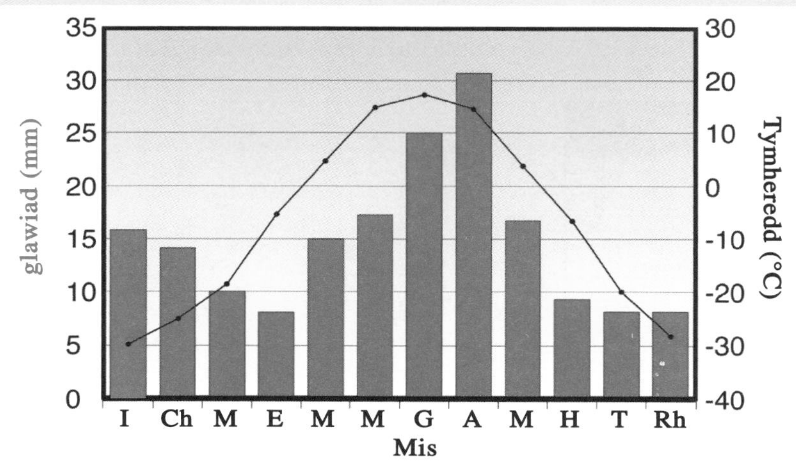

a) Ar sail y wybodaeth hon, pa fath o amgylchedd sydd yn yr Arctig?

b) Nid iâ-môr yn unig sydd yn yr Arctig. Mae llawer o dir diffrwyth hefyd, sef y twndra. Yn aml bydd y planhigion yno yn tyfu'n agos iawn at y ddaear, a dail bach sydd ganddynt.
Awgrymwch reswm pam mae'r planhigion yn tyfu fel hyn.

c) Pa broblemau y bydd anifeiliaid yn eu hwynebu yn byw yn yr Arctig? Awgrymwch addasiadau a fyddai'n caniatáu i anifeiliaid fyw'n llwyddiannus yn yr Arctig.

7) Cnofilod bach sy'n byw yn y twndra yw lemingiaid.

Hyd eu corff crwn yw tua 12 cm. Mae eu ffwr yn frown golau, ac mae ganddynt glustiau bach wedi'u cuddio gan ffwr. Mae lemingiaid yn byw mewn tyllau. Eglurwch sut mae'r leming wedi'i addasu i fywyd yn yr Arctig.

8) Mae'n debyg mai'r arth wen a'r walrws yw'r anifeiliaid mwyaf adnabyddus yn yr Arctig. Mae gan y ddau gorff mawr gyda haenau trwchus o floneg dan y croen. Mae gan yr arth wen ffwr sy'n edrych yn wyn yn y golau. Mae gan y walrws ysgithredd (*tusks*) hir a chroen brown gwydn. Yn aml bydd walrysod gwrywol yn ymladd â'i gilydd.

a) Awgrymwch pam nad ydy eirth gwyn a walrysod yn byw mewn tyllau.

b) Eglurwch sut mae eirth gwyn a walrysod wedi'u haddasu i fywyd yn yr Arctig.

9) Mae gan ysgyfarnog yr eira ffwr gwyn yn y gaeaf a ffwr brown cochlyd yn yr haf.

Awgrymwch reswm dros y newid hwn.

10) Mae gan gadno'r diffeithdir glustiau mawr iawn, ond clustiau bach iawn sydd gan gadno'r Arctig.

Awgrymwch resymau dros y gwahaniaeth hwn (nid oes a wnelo hyn ddim oll â chlywed na chuddio).

Gair i Gall: Yn amlwg, bydd anifeiliaid a phlanhigion **nad** ydynt yn addas ar gyfer eu hamgylchedd yn **llai tebygol** o oroesi na'r rhai **sy'n** addas ar ei gyfer. Trwy **ddethol naturiol** mae creaduriaid wedi esblygu **nodweddion** sy'n eu helpu i ymdopi. Mae'r camel a'r arth wen yn enghreifftiau da i'w cofio am fod y nodweddion yn **gyffredin** iddyn nhw a llawer o anifeiliaid eraill mewn **amgylcheddau tebyg**.

Glaw Asid

1) Mae'r tabl isod yn dangos faint o nwyon glaw asid a ddaw o ffynonellau gwahanol.

Mae cyfraniadau canrannol ocsidau nitrogen wedi'u plotio ar y graff isod.

Nwy Glaw Asid	Ffynhonnell	%
Sylffwr Deuocsid	Diwydiant	10
	Arall	8
	Domestig	5
	Gorsfaoedd trydan	34
Ocsidau Nitrogen	Cludiant ffyrdd	22
	Gorsafoedd trydan	13
	Arall	5
	Diwydiant	4

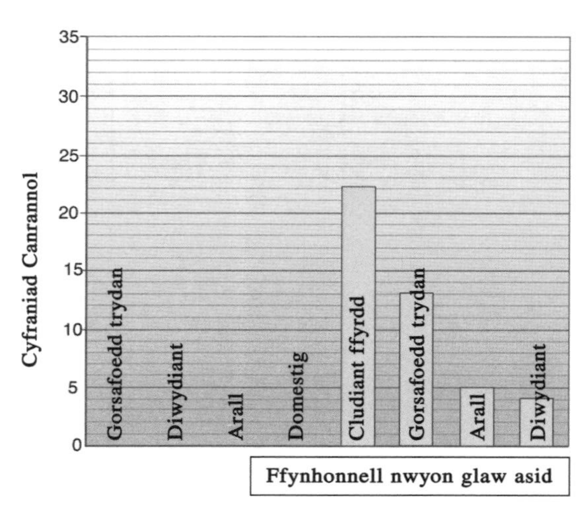

a) Cwblhewch y graff i ddangos cyfraniadau canrannol sylffwr deuocsid o'r ffynonellau gwahanol.

b) Pa ffynhonnell sy'n cynhyrchu fwyaf o sylffwr deuocsid?

c) Pa ffynhonnell sy'n cynyrchu fwyaf o ocsidau nitrogen?

d) Pa ffynhonnell sy'n cynhyrchu fwyaf o nwyon glaw asid?

2) Atebwch y cwestiynau hyn ynglŷn â ffurfio glaw asid:

a) Pa nwyon sy'n hydoddi mewn cymylau i wneud glaw asid?

b) Pa asidau y gellir eu cael mewn glaw asid?

3) Gall glaw asid adweithio â chalchfaen a cherfluniau marmor a gwaith carreg ar adeiladau, gan achosi iddynt gael eu herydu. Am gyfnod hir ni fu'n amlwg bod glaw asid yn difrodi coed. Mae'r map ar y dde yn dangos faint o ddifrod sydd wedi'i wneud i goed yn Ewrop. Mae'r cylchoedd yn dangos faint o ddifrod glaw asid sydd, gan ddechrau gyda'r mwyaf yn y canol ac yn lleihau o fynd ymhellach allan.

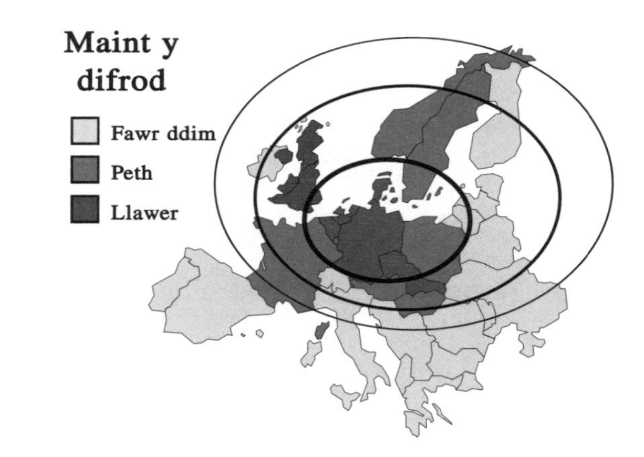

a) Mae Prydain, Yr Almaen a Ffrainc yn cynhyrchu llawer o nwyon glaw asid, ond dydy gwledydd Llychlyn yn y gogledd ddim yn gwneud hynny. Awgrymwch pam mae gan Lychlyn lefelau gweddol uchel o law asid a choed wedi'u difrodi.

b) Trafodwch i ba raddau mae'r dystiolaeth yn y map yn ategu'r syniad bod glaw asid yn difrodi coed.

Glaw Asid

4) Yn ôl ymchwil, gall glaw asid ddifrodi coed, yn enwedig conwydd fel pyrwydd a phinwydd, gan achosi i'w dail gwympo. Mae hefyd yn adweithio â mwynau yn y ddaear, megis alwminiwm, magnesiwm a photasiwm, gan achosi iddynt hydoddi a llifo ymaith dan y ddaear.

a) Awgrymwch beth fydd yn digwydd i goeden sy'n colli rhai o'i dail o ganlyniad i law asid.

b) Mae alwminiwm yn wenwynig i goed, ond fel rheol mae'n anhydawdd. Eglurwch sut y gallai glaw asid wenwyno coed.

c) Mae magnesiwm i'w gael mewn cloroffyl. Beth fyddech chi'n disgwyl i ddigwydd i blanhigion sy'n tyfu mewn ardaloedd lle mae glaw asid yn disgyn? Eglurwch eich ateb.

d) Gall gwreiddiau coed mewn priddoedd asid dyfu'n wael. Beth fydd effeithiau hynny ar y coed hyn?

e) Lluniwch ddiagram yn crynhoi effeithiau glaw asid ar goed.

5) Wrth i law asid ddisgyn i afonydd a llynnoedd, daw'r rhain yn fwyfwy asidig. Bydd dŵr sy'n llifo oddi ar y tir yn cynnwys lefelau uchel o alwminiwm a mercwri a ryddhawyd gan y glaw asid.

a) Beth fydd yn digwydd i'r planhigion dŵr mewn llynnoedd ac afonydd asidiedig?

b) Bydd cramenogion bach ar waelod y gadwyn fwyd ddyfrol yn marw os bydd y pH yn gostwng islaw oddeutu 6. Beth fydd yn digwydd yn y pen draw i'r anifeiliaid eraill yn y llyn os bydd y pH yn gostwng islaw 6?

c) Gall yr alwminiwm hydawdd adweithio ag asid sylffwrig i wneud alwminiwm sylffad. Bydd hyn yn tagu tagellau pysgod â mwcws gludiog. Awgrymwch effaith debygol hyn ar y pysgod.

d) Mewn rhai rhannau o Ewrop, caiff pysgod a ddaliwyd o lynnoedd asidiedig eu condemnio'n anaddas i bobl eu bwyta. Awgrymwch reswm dros hyn.

6) Erbyn hyn mae llawer o arian yn cael ei wario ar ymladd yn erbyn glaw asid oherwydd ei effeithiau economaidd yn ogystal â'i gostau amgylcheddol. Awgrymwch dair effaith economaidd glaw asid.

7) Mae dwy brif ffordd o ymladd yn erbyn glaw asid. Yn gyntaf, gall yr asid yn yr amgylchedd gael ei niwtraleiddio. Gellir, er enghraifft, ychwanegu calch powdr (calsiwm ocsid) at lynnoedd a phriddoedd. Bydd hyn yn adweithio â'r asidau ac yn codi'r pH yn agosach at 7. Ond bydd yn rhaid trin y llynnoedd yn rheolaidd. Yn ail, gellir osgoi rhyddhau nwyon asid yn y man cychwyn. Er enghraifft, gall y 'nwyon ffliw' a ddaw allan o orsafoedd trydan gael eu trin â chalchfaen (calsiwm carbonad). Bydd hyn yn adweithio â sylffwr deuocsid ac yn cynhyrchu gypswm (calsiwm sylffad). Gall hyn gael ei ddefnyddio mewn bwrdd plastr ac ar gyfer llenwi chwareli.

a) Pam mae'n rhaid trin llynnoedd mwy nag unwaith? Pa broblemau y mae'r driniaeth yma yn eu hachosi?

b) Beth yw manteision ac anfanteision trin y nwyon ffliw fel y disgrifiwyd uchod?

Gair i Gall: Mae dwy ran allweddol yma - y ffactorau sy'n achosi glaw asid a'i effeithiau. Bydd angen i chi wybod o ble y daw'r ddau brif nwy glaw asid a'r asidau a ffurfiant (byddwch yn barod i roi **hafaliad geiriau**). Dylech wybod **dwy o leiaf** o effeithiau glaw asid.

Yr Effaith Tŷ Gwydr

1) Mae'r tymheredd ar arwyneb y Lleuad yn amrywio o -175°C i 125°C, gyda thymheredd cyfartalog o tua -20°C.

Mae'r gwahaniaeth rhwng y tymheredd ar arwyneb y Lleuad a'r tymheredd ar y Ddaear yn ganlyniad i'r effaith tŷ gwydr. Copïwch a chwblhewch y brawddegau isod ynglŷn â'r effaith tŷ gwydr, drwy ddewis y geiriau cywir o'r parau lliw:

'Bydd egni o'r Lleuad/Haul yn symud drwy atmosffer/arwyneb y Ddaear ac yn oeri/cynhesu arwyneb y Ddaear. Caiff egni gwres o arwyneb y Ddaear ei belydru i'r gofod/llawr ond caiff peth ohono ei amsugno/adlewyrchu gan nwyon yn yr atmosffer. Bydd hyn yn oeri/cynhesu yr atmosffer, sy'n dda/wael i fywyd ar y Ddaear. Fodd bynnag, mae'r CO_2/O_2 gormodol a gynhyrchir drwy losgi tanwyddau ffosil yn achosi i'r ddaear gynhesu gormod a gall hynny achosi llifogydd a sychder.'

2) Dim ond rhai o'r nwyon yn yr atmosffer, a elwir yn nwyon tŷ gwydr, sy'n dda o ran amsugno egni gwres. Mae'r rhain yn cynnwys carbon deuocsid a methan ac mae'r ddau yma'n digwydd yn naturiol yn yr atmosffer.

a) Enwch ffynhonnell naturiol o garbon deuocsid.

b) Ers i'r Chwyldro Diwydiannol ddechrau yn y 19eg ganrif, mae bodau dynol wedi bod yn llosgi tanwyddau ffosil. Enwch nwy tŷ gwydr sy'n cael ei ryddhau drwy losgi tanwyddau ffosil.

c) Astudiwch y graff uchaf ar y dde, sy'n dangos faint o garbon a ryddhawyd drwy losgi tanwyddau ffosil ers 1850. Disgrifiwch y graff - sut mae rhyddhau'r carbon o danwyddau ffosil wedi newid? Awgrymwch pam y digwyddodd y newid hwn.

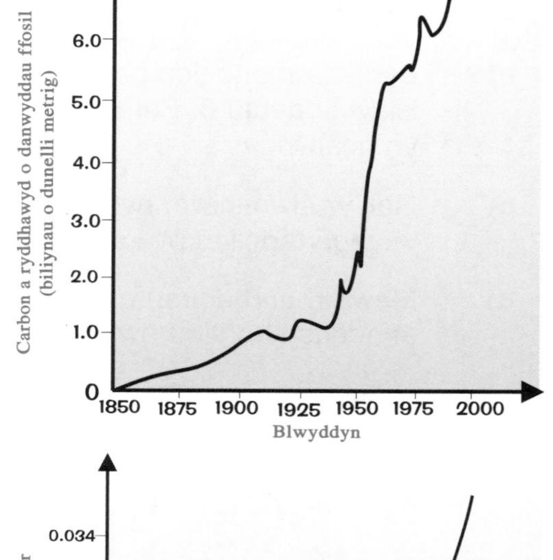

d) Astudiwch y graff isaf ar y dde, sy'n dangos maint y carbon deuocsid yn yr atmosffer ers 1850. Disgrifiwch y graff - sut mae maint y carbon deuocsid yn yr atmosffer wedi newid? Awgrymwch pam y digwyddodd y newid hwn.

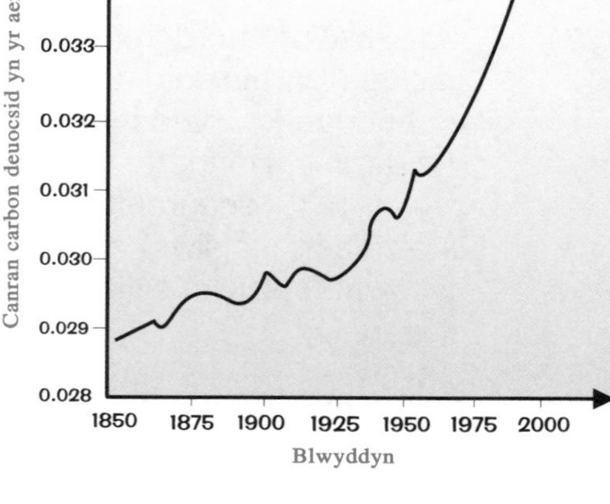

e) Mae yna brosesau naturiol a all amsugno'r carbon a gaiff ei ryddhau yn garbon deuocsid o danwyddau ffosil. Enwch un o'r prosesau hyn.

f) Eglurwch beth allai'r newidiadau ym maint y carbon deuocsid yn yr atmosffer ei wneud i dymheredd y Ddaear.

g) Awgrymwch sut y gallai newidiadau yn nhymheredd y Ddaear ('cynhesu byd-eang') achosi newid yn lefel y môr.

h) Eglurwch beth allai ddigwydd pe bai maint y carbon deuocsid yn yr atmosffer yn parhau i gynyddu. Cofiwch ystyried yr effaith bosibl ar iseldiroedd y byd.

Gair i Gall: Rhaid i chi ddeall y **ffactorau** sy'n arwain at gynnydd yn yr effaith tŷ gwydr a chynhesu byd-eang. Mae'r effaith tŷ gwydr yn dda i fywyd ar y Ddaear am ei fod yn ein cadw'n gynnes, ond bydd **gorgynhesu** yn gwneud llanast o'r **hinsawdd** ac yn achosi i'r **capiau iâ** ymdoddi.

Fffermio a'i Broblemau

1) Mae'r rhestr isod yn dangos rhai o'r pethau sydd wedi galluogi i ffermio modern ymdopi â thwf y boblogaeth.

Ar gyfer pob un, eglurwch sut mae wedi helpu i gynyddu'r broses o gynhyrchu bwyd.

Gwrteithiau artiffisial

Anifeiliaid a phlanhigion wedi'u dethol yn artiffisial

Mecaneiddio

2) Mae gwneud mwy o ddefnydd o beiriannau (mecaneiddio) wedi achosi i faint cyfartalog caeau a ffermydd gynyddu'n sylweddol. Cyflawnwyd hyn drwy dorri coed a chael gwared â pherthi rhwng caeau llai.

a) Pam mae angen caeau mwy ar gyfer peiriannau fel dyrnwr medi, tractor ac aradr?

b) Pa broblemau a achosir i gymunedau bywyd gwyllt o gael gwared â choed a pherthi?

3) Mewn rhai rhannau o'r byd, mae ardaloedd mawr o goedwigoedd wedi cael eu torri i lawr i greu lle i ffermydd.

a) Pa broblemau allai achosi i rai gwledydd gael gwared ag ardaloedd mawr o goedwigoedd er mwyn darparu mwy o dir ffermio.

b) Mae ffotosynthesis yn achosi i garbon deuocsid gael ei dynnu o'r atmosffer a'i gadw fel coed. Beth fydd yn digwydd i faint y carbon deuocsid a gymerir o'r atmosffer mewn ardaloedd sydd wedi'u datgoedwigo? Beth fydd yn digwydd i'r broses o gynhyrchu ocsigen yn yr ardaloedd hyn?

c) Yn aml, caiff coed eu llosgi ar ôl cael eu torri i lawr, gan gynhyrchu carbon deuocsid. Sut y bydd eich atebion i ran **b)** yn effeithio ar effaith gwneud hyn?

d) Efallai y bydd coed na chânt eu llosgi yn cael eu gadael i bydru drwy weithrediad microbau. Eglurwch sut y bydd hyn yn cyfrannu at ryddhau carbon deuocsid i'r atmosffer.

4) Mae'r brawddegau isod yn nodi'r camau wrth i lyn ddod yn ewtroffig, ond fe'u cymysgwyd.

a) Rhowch nhw yn y drefn gywir a'u hysgrifennu ar bapur.

- Bydd pysgod ac anifeiliaid dyfrol eraill yn marw drwy fygu.
- Bydd y microbau'n cymryd mwy o ocsigen o'r dŵr ar gyfer eu resbiradaeth.
- Bydd gwrteithiau sydd dros ben yn cael eu trwytholchi o'r pridd i mewn i'r llyn.
- Bydd nifer y microbau sy'n bwydo ar organebau meirw yn cynyddu.
- Bydd mwy o gystadlu rhwng y planhigion a bydd rhai'n marw o ganlyniad i hyn.
- Bydd planhigion dŵr yn y llyn yn dechrau tyfu'n gyflym.

b) Yn ôl y drefn gywir, pam y dylai planhigion dŵr dyfu'n fwy cyflym?

c) Am ba adnoddau y mae'r planhigion dŵr yn cystadlu? Mae'n debyg bod yna ormod o ryw adnodd arbennig. Pa un?

d) Os oes mwy o blanhigion yn y llyn, byddech yn disgwyl i fwy o ocsigen gael ei gynhyrchu drwy ffotosynthesis. Pam, yn hytrach, mae maint yr ocsigen yn y dŵr yn lleihau?

Fel rheol, bydd gweithrediad dadelfenyddion fel bacteria yn cael ei groesawu am ei fod yn caniatáu i faetholynnau prin gael eu hailgylchu i'w defnyddio gan organebau eraill yn y gymuned, megis yn y gylchred nitrogen.

e) Pam mae gweithrediad dadelfenyddion yn gymaint o broblem yn achos llyn ewtroffig?

f) Disgrifiwch rai o ganlyniadau amgylcheddol ac economaidd ewtroffigedd.

g) Awgrymwch ddau beth y gellid eu gwneud i achub llyn sy'n mynd yn ewtroffig.

Fffermio a'i Broblemau

5) Bydd carthion nas triniwyd yn cael yr un effaith â llystyfiant marw yn y broses ewtroffigedd.

a) Pa ran y bydd carthion crai yn ei chwarae mewn ewtroffigedd?

b) Mewn llawer o rannau o'r byd, mae rhyddhau carthion crai yn cynyddu. Pam?

c) Yn ogystal ag ewtroffigedd, pa beryglon eraill sy'n deillio o ryddhau carthion i mewn i lynnoedd, afonydd a moroedd?

6) Mae llawer o ardaloedd sy'n cynhyrchu coed yn bell o'r ffordd agosaf. Caiff boncyffion eu halio dros afon neu lyn i'r melinau llifio. Bydd rhai'n mynd yn sownd, yn mynd yn llawn dŵr ac yna'n suddo.

Disgrifiwch beth allai ddigwydd i lyn o ganlyniad i hyn.

7) Atebwch y cwestiynau hyn ynglŷn â phlaleiddiaid:

a) Beth yw plaleiddiad? Rhowch enghraifft o blaleiddiad. Pam mae plaleiddiaid yn ddefnyddiol i ffermwyr?

b) Mewn astudiaeth o gadwyn fwyd ddyfrol mewn pwll bach, gwelwyd bod llawer o'r anifeiliaid yn cynnwys plaleiddiad braster-hydawdd o'r enw Bantanhw. Dangosir y canlyniadau isod.

Disgrifiwch ac eglurwch y duedd yn y crynodiad o Bantanhw wrth fynd i fyny'r gadwyn fwyd.

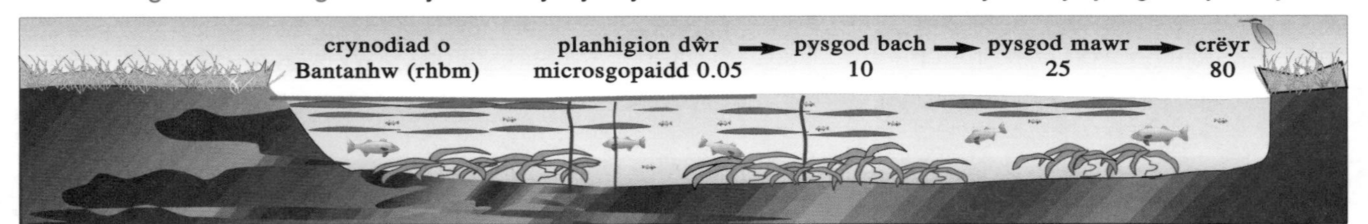

(rhbm = rhannau am bob miliwn)

c) Bwriad Bantanhw yw lladd pryfed mewn caeau gwenith yn hytrach na phryfed mewn dŵr. Awgrymwch sut y gallai'r plaleiddiad fod wedi mynd i mewn i'r pwll.

d) Mewn astudiaethau diweddarach, synnwyd gwyddonwyr o weld bod gan eirth gwyn a phengwiniaid lawer o Bantanhw yn eu cyrff. Awgrymwch sut yr aeth y plaleiddiad i mewn i'w cyrff. Cofiwch mai dim ond mewn sŵau y bydd eirth gwyn a phengwiniaid gyda'i gilydd a dydy ffermwyr ddim yn debygol o wneud unrhyw ffermio yn y pegynnau.

e) Profir plaleiddiaid modern mewn llawer o ffyrdd i sicrhau eu bod yn ddiogel. Eglurwch pam y dylem bryderu ynglŷn ag iechyd organebau sy'n agored i blaleiddiaid.

Gair i Gall: Yn y bôn **tair** thema sydd yma: gwrteithiau, plaleiddiaid a datgoedwigo. Mae angen i chi wybod sut mae **pob un** yn difrodi'r amgylchedd. Peidiwch â drysu rhwng **gwrteithiau** a **phlaleiddiaid** - maen nhw'n gwneud niwed mewn ffyrdd gwahanol. Yn anffodus, dyma'r pris a dalwn am fwyd rhad a digon ohono.

Pyramidiau Niferoedd a Biomas

1) Gallai'r pyramid gwag isod fod yn byramid niferoedd neu'n byramid biomas.

Copïwch y diagram. Ar ochr chwith eich diagram labelwch y saethau i ddangos pa gam sy'n cyfeirio at yr ysyddion cynradd, eilaidd a thrydyddol (mae'r cynhyrchydd wedi'i labelu ar eich cyfer).

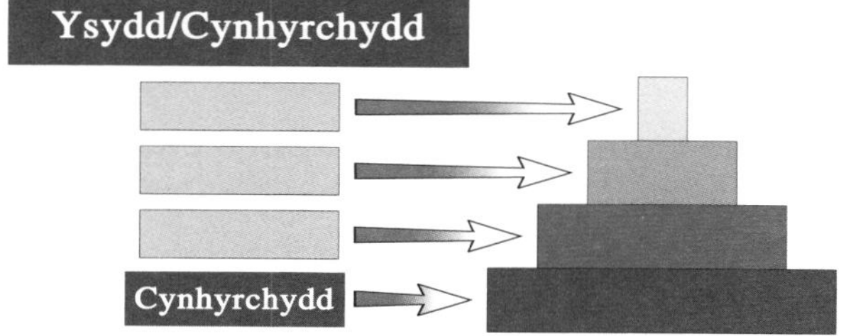

2) Lluniwch byramidiau niferoedd ar gyfer y cadwyni bwyd canlynol. Cofiwch labelu pob cam ag enw'r organeb a faint ohonynt sydd.

a) planhigion dŵr microsgopaidd (miliwn) → chwain dŵr (100,000) → brithyll (50) → glas y dorlan (1)

b) derwen (1) → lindys (500) → adar (5)

c) Yn ddelfrydol, byddai lled pob bar yn cael ei luniadu wrth raddfa, fel y byddai bar y brithyll yn rhan **a)** 50 gwaith yn lletach na bar glas y dorlan. Fel rheol dydy hynny ddim yn bosibl. Eglurwch pam.

d) Os gwnaethoch ran **b)** yn gywir, ni fydd yn debyg iawn i siâp pyramid.
Pam y gall pyramid niferoedd fod â siâp anarferol fel hyn?

e) Lluniwch byramid i ddangos y gadwyn fwyd fyr ganlynol: gwenith → bod dynol. Penderfynwch ar led addas ar gyfer bar y gwenith (gallai fod angen miloedd o blanhigion i fwydo un person). Mewn gwledydd trofannol gall y clefyd sgistosomiasis fod yn broblem fawr. Fe'i hachosir gan lyngyr parasitig, tua 1 cm o ran hyd, sy'n byw yn y pibellau gwaed ac yn bwydo ar waed. Gallai unigolyn gael ei heintio gan ddwsinau o'r llyngyr hyn. Ychwanegwch far wedi'i labelu at eich pyramid niferoedd. Eglurwch pam nad oes siâp pyramid i'r pyramid hwn.

f) Meddyliwch am gadwyn fwyd arall fydd yn cynhyrchu pyramid niferoedd sydd heb siâp pyramid. Lluniwch a labelwch y pyramid ac ysgrifennwch y gadwyn fwyd gyferbyn ag ef. Eglurwch pam mai siâp anarferol sydd i'r pyramid hwn.

3) Pyramidiau a gwybodaeth:

a) Pa wybodaeth y mae pyramid niferoedd yn ei rhoi?

b) Yn y gadwyn fwyd, moron → cwningen → llwynog, pa res yn y tabl ar y dde sy'n cynrychioli niferoedd mwyaf tebygol pob organeb?

c) Beth sylwch chi ynglŷn â maint yr organeb wrth i chi edrych o'r chwith i'r dde ar hyd y gadwyn fwyd hon?

	Moron	Cwningod	Llwynogod
A	1	100	4000
B	1	4000	100
C	100	1	4000
D	100	4000	1
E	4000	1	100
F	4000	100	1

d) Pa un o'r pyramidiau niferoedd isod sydd fwyaf tebyg i'r ateb cywir i ran **b)**?

A: Llwynog, Cwningod, Moron
B: Llwynog, Cwningod, Moron
C: Moron, Cwningod, Llwynog

e) Beth sylwch chi ynglŷn â maint yr organeb a lled ei bar yn y pyramid niferoedd yn yr ateb cywir i ran **d)**?

Pyramidiau Niferoedd a Biomas

4) Eglurwch ystyr y gair biomas.
Pa wybodaeth y mae pyramid biomas yn ei rhoi?

5) Un o'r cadwyni bwyd ym Môr y Gogledd yw: ffytoplancton → söoplancton → pysgod bach → penfreision

Ar sail samplau ac arbrofion, amcangyfrifwyd biomas pob un o'r organebau yn y gadwyn fwyd. Gwelwyd bod 100kg o ffytoplancton, 80kg o söoplancton a 10kg o bysgod bach am bob 1kg o benfreision. Ym mhob achos, masau sych yw'r masau.

a) Beth yw ystyr màs sych? Pam mae hwn yn caniatáu i gymariaethau tecach gael eu gwneud rhwng biomas organebau gwahanol?

b) Lluniwch byramid biomas ar gyfer y gadwyn fwyd hon. Lluniwch ef wrth raddfa a labelwch bob bar ag enw'r organeb a'i biomas mewn kg.

c) Mewn rhai pyramidiau niferoedd a biomas, gellir dangos y bar uchaf fel llinell fertigol. Eglurwch pam mae hyn yn angenrheidiol weithiau.

d) Rhwng pa ddwy organeb yn y gadwyn fwyd hon y collir y mwyaf o fàs. Faint o fàs?

e) Rhwng pa ddwy organeb yn y gadwyn fwyd hon y collir y gyfran fwyaf o fàs?

f) Awgrymwch resymau pam mae'r biomas yn llai ar bob lefel droffig nag ar y lefel flaenorol.

g) Cyfartaledd màs gwlyb pysgodyn bach yw tua 1.5kg a chyfartaledd màs gwlyb penfras sy'n oedolyn yw tua 7.5kg. A thybio bod gan y ddau fath yma o bysgod yr un gyfran o ddŵr yn eu cyrff, faint o bysgod bach fydd yn bwydo un penfras?

6) Edrychwch ar y pyramidiau hyn:

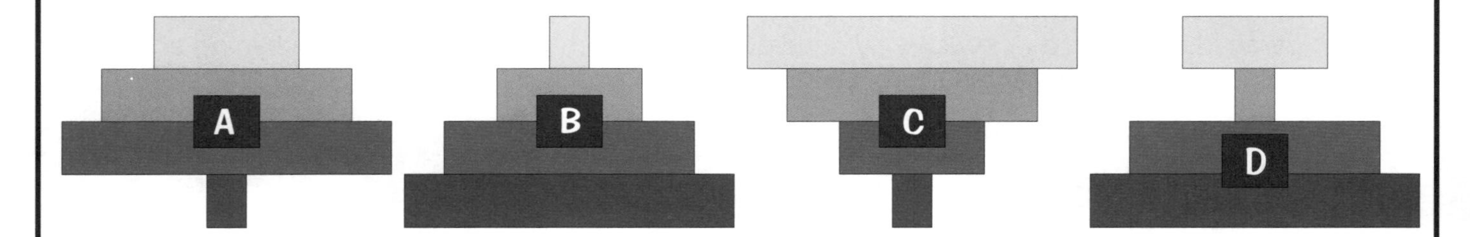

Eglurwch pa un o'r pyramidiau uchod allai gynrychioli:

a) Y pyramid niferoedd ar gyfer cymuned sy'n dibynnu ar gynhyrchydd mawr.

b) Y pyramid biomas ar gyfer cymuned goetir.

c) Y pyramid niferoedd ar gyfer cadwyn fwyd sy'n terfynu â pharasitiaid fel chwain.

d) Y pyramid niferoedd ar gyfer cymuned forol lle mae'r cynhyrchwyr yn fân algâu.

Gair i Gall: Cofiwch fod angen **llawer** o fwyd o'r lefel is i gadw un anifail yn fyw. Mae **pyramidiau biomas** bob amser yn mynd yn fwy cul po uchaf yr ewch, ond gall **pyramidiau niferoedd** fod o unrhyw siâp - gall fod cant o chwain ar un ci, ond maen nhw'n dal i bwyso'n llai na'r ci.

Trosglwyddo Egni

1) Mae ffotosynthesis yn defnyddio egni i gynhyrchu'r siwgrau sy'n angenrheidiol ar gyfer resbiradaeth.

a) Pa fath o organeb all ffotosyntheseiddio?
Pa fath o egni a amsugnir i yrru ffotosynthesis, ac o ble y daw?
Ysgrifennwch yr hafaliad geiriau ar gyfer ffotosynthesis.

b) Mae pob organeb fyw yn resbiradu. Ysgrifennwch yr hafaliad geiriau ar gyfer resbiradaeth. Caiff egni ei ryddhau drwy resbiradaeth. Ar gyfer beth y defnyddir yr egni hwn? Rhowch fwy nag un ateb.

c) O ble yn wreiddiol y daeth yr egni a gaiff ei ryddhau drwy resbiradaeth?

2) Mae'r diagram isod yn dangos tynged egni, wedi'i ddal drwy ffotosynthesis mewn planhigion haidd, wrth iddo symud drwy foch ar ei ffordd i fodau dynol.

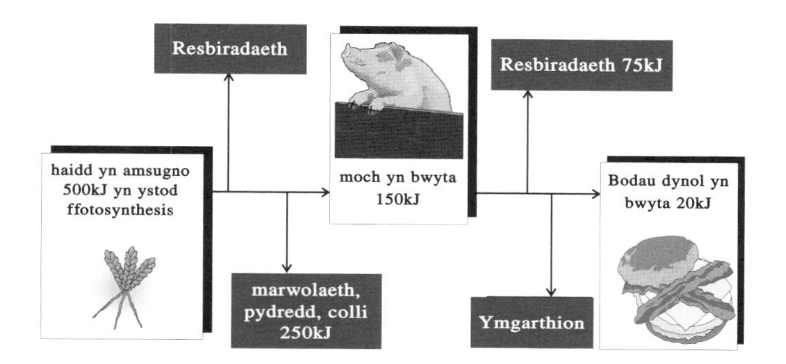

a) Cyfrifwch faint o egni a gollir o'r planhigion haidd drwy resbiradaeth.

b) Cyfrifwch faint o egni a gollir o'r moch mewn ymgarthion.
Mae'n anodd atal y moch rhag cynhyrchu ymgarthion, ond pe bai maint y resbiradaeth gan y moch yn gallu cael ei leihau, byddai mwy o egni'n cael ei drosglwyddo i fodau dynol.

c) At ba ddibenion y bydd y moch yn defnyddio egni a gaiff ei ryddhau drwy resbiradaeth?

d) Awgrymwch ffyrdd y gallai maint y resbiradaeth gan y moch gael ei leihau, gan roi rhesymau dros eich atebion.

e) Gallai mwy o bobl gael eu bwydo pe baen nhw'n bwyta'r haidd yn hytrach na gadael i'r moch ei fwyta ac yna bwyta'r moch. Cyfrifwch sawl gwaith mwy o bobl y gellid eu bwydo yn y modd hwn.

f) Yn ogystal â resbiradaeth gan yr haidd a'r moch, mae dwy ffynhonnell arall o golled egni. Beth ydyn nhw? Awgrymwch sut y gallai'r egni a gollir yn y ffyrdd hyn gael ei leihau.

3) Awgrymir yn aml y gallai dengwaith mwy o bobl yn y byd gael eu bwydo pe bai pawb yn llysieuwyr.

a) Defnyddiwch yr hyn a wyddoch am drosglwyddo egni mewn cadwyni bwyd i egluro'r syniad hwn.

b) Yn ymarferol, byddai llai o bobl ychwanegol yn cael eu bwydo yn y modd hwn. Awgrymwch ddau reswm dros hyn.

Gair i Gall: Mae'r tudalennau hyn yn rhoi'r **rheswm** dros gael pyramidiau biomas. Bydd **egni**, o'r haul, yn gweithio'i ffordd i fyny'r we fwydydd, ond collir **90%** ar bob cam. Caiff egni a defnyddiau eu colli bob amser mewn defnyddiau gwastraff a chollir egni drwy **resbiradaeth** drwy fod **yn fyw**.

Y Gylchred Garbon

1) Yn aml hafaliadau geiriau a hafaliadau symbolau yw'r ffordd fwyaf eglur o ysgrifennu cysyniad.

a) Ysgrifennwch yr hafaliadau geiriau ar gyfer ffotosynthesis a resbiradaeth mewn planhigion.
Y sylweddau perthnasol yw carbon deuocsid, glwcos, ocsigen a dŵr.

b) Pa broses sy'n rhyddhau egni, a pha broses y mae angen egni arni?
Ble fydd y naill broses a'r llall yn digwydd?

c) Pa broses fydd yn rhyddhau cyfansoddyn carbon i'r atmosffer, a pha un fydd yn tynnu cyfansoddyn carbon o'r atmosffer? Pa gyfansoddyn carbon sydd ynghlwm wrth hyn?

d) Mae'r diagram isod yn cynrychioli rhan o'r gylchred garbon.
Copïwch y diagram a rhowch ynddo y geiriau sydd heb eu cynnwys ac enwau'r prosesau.
Gadewch ddigon o le i ychwanegu mwy o brosesau at eich diagram.

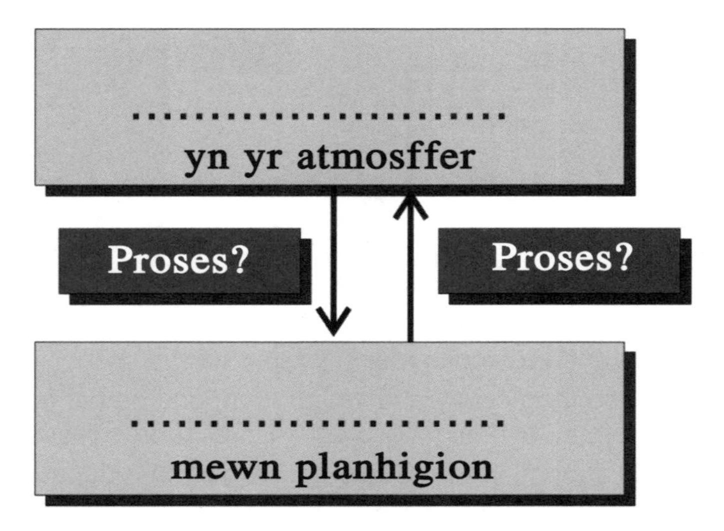

e) Edrychwch ar y ddwy broses. Disgrifiwch yr hyn sy'n debyg rhyngddynt a'r hyn sy'n wahanol rhyngddynt.

2) Mae cellfuriau planhigion yn cynnwys ffibrau cellwlos.

Mae cellwlos yn cynnwys miloedd o foleciwlau glwcos wedi'u cysylltu â'i gilydd. Fodd bynnag, o ganlyniad i'r modd maen nhw wedi'u cysylltu â'i gilydd, ni all yr ensymau yn y rhan fwyaf o anifeiliaid dorri cellwlos i lawr. Mae gan anifeiliaid cnoi cil, fel buchod, facteria yn eu system dreulio a all dorri cellwlos i lawr. Mae ffyngau hefyd yn gallu torri cellwlos i lawr.

Beth fyddai'n digwydd pe na bai yna facteria a ffyngau a allai dreulio cellwlos?

Y Gylchred Garbon

3) Gall bacteria a ffyngau dorri i lawr ddefnyddiau gwastraff solet o anifeiliaid.

Gallan nhw hefyd dorri i lawr ddefnyddiau mewn anifeiliaid a phlanhigion meirw. Y term a ddefnyddir am hyn yw dadelfennu neu bydru.

a) Pa air cyffredinol a ddefnyddir i ddisgrifio bacteria a ffyngau sy'n torri defnydd marw i lawr?

b) Beth yw'r budd i'r bacteria a'r ffyngau o dreulio'r defnyddiau hyn?

c) Pa gyfansoddyn carbon a gaiff ei ddychwelyd i'r atmosffer o ganlyniad i'w gweithgareddau?

d) Pa sylweddau y byddan nhw'n eu rhyddhau i'r pridd?

e) Pam mae bacteria a ffyngau yn bwysig i ailgylchu carbon yn y gylchred garbon?

4) Copïwch a chwblhewch y brawddegau hyn ynglŷn â dadelfennu a phydru gan ficrobau. Dewiswch y gair cywir o bob un o'r parau lliw.

'Bydd microbau'n treulio defnyddiau'n gyflymach pan fyddan nhw mewn amodau oer/cynnes sy'n llaith/sych. Bydd llawer o ficrobau'n gweithio'n well os bydd mwy o ocsigen/nitrogen yn yr amgylchedd.'

5) Mae bodau dynol yn gwneud defnydd o ficrobau i drin carthion cyn rhyddhau'r carthion i mewn i afonydd.

a) Beth yw carthion?
Pam y dylem eu trin cyn eu rhyddhau?

b) Awgrymwch amodau addas ar gyfer y microbau'n torri carthion i lawr yn effeithlon.

Mae bodau dynol hefyd yn gwneud defnydd o ficrobau mewn tomenni compost mewn gerddi.

c) Pam mae compost yn fwy addas ar gyfer yr ardd na'r cynhwysion gwreiddiol?

d) Pa fath o ddefnyddiau sy'n addas ar gyfer gwneud compost?
Ar gyfer beth y byddwn yn defnyddio compost?

Gair i Gall: Y Gylchred Garbon - enghraifft arall o **gytgord natur** a **diagram** arall i'w ddysgu. Dim ond **un** ffordd y bydd carbon deuocsid yn mynd o'r atmosffer i mewn i fiomas planhigion ac anifeiliaid - ffotosynthesis. Bydd y planhigion a'r anifeiliaid yn cael eu **bwyta** neu eu troi'n **rhywbeth defnyddiol** ac yn y pen draw yn cael eu **llosgi** neu'n **pydru**, gan ryddhau carbon deuocsid yn ôl i'r atmosffer.

Y Gylchred Nitrogen

1) Gall microbau dorri proteinau i lawr mewn planhigion ac anifeiliaid meirw.

Gallan nhw hefyd dorri i lawr broteinau mewn ymgarthion ac wrea mewn troeth. Mewn rhai achosion, bydd bacteria pydru yn torri'r cyfansoddion hyn i lawr yn absenoldeb ocsigen i ffurfio aminau drewllyd (yn aml ag arogl 'fel pysgod'). Fel rheol, bydd microbau'n torri proteinau ac wrea i lawr i ffurfio amonia a chyfansoddion amoniwm.

a) Pa derm a ddefnyddir am facteria sy'n torri defnydd marw i lawr?

b) Bydd bacteria nitreiddio yn y pridd yn trawsnewid amonia yn nitradau.

Sut mae nitradau'n ddefnyddiol i blanhigion?

c) Mae'r diagram isod yn cynrychioli rhan o'r gylchred nitrogen.

Copïwch y diagram a rhowch ynddo y geiriau sydd heb eu cynnwys.

Gadewch le ar gyfer mwy o brosesau.

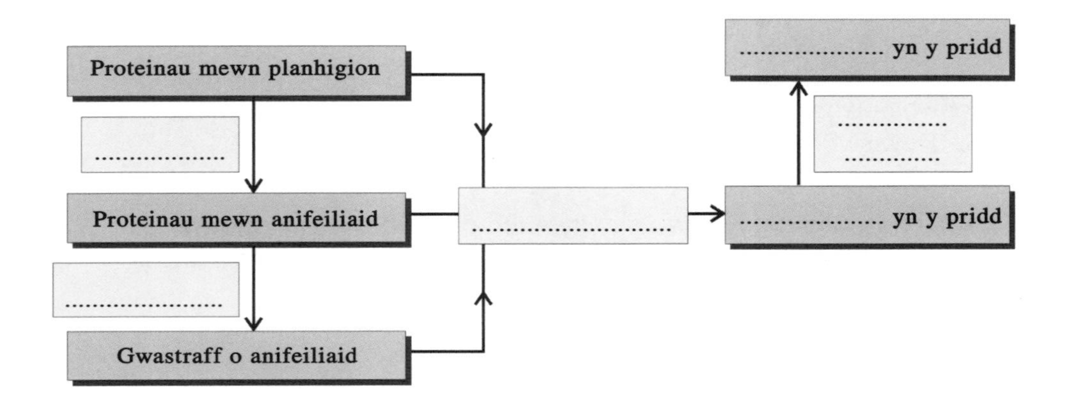

2) Gall bacteria dadnitreiddio yn y pridd drawsnewid nitradau yn y pridd yn nwy nitrogen.

a) Ychwanegwch saeth a bocs wedi'u labelu at eich cylchred nitrogen i ddangos gweithrediad bacteria dadnitreiddio.

b) Ychwanegwch saeth arall wedi'i labelu i ddangos gweithrediad bacteria sefydlogi nitrogen yn y pridd.

Ychwanegwch saeth wedi'i labelu i ddangos sut y bydd nitradau'n mynd i mewn i blanhigion.

c) Ysgrifennwch grynodeb o swyddogaeth microbau yn y gylchred nitrogen.
Enwch bob math o facteria, yr hyn y mae'n ei wneud a ble mae i'w gael.

d) Beth allai ddigwydd pe bai bacteria dadnitreiddio yn fwy actif na dadelfenyddion, bacteria sefydlogi nitrogen a bacteria nitreiddio? A fyddai o bwys pe baen nhw'n llai actif?

Gair i Gall: Mae'r gylchred nitrogen **yn** fwy anodd na'r gylchred garbon ac mae'n hawdd cael eich drysu gan y gwahanol ficrobau sydd ynghlwm wrthi. Mae angen i chi ei deall os ydych am gael gradd dda, felly ewch drwy'r gwaith yn **ofalus** gam wrth gam fel y gallwch **gwblhau**, **labelu** a **dehongli** diagram ac egluro'r hyn sy'n digwydd i'r nitrogen ar bob cam.

ATEBION

Mae'r rhain ar gyfer gwirio, NID AR GYFER COPÏO. Cofiwch hynny!

Bioleg

Haen Uwch

Celloedd Tud.1 → Tud.6

Tud. 1 - Celloedd:

1) **a)** Atgenhedlu/Sensitifedd/Ysgarthu
   b) Atgenhedlu - cynhyrchu epil/Sensitifedd - ymateb i bethau yn yr amgylchedd/Ysgarthu - cael gwared â gwastraff o adweithiau cemegol.
2) **a)** Atgenhedlu **b)** Twf **c)** Maethiad
   d) Sensitifedd + twf + symud
3) Symud - Newid safle neu ystum.
   Twf - Bydd derw yn datblygu o fes.
   Atgenhedlu - Bydd planhigyn yn gwneud had ac yn eu rhyddhau.
   Resbiradaeth - Rhyddhau egni o fwyd.
4) Yn y drefn y gwelir nhw: atgenhedlu; symud; tyfu; resbiradaeth; maethiad; ysgarthu; sensitifedd.

Tud. 2:

1) **a)** Clamydomonas
   b) Mae ganddo gellfur a chloroplast.
2) cnewyllyn, cytoplasm, cellbilen, mitocondria (unrhyw dri)
3) **a)** Gweler y diagram:
   b) Cloroplastau
   c) Ffotosynthesis
   d) Cloroffyl
   e) Cynnal ac atgyfnerthu'r gell

cnewyllyn
gwagolyn nodd
cytoplasm
cellfur
cellbilen
cloroplast

4) cnewyllyn, cellbilen, cellfur, gwagolyn, nodd, cytoplasm, cnewyllyn, cloroplastau.
5) **a)** Cynffon, gwagolyn
   b) Unrhyw ddau o blith cytoplasm, cnewyllyn, cellbilen, mitocondria.
6) **a)** Mae celloedd gwaed yn system cylchrediad y gwaed. Mae celloedd yr ymennydd yn y sytem nerfol ac mae'r groth yn y system atgenhedlu.
   b) Meinwe chwarennol - meinwe sy'n cynhyrchu sylweddau/cemegau/secretiadau (e.e. meinwe sy'n gwneud ensymau, hormonau).

Tud. 3:

1) Cnewyllyn, cytoplasm, cellbilen. Swyddogaeth yr wy yw ar gyfer atgenhedlu a chludo gwybodaeth enetig o'r rhieni.
2) **a)** A = cell sberm, B = cell nerfol, C = cell deilen.
   b) A = atgenhedlu/ffrwythloni, B = cludo signalau nerfol, C = ffotosynthesis/gwneud bwyd
   c) A = cynffon ar gyfer nofio, llawer o fitocondria ar gyfer egni, gwagolyn yn cynnwys ensymau ar gyfer treiddio i gell wy,
   B = hir ar gyfer mynd â negesau i bob rhan o'r corff, gwain fyelin ar gyfer cyflymu'r trawsyrru, dendridau canghennog ar y pen er mwyn gallu ei gysylltu â mwy nag un gell,
   C = cloroplastau yn cynnwys cloroffyl ar gyfer dal golau, fel arall yn weddol dryloyw i ganiatáu i olau fynd trwodd.
3) **a)** Gweler y diagram:

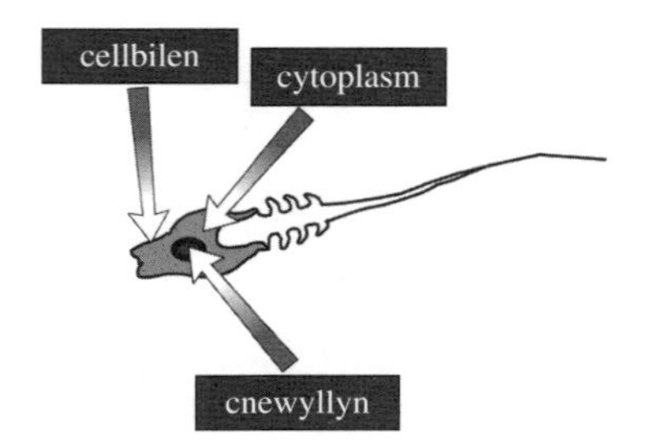

   b) Unrhyw enghraifft, e.e. cell asgwrn sy'n helpu i gynnal y corff.
4) **a)** Mae ganddynt ymestyniad - sy'n cynyddu'r arwynebedd arwyneb ar gyfer amsugno dŵr/mwynau.
   b) Gwagolyn nodd, cellfur.
5) **a)** Mae eu muriau'n denau (trwch un gell yn unig).
   b) Carbon deuocsid, sylweddau gwastraff.
6) Imiwnedd/ymladd clefydau - amlyncu bacteria, cynhyrchu gwrthgyrff, cynhyrchu gwrthwenwynau.
7) **a)** Wedi'u haddasu ar gyfer swyddogaeth benodol.
   b) i) Cynyddu'r arwynebedd arwyneb ar gyfer trylediad a chaniatáu i'r gell blygu mewn capilarïau cul.
   ii) Rhoi mwy o le i gludo haemoglobin.

Tud. 4, 5, 6:

1) **a)** Mae'r inc coch oddi mewn i'r tiwb *Visking* yn tryledu i'r dŵr; mae'n symud o grynodiad uchel o ronynnau inc i grynodiad isel ohonynt.
   b) Aeth dŵr i mewn i'r tiwb *Visking* drwy osmosis o grynodiad uchel o ddŵr (crynodiad is o siwgr) i grynodiad is o ddŵr (crynodiad uwch o siwgr).
2) Mae gan ddŵr y môr grynodiad uchel o halen, sy'n tynnu dŵr allan o'r planhigyn drwy osmosis (yn enwedig y gwreiddiau).
3) **a)** T **b)** O **c)** T **d)** O
   e) O **f)** O **g)** T **h)** T
4) Eirinen sych A – yn chwyddo am ei bod yn cael dŵr drwy osmosis. Mae'r croen yn gweithredu fel pilen rannol athraidd. Eirinen sych B – yn parhau wedi'i chrebachu/yn crebachu fwy, am ei bod yn colli dŵr/am nad yw'n cael dŵr.
5) Crynodiad (cryf) o halen yn y bad; aeth dŵr allan o gelloedd y daten i'r gwagle oedd yn cynnwys halen drwy osmosis. Roedd pilenni celloedd y daten yn gweithredu fel pilenni rhannol athraidd. Roedd dŵr o'r sinc yn cymryd lle y dŵr a gollwyd o gelloedd y daten.
6) moleciwlau dŵr, dŵr uchel, dŵr isel, osmosis, rhannol athraidd, trylediad
7) **a) i)** Osmosis
   ii) Mae gan gelloedd gwarchod grynodiad uwch o hydoddyn na'r celloedd o'u hamgylch - mae hyn yn achosi i ddŵr symud i mewn iddynt o'r celloedd o'u hamgylch.
   b) i) Ocsigen, carbon deuocsid. **ii)** Trylediad.
8) **a)** A - yn crebachu am ei fod yn colli dŵr drwy osmosis.
   B - yn mynd yn fwy/yn hirach am ei fod yn cael dŵr drwy osmosis.
   b) Roedd crynodiad y siwgr yr un fath â'r crynodiad y tu mewn i gelloedd y daten.
9) **a)** Osmosis. **b) i)** Resbiradaeth. **ii)** Trylediad.
   c) i) Carbon deuocsid. **ii)** Yn tryledu i'r dŵr.

Planhigion Tud.6 → Tud.13

d) Mae gan eu cytoplasm yr un crynodiad â'r môr.

10) a) i) Dŵr (â siwgr). **ii)** Oddi mewn i'r ffrwythau. **iii)** Osmosis.
b) Tryledïad.

Tud. 7 - Planhigion:

1) a) A = blodyn; B = coesyn; C = gwreiddiau. **b)** Deilen.
c) A = atgenhedlu. B = cadw'r planhigyn yn unionsyth + cludo bwyd, dŵr a mwynau. C = angori ac amsugno dŵr a halwynau mwynol.

2) Gweler y tabl:

Enw'r Planhigyn	Math posibl o gynefin	Ymaddasiad Dail	Rheswm dros yr ymaddasiad
Cedowrach	Coetir, ardaloedd cysgodol	Deilen fawr	Arwynebedd mawr i amsugno golau
Cactws	Diffeithdir	Llai o faint, dail pigog	Colli llai o ddŵr, amddiffyn rhag anifeiliaid
Hesg Môr	Twyni tywod, ardal sych ardal agored	Cyrlio, stomata ar yr arwyneb mewnol	Lleihau'r dŵr a gollir

3) a) Angori'r planhigyn ac amsugno dŵr a mwynau.
b) Cael gwreiddflew.

4) blodyn, gwreiddiau, dŵr, halwynau mwynol, sylem, coesyn, dail.

Tud. 8, 9:

1) a) i) Cludo: dŵr, bwyd (siwgr) ac yn helpu i gynnal y ddeilen.
ii) Sylem ar gyfer cludo dŵr, Ffloem ar gyfer cludo siwgr. Sylem a ffloem ar gyfer cynnal.
b) i) Stomata. **ii)** Faint o ddŵr sydd yn y celloedd gwarchod (NEU eu chwydd-dyndra). **iii)** I leihau'r dŵr a gollir.
c) i) Cell balis. **ii)** Gwneud bwyd (siwgr)/ffotosynthesis.
iii) Mae ganddi lawer o gloroplastau/siâp silindr.
d) i) Cell fesoffyl (sbwngaidd).
ii) Gall nwyon dryledu drwy'r gwaglynnau.
e) Lleihau/atal y dŵr a gollir.

2) a) Mae'r arwyneb isaf ar y dŵr, ac mae'r planhigyn yn cael mwy o nwyon ($CO_2 + O_2$) o'r aer/mae'n anodd iawn cael nwyon o ddŵr.
b) Carbon deuocsid.
c) Arwynebedd arwyneb mawr y ddeilen.

3) a) Gwythiennau. **b)** Celloedd ffloem.
c) Siwgr/swcros (derbyn glwcos).
d) Palis/mesoffyl (mae'r palis yn rhan o'r mesoffyl).

4) A - i), B - iii), C - ii), D - iv).

5) a) Atal colli dŵr/lleihau'r dŵr a gollir.
b) i) Yn lleihau'r dŵr a gollir/anweddiad drwy leihau cylchrediad yr aer o amgylch y stomata.
ii) I atal y ddeilen rhag colli gormod o ddŵr/i leihau anweddiad.
c) Mae'r blew hefyd yn lleihau llif yr aer o amgylch y dail, gan leihau cyfradd y trydarthu/yr anweddu o'r arwyneb.
d) Mae'r arwyneb suddedig yn lleihau llif yr aer o amgylch y stomata, gan leihau cyfradd yr anweddu/y trydarthu. Byddai hyn yn helpu i atal y planhigyn rhag sychu yn ei gynefin diffeithdirol.
e) Byddech yn disgwyl i'r cwtigl cwyraidd fod yn fwy trwchus.

6) a) Mae cloroplastau gan y celloedd gwyrdd; does dim cloroplastau gan gelloedd gwyn. **b)** Cloroffyl.

7) palis, cloroplastau, cloroffyl, mesoffyl, carbon deuocsid, sylem, gwythiennau, cwtigl cwyraidd, stomata, celloedd gwarchod.

Tud. 10, 11:

1) a) i) Anweddu. **ii)** Tryledu. **b)** Stoma.
c) Faint o ddŵr sydd yn y celloedd gwarchod (NEU eu chwydd-dyndra).
d) Mae gan yr arwyneb isaf fwy o fandyllau (ac felly mae'n colli llai o ddŵr).

2) a) Defnyddir peth mewn ffotosynthesis a chwydd-dyndra celloedd.
b) Anweddu. **c)** Sylem. **d)** Mwynau/maetholynnau.

3) a) Lleihau'r dŵr a gollir.
b) Bydd y celloedd gwarchod yn rheoli agor a chau'r stomata. Bydd y mandyllau ar agor pan fydd y celloedd gwarchod yn chwydd-dynn, ond ar gau pan fyddan nhw'n llipa (pan fyddan nhw wedi colli dŵr), gan leihau ymhellach y dŵr a gollir.

4) a) i) 'A'. **ii)** Nifer tebyg o stomata ar y ddau arwyneb.
b) Caniatáu trydarthu; caniatáu cyfnewid nwyon; rheoli cyfraddau trydarthu/cyfnewid nwyon.
c) i) Unrhyw un o'r rhain: golau, tymheredd, lleithder, symudiadau'r gwynt.
ii) Yn effeithio ar faint y mandwll, yn ôl p'un ai y bydd y gell warchod yn aros yn chwydd-dynn (i gadw'r mandwll ar agor) neu'n mynd yn llipa o ganlyniad i golli dŵr (gan gau'r mandwll).

5) a) B.
b) Mae aer sy'n symud yn achosi mwy o anweddu o arwyneb y dail drwy gludo lleithder sydd newydd ei anweddu i ffwrdd o arwyneb y dail (gan gynnal graddiant crynodiad).
c) Mae cromlin A yn debyg i'r ymateb ar ddiwrnod poeth. Y rheswm yw bod tymheredd uwch ac aer sy'n symud yn cynyddu anweddiad.

6) a) Bydd yr arwyneb isaf yn lliwio'r papur cobalt clorid gyntaf oherwydd y nifer mwy o stomata fydd yn colli mwy o ddŵr.
b) Trydarthu/anweddu. **c)** Pridd/glaw.
d) Unrhyw un o'r canlynol: llai o olau, aer llonydd, mwy llaith, oerach.

7) a) Anweddiad/gweithrediad capilarïau/capilaredd.
b) i) Lleihau. **ii)** Cynyddu os cynhyrchir gwres/dim newid.
iii) Cynyddu. **iv)** Lleihau.
c) Mae mandyllau gan y ddau.
d) Mae maint y mandyllau yn cael ei reoli mewn dail.

8) a) Er mwyn lleihau anweddiad/trydarthiad.
b) Er mwyn cynyddu lleithder/lleihau anweddiad.

9) trydarthu/anweddu, sylem, dail, stomata, gwarchod, isaf, anweddu, tymheredd, mwyaf, gwywo, cwtigl, fwy trwchus.

Tud. 12, 13:

1) a) i) Sylem. **ii)** Cludo dŵr a mwynau.
b) i) Ffloem. **ii)** Cludo siwgr. **c)** Sypyn fasgwlar.

2) a) i) Celloedd byw ydynt. **ii)** Celloedd meirw ydynt.
b) Ni allai bwyd (siwgr) fynd heibio'r ardal a wresogwyd/ni allai celloedd ffloem gludo bwyd pan oedden nhw wedi'u gwresogi (wedi'u difrodi/wedi'u lladd).

Planhigion Tud.13 → Tud.16

c) Byddai'r chwyddo'n digwydd yn y gwanwyn. Y rheswm yw y byddai'r bwyd a storiwyd yn y gwreiddiau yn symud i fyny'r coesynnau lle mae ei angen i dyfu dail newydd ayb.

3) a) Mae'r celloedd yn dyllog i ganiatáu i sylweddau symud o gell i gell.
b) Maen nhw'n wag er mwyn i'r hyn sydd ynddynt allu symud.
c) Gwreiddiau, coesynnau, organau storio, blaenau cyffion, blaenwreiddiau.
d) Unrhyw ddau o blith: resbiradaeth/storio/gwneud ffurfiadau (twf)/twf ym mlaenau'r cyffion neu yn y blaenwreiddiau/ atygweirio meinweodd a ddifrodwyd.
e) Mae'r bwyd a gludir yn cynnwys siwgr (derbyn 'glwcos' neu 'glwcos/swcros') a hefyd sylweddau bwyd eraill fel asidau brasterog ac asidau amino.

4) a) Er mwyn atal y siwgr rhag ymadael â'r grawnwin.
b) Fel y gall y grawnwin chwyddo â dŵr.
c) Ffrwydro/y croen yn cracio.

5) a) Ffotosynthesis. b) Siwgr/glwcos/startsh.
c) Celloedd sylem. d) Siwgr/swcros.
e) Gwreiddiau, ffrwythau, cloron, blaenau cyffion, blaenwreiddiau, ayb.

6) a) i) Osmosis. ii) Anweddiad (derbyn trylediad).
b) Celloedd sylem. c) Stomata. d) Llif trydarthol.

7) a) Gan ei fod yn wrth-ddŵr, mae lignin yn atal celloedd sylem rhag colli dŵr.
b) Gwaglyn(nau) yn y mur terfynol. c) Mwynau.

8) a) Does dim angen i bren fod yn fyw er mwyn i sylem gludo dŵr.
b) i) Ffloem. ii) Bwyd wedi'i hydoddi (glwcos/swcros/ siwgr/asidau amino, ayb.).
c) Byddai'r blodyn gwyn yn troi'n binc/goch.

9) a) Siwgr neu rywbeth sy'n cyfateb iddo. b) Ffloem.

10) sylem, coesyn, llif, trydarthu, mwynau, siwgr, ffotosynthesis, resbiradaeth, startsh, fasgwlar, cytoplasm, byw.

Tud. 14, 15:

1) a) Yn glocwedd o'r uchaf ar y chwith -
Rhyddheir **ocsigen** i'r **aer/atmosffer**.
Mae **golau (haul)** ar gyfer egni yn cael ei amsugno gan **gloroffyl/gloroplastau**,
dŵr o'r pridd
carbon deuocsid o'r **aer/atmosffer**.

Y rhannau sy'n dangos startsh

b) Ffotosynthesis.
c) Startsh/siwgr/glwcos.

2) a) Gweler y diagram:
b) i) Hydoddiant ïodin. ii) Glas/du.
c) I sicrhau nad oedd startsh yno ar gychwyn yr arbrawf. Er mwyn gweld ble y cynhyrchwyd startsh.
d) mae angen cloroffyl ar gyfer ffotosynthesis, mae angen golau ar gyfer ffotosynthesis.

3) Gweler y tabl:

	Ffotosynthesis	Resbiradaeth
Defnyddiau crai a ddefnyddiwyd	dŵr a charbon deuocsid	carbohydrad/siwgr/glwcos ac ocsigen (mewn resbiradaeth aerobig)
Cynnyrch terfynol	ocsigen + glwcos	carbon deuocid + dŵr (+ egni)
Diben y broses	Gwneud bwyd/siwgr/glwcos	Rhyddhau egni o fwyd (i wneud gwaith defnyddiol)

4) a) Mae'r amgylchedd yn mynd yn oleuach a defnyddir CO_2 ar gyfer ffotosynthesis.

b) & c) Gweler y graff:

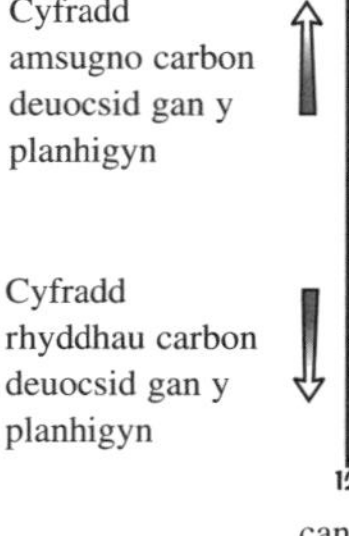

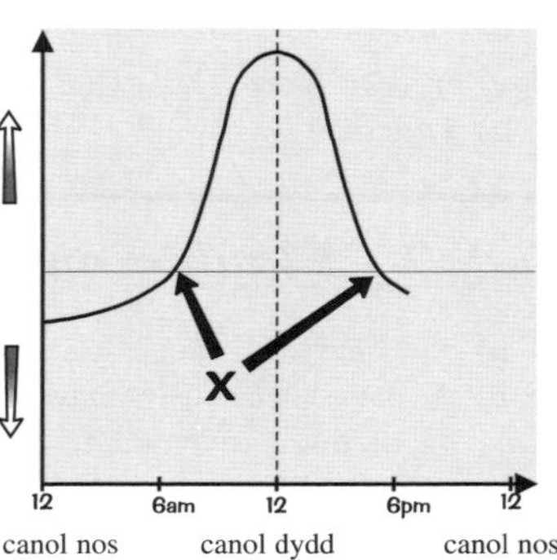

5) a) Diffyg ocsigen. b) Carbon deuocsid.

6)

Deilen	startsh	Troi'n las/ddu
A	✓	✓
B		
C	✓	✓
D		

7) Hafaliad geiriau:

egni golau/solar
Carbon deuocsid + dŵr → glwcos + ocsigen
amsugnir gan gloroffyl

Hafaliad cemegol:

egni golau/solar
$$6CO_2 + 6H_2O \rightarrow C_6H_{12}O_6 + 6O_2$$
amsugnir gan gloroffyl

8) a) Y tymheredd/crynodiad carbon deuocsid.
b) Cromlin wedi'i llunio yn uwch na'r ddwy gromlin arall ond yn baralel iddynt (ond yn cyd-daro â nhw yn y tarddbwynt).
c) Y dylanwad sy'n cyfyngu fwyaf ar gyfradd adwaith.

9) a) C a D.
b) i) Carbon deuocsid. ii) Resbiradaeth.
c) i) Roedd llai o garbon deuocsid. ii) Ffotosynthesis.

Tud. 16:

1) a) i) Coesynnau, dail, gwreiddiau, had, ffrwythau (hefyd cloron, bylbiau, cormau, ayb.).
ii) Startsh (coesynnau, dail, gwreiddiau, cloron, bylbiau, cormau), lipidau (had), swcros/glwcos (ffrwythau).
b) Mae hynny'n atal chwyddo â dŵr (drwy osmosis).
c) Mae'n gwneud y ffrwythau'n atyniadol i anifeiliaid sy'n eu bwyta ac yn lledaenu'r had.
d) Ffotosynthesis. e) Resbiradaeth.
f) Lipidau/asidau amino/proteinau/startsh/cellwlos.

2) a) 'a'. b) Osmosis. c) Mae dŵr yn mynd drwy dyllau yn y tiwb *Visking* i ardal sydd â chrynodiad is o ddŵr. Mae'r tyllau'n rhy fach i adael moleciwlau glwcos drwyddynt.
d) Anhydawdd/dydy osmosis ddim yn digwydd/nid yw'n achosi chwyddo â dŵr. e) Lipid.
f) Deilen, coesyn, gwreiddyn, cloronen, bwlb, corm, ayb.

3) glwcos, startsh, anhydawdd, coesynnau, swcros, lipidau, proteinau, cellwlos, resbiradaeth, mwy, actif.

Bioleg Ddynol 1 Tud.17 → Tud.21

Tud. 17, 18:

1) Syniadau Alun a Gwen.

2) **a) i)** I lawr. **ii)** Mae'r celloedd isaf yn cael eu hatal gan groniad awcsin. **iii)** Disgyrchiant a lleithder + golau.
   b) I fyny. **ii)** Mae'r celloedd isaf yn hwyhau yn gynt o ganlyniad i groniad awcsin. **iii)** Disgyrchiant a golau.
   c) Hormon twf/awcsin.
   d) Mae'n gwneud iddyn nhw hwyhau.

3) cyffion, disgyrchiant, gwreiddiau, lleithder, hormonau, awcsin, twf, gwreiddiau, di-had, ffrwythau, twf, mwy trwchus.

4)

Y Cemegyn	Y defnydd a wneir ohono	Yr effaith
Hormon gwreiddio	Cyffion yn cael eu dipio ynddo	Hybu twf gwreiddiau ar y cyffion
Chwynladdwr/ hormon (twf)	Chwistrellu dros chwyn llydanddail	Lladd planhigion llydanddail
Hormon (twf)	Chwistrellu dros flodau heb eu peillio	Cynhyrchu ffrwythau di-had

5) **a)** Eu tyfu mewn tywyllwch/gorchuddio blaen y cyffyn/rhoi'r un faint o olau iddynt yr holl ffordd o'u hamgylch (a byddai o gymorth i'w plannu'n unionsyth).
   b) Mae'r cyffion yn cael mwy o olau o'r chwith.
   Dylai atal y golau i gyd/rhoi golau cyfartal iddynt/ gorchuddio'r cyffyn.

6) **a)** Mae'r planhigyn cyntaf a'r ail yn tyfu'n syth, mae'r trydydd yn tyfu tuag at y golau, mae'r pedwerydd yn tyfu'n syth ac yn uwch na'r lleill a bydd hefyd yn edrych yn llai iach.
   b) Mae'r cyntaf a'r ail yn cael maint cyson o olau/effeithir yn gyson ar yr hormonau; yn y trydydd mae'r golau'n achosi i'r hormon gronni ar y chwith. Yn y pedwerydd, ni chaiff unrhyw hormon twf ei ddinistrio gan y golau, felly mae'r planhigyn yn tyfu'n gynt (ond mae'n fwy tenau).

7) **a)** Os rhoddir hormonau twf i flodau *heb eu peillio*, cynhyrchir ffrwythau di-had.
   b) Mae chwynladdwyr detholus yn gweithredu ar blanhigion drwy *amharu* ar dwf y planhigyn.
   c) Mae torri blaenau planhigion yn gwneud iddynt dyfu'n fwy *trwchus*.
   d) Gellir gwneud i ffrwythau *aeddfedu* drwy eu chwistrellu â hormonau.

Tud. 19, 20:

1) Caiff bwyd ei dorri i lawr gyntaf yn y geg. Caiff y bwyd ei gnoi a'i dorri'n ddarnau llai gan y dannedd. Y term am hyn yw treulio mecanyddol. Mae'r chwarennau poer yn gwneud poer, sy'n cael ei secretu i'r ceg. Caiff y bwyd ei gymysgu ag ensym carbohydras mewn poer sef amylas. Bydd hyn yn dechrau torri startsh i lawr yn siwgr. Y term am hyn yw treulio cemegol. Ar yr adeg yma caiff y bwyd ei dorri i lawr yn ddarnau sy'n ddigon bach i gael eu llyncu. Bydd y poer yn iro'r bwyd i wneud iddo lithro'n hawdd i lawr yr oesoffagws. Bydd y darnau llai o fwyd yn darparu arwynebedd arwyneb mwy a gall yr amylas weithio'n fwy effeithiol ar hwnnw.

2) Labelu'r rhannau o'r system dreulio: A - yr iau, B - y coluddyn bach, C - y coluddyn mawr, D - y geg, y chwarennau poer a'r oesoffagws, E - y stumog, F - y pancreas, G - coden y bustl.

3) **Coluddyn bach** - gwneud ensymau proteas, lipas a charbohydras. Amsugnir cynhyrchion treulio i'r gwaed yma.
   Stumog - cynhyrchu asid hydroclorig ac ensymau proteas.
   Oesoffagws (llwnc) - cysylltu'r geg â'r stumog.
   Coluddyn mawr - amsugno dŵr a storio ymgarthion.

4) **a)** Fydd y bwyd ddim yn mynd drwy'r chwarennau poer, na'r pancreas, na choden y bustl, na'r iau (na'r dannedd).
   b) Y rhannau cyhyrol yw: yr oesoffagws, y stumog, y coluddyn bach, y coluddyn mawr (a'r genau a gwahanol sffinctrau).

5) Os ydy bwyd wedi mynd i lawr y 'ffordd anghywir' mae wedi mynd i lawr y tracea (y bibell wynt). Os ydy bwyd wedi mynd i lawr y 'ffordd gywir' mae wedi mynd i lawr yr oesoffagws (y llwnc). Pan fyddwn yn llyncu, bydd y bwyd yn gwthio'r paled meddal i fyny a bydd hynny'n atal y bwyd rhag mynd i'r trwyn. Fflap o groen yw'r epiglotis a fydd yn disgyn dros y mynediad i'r tracea pan fyddwn yn llyncu, gan sicrhau y bydd y bwyd yn mynd i lawr yr oesoffagws yn hytrach na'r tracea.

6) **a)** Mae A yn gyhyr hydredol. Mae B yn gyhyr crwn.
   b) Peristalsis.
   c) Pan fydd peristalsis yn digwydd bydd y cyhyrau crwn yn cyfangu ac yn llaesu mewn modd rhythmig. Bydd hyn yn gwthio'r bwyd drwy'r coluddion. Bydd angen i'r bolws bwyd fod yn ddigon mawr i hyn weithio'n effeithlon - bydd ffibr dietegol o gymorth yma.

7) Bydd y stumog yn ehangu i gynnwys y bwyd y byddwn yn ei lyncu. Bydd cyhyrau'r stumog yn cyfangu mewn modd rhythmig i gorddi'r bwyd â sudd gastrig gan gynhyrchu daliant hufennog sef treulfwyd (*chyme*).

8) **a)** Filysau. Yr unigol yw filws.
   b) Gweler y diagram:

Epitheliwm
Capilarïau
Lacteal

   c) Mae'r filysau'n cynyddu'r arwynebedd arwyneb y tu mewn i'r coluddyn bach i oddeutu $140m^2$ – cannoedd o weithiau yn fwy nag y byddai pe bai'r arwyneb yn llyfn. Mae hyn yn helpu bwyd a dreuliwyd i gael ei amsugno.
   d) Mae'r coluddion wedi'u plygu a'u torchi cryn dipyn er mwyn ffitio i mewn i'r abdomen. Mae hyd mawr y coluddion yn helpu i gynyddu'r arwynebedd arwyneb ar gyfer amsugno bwyd a dŵr.

Tud. 21:

1) Ystyr *catalydd* yw sylwedd sy'n cynyddu cyfradd adwaith cemegol ond na chaiff ei golli yn ystod yr adwaith. Gellir ei ddefnyddio dro ar ôl tro i gyflymu adwaith.
   Ystyr *ensym* yw sylwedd sy'n gweithredu fel catalydd biolegol. Proteinau a fydd yn catalyddu rhai adweithiau penodol yn unig yw ensymau, a byddan nhw'n gweithio orau dros ystod gyfyng o dymheredd a pH.

2) Ystyr treulio yw'r broses lle caiff moleciwlau mawr o fwyd eu torri i lawr yn foleciwlau llai sy'n hydawdd ac sy'n gallu cael eu hamsugno i'r gwaed.
   Ensymau treulio yw'r term a ddefnyddir am y catalyddion biolegol sy'n cyflymu'r broses o dorri moleciwlau mawr o fwyd i lawr yn foleciwlau llai.

3) Mae carbohydras yn catalyddu torri startsh i lawr yn siwgr (maltos).
   Mae proteas yn catalyddu torri protein i lawr yn asidau amino.
   Mae lipas yn catalyddu torri braster i lawr yn asidau brasterog a glyserol.

Bioleg Ddynol 1 Tud.21 → Tud.23

4) **a)** Asid hydroclorig.
b) Mae pH cynnwys y stumog oddeutu pH 2. Mae asid hydroclorig yn asid cryf ac felly byddech yn disgwyl pH isel.
c) Bydd asid hydroclorig yn lladd y rhan fwyaf o'r microbau a gymerir i mewn gyda'r bwyd. Bydd hefyd yn darparu'r pH cywir i sicrhau y gall yr ensymau proteas yno weithio'n effeithiol.

5) **a)** Cynhyrchir ensymau carbohydras gan y chwarennau poer, y pancreas a'r coluddyn bach.
b) Caiff startsh ei dreulio yn y geg (a'r oesoffagws yn ystod y llyncu) a'r coluddyn bach.
c) Bydd amylas poerol yn gweithio orau mewn amodau ychydig yn alcalïaidd (ei pH optimwm yw oddeutu pH 7.4). Bydd amodau asidig iawn y stumog yn is o lawer na'r pH optimwm ar gyfer amylas, a bydd treulio startsh yn peidio. Efallai y bydd peth startsh yn parhau i gael ei dreulio y tu mewn i folws o fwyd hyd nes y bydd yr asid yn cyrraedd y tu mewn i'r bolws.
d) Y stumog, y pancreas a'r coluddyn bach.
e) Caiff protein ei dreulio yn y stumog a'r coluddyn bach.
f) Cynhyrchir lipas gan y pancreas a'r coluddyn bach.
g) Caiff braster ei dreulio yn y coluddyn bach.

6) **a)** Ystyr emwlsio yw torri defnynnau o hylif i lawr yn ddefnynnau llai, gan ganiatáu i'r defnynnau llai ymledu drwy hylif arall na allant hydoddi ynddo.
b) Bydd arwynebedd arwyneb braster yn cynyddu pan gaiff ei emwlsio.
c) Bydd bustl yn emwlsio brasterau. Bydd hyn yn darparu mwy o arwynebedd arwyneb o frasterau y gall ensymau lipas weithio arno ac felly yn cynyddu cyfradd y treulio.

7) Y siart llif gorffenedig.

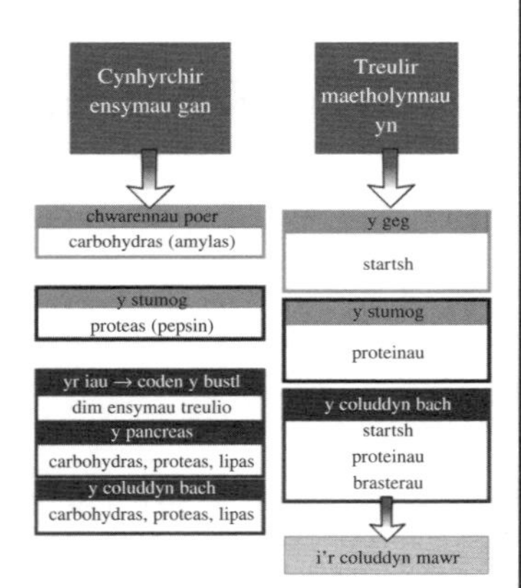

8) Pan fydd bwyd yn mynd i mewn i'r geg, caiff startsh ei dreulio'n siwgr (maltos) gan garbohydras a gynhyrchir yn y chwarennau poer. Pan fydd y bwyd yn cyrraedd y stumog, bydd treulio startsh yn peidio, ond caiff protein ei dreulio'n asidau amino gan broteas a gynhyrchir yn y stumog. Pan fydd y bwyd yn cyrraedd y coluddyn bach, caiff startsh ei dreulio ymhellach yn siwgr gan garbohydras a gynhyrchir yn y pancreas. Bydd protein yn parhau i gael ei dreulio'n asidau amino gan broteasau a gynhyrchir yn y pancreas a'r coluddyn bach. Caiff brasterau eu treulio'n asidau brasterog a glyserol gan lipas a gynhyrchir gan y pancreas a'r coluddyn bach. Caiff bustl ei gynhyrchu gan yr iau a'i ryddhau gan goden y bustl. Bydd bustl yn emwlsio'r brasterau i gynyddu'r arwynebedd arwyneb y gall lipas weithio arno.

Tud. 22, 23:

1) Treulir startsh i ffurfio moleciwlau llai sef siwgr.
Treulir protein i ffurfio moleciwlau llai sef asidau amino.
Treulir braster i ffurfio moleciwlau llai sef asidau brasterog a glyserol.

2) **a)** Ni fydd y tywod yn hydoddi. Bydd gronynnau bach o dywod yn ffurfio daliant yn y dŵr; bydd gronynnau mwy yn disgyn i'r gwaelod i ffurfio gwaddod.
b) Bydd y siwgr yn hydoddi yn y dŵr.
c) Pan gaiff y cymysgedd ei hidlo, bydd y tywod yn cael ei ddal gan y papur hidlo ac yn ffurfio gweddill (*residue*).
d) Pan gaiff y cymysgedd ei hidlo bydd yr hydoddiant siwgr yn mynd trwodd i ffurfio hidlif.
e) Ystyr hidlo yw'r broses lle caiff solid anhydawdd ei wahanu oddi wrth hylif y mae wedi'i ddal ynddo drwy ddefnyddio sylwedd mandyllog, fel papur hidlo. Bydd y sylwedd mandyllog yn dal y solid anhydawdd a bydd yr hylif yn mynd trwyddo. Gall sylweddau anhydawdd fel tywod gael eu hidlo; ni all sylweddau hydawdd fel siwgr gael eu hidlo.

3) **a)** Noder: Mae proteinau adeileddol fel ceratin (sydd i'w gael mewn gwallt ac ewinedd) a phroteinau pilenni yn anhydawdd mewn dŵr.

hydawdd	anhydawdd
protein	protein
asidau amino	braster
asidau brasterog	startsh
glyserol	
siwgr	

b) Gall braster, startsh a rhai proteinau (e.e. ceratin) gael eu gwahanu oddi wrth ddŵr drwy hidliad. Y rheswm yw nad ydynt yn hydoddi mewn dŵr ac felly ni allant symud drwy'r papur hidlo.
c) Mae cynhyrchion treulio yn hydawdd, ni ellir eu hidlo.

4) **a)** Aeth y siwgr drwy furiau'r tiwb *Visking* drwy drylediad.
b) Roedd y moleciwlau startsh yn rhy fawr i fynd drwy fandyllau'r tiwb *Visking* ac felly doedden nhw ddim mewn hydoddiant.
c) Ffyrdd y gallai hi gyflymu'r broses dryledu: Cynhesu'r dŵr i gynyddu cyflymder symudiad y moleciwlau siwgr.
Cynyddu'r graddiant crynodiad, e.e. drwy ddefnyddio hydoddiant siwgr mwy crynodedig neu fwy o ddŵr, gan droi'r dŵr i ostwng crynodiad y siwgr yn union y tu allan i'r bag, neu drwy ail-lenwi'r dŵr yn ystod y 30 munud.
Cynyddu'r arwynebedd arwyneb, e.e. defnyddio bag mwy i ddal y cyfaint bach o ddŵr ond ei wneud yn fwy gwastad.

5) **a)** Yn y coluddyn bach.
b) Ni ellir treulio ffibr dietegol (ac mae llawer ohono'n anhydawdd. Felly, ni chaiff ei amsugno gan y system dreulio).
c) Amsugnir dŵr sydd dros ben yn y coluddyn mawr.
d) Mae'r coluddyn mawr hefyd yn storio ymgarthion (gwastraff na ellir ei dreulio) cyn iddo adael drwy'r anws.
e) Pe bai gormod o ddŵr yn cael ei amsugno, byddai'r ymgarthion yn mynd yn galed gan achosi rhwymedd.
f) Pe bai rhy ychydig o ddŵr yn cael ei amsugno, byddai'r ymgarthion yn mynd yn feddal iawn gan achosi dolur rhydd.

6) **a)** 'Ystyr trylediad yw symudiad *goddefol* gronynnau *i lawr* graddiant crynodiad o grynodiad *uchel* i grynodiad *isel*. Bydd trylediad drwy bilenni yn digwydd yn fwy *cyflym* pan fydd y bilen yn denau ac arwynebedd ei harwyneb yn *fawr*.'

Bioleg Ddynol 1 Tud.23 → Tud.27

b) Mae'r coluddyn bach yn hir iawn (tua 6m) i ddarparu arwynebedd arwyneb mawr ar gyfer symudiad sylweddau drwy fur y coluddyn. Mae gan fur y coluddyn hefyd filiynau o estyniadau sy'n debyg i fysedd. Gelwir y rhain yn filysau ac maen nhw'n cynyddu'r arwynebedd arwyneb cryn dipyn ymhellach. Mae epitheliwm arwyneb y filysau yn denau iawn gan ganiatáu i sylweddau symud drwyddo yn gyflym.

c) Mae rhwydwaith dwys o gapilarïau ym mhob filws. Mae mur y capilarïau hefyd yn denau iawn, gan ganiatáu i gynhyrchion treulio symud yn gyflym iawn i lif y gwaed.

Tud. 24:

1) a) Startsh.
   b) Bydd yr hydoddiant ïodin yn troi'n las/ddu.

2) a) Dylai'r cymysgedd cychwynnol droi'n las/ddu, gan ddangos bod startsh yn bresennol.
   b) Os ydy'r adweithydd Benedict yn troi'n goch, mae'n dangos bod siwgr rhydwytho yn bresennol.
   c) Dylai Emyr fod wedi profi'r cymysgedd cychwynnol ag adweithydd Benedict rhag ofn ei fod eisoes yn cynnwys siwgr. Dylai hefyd fod wedi profi'r cymysgedd ar y diwedd â hydoddiant ïodin i weld a oedd y startsh wedi mynd. Pe bai'r arbrawf yn gweithio, byddech yn disgwyl gweld dim newid â'r adweithydd Benedict ar y cychwyn (byddai'n aros yn las) a dim newid â'r hydoddiant ïodin ar y diwedd (byddai'n aros yn frown - ond byddai hyn yn dibynnu ar faint o startsh ac amylas a ddefnyddiwyd).
   d) Dylai Emyr fod wedi trefnu tiwb rheoli â daliant startsh yn unig ynddo heb unrhyw amylas.

3)

Siôn yw'r gorau

helô

Prawf Biuret

Defnyddir prawf Biuret i ganfod **protein** mewn bwyd.

1. Rhowch fwyd mewn tiwb profi ac ychwanegwch **hydoddiant sodiwm hydrocsid gwanedig**.
2. Ar ôl ei ysgwyd ychwanegwch **hydoddiant copr sylffad** (sy'n las).
3. Os bydd yn troi'n **borffor** mae **protein** yn bresennol.

Tud. 25:

1) Y galon a'r pibellau gwaed.

2) Mae'r prif swyddogaethau yn cynnwys: cludo maetholynnau ac ocsigen i'r celloedd yn y corff, cludo sylweddau gwastraff o'r celloedd yn y corff, dosbarthu hormonau a gwres o gwmpas y corff. Fe'i gelwir yn system cylchrediad am fod y gwaed yn cylchredeg o gwmpas y corff.

3) Labeli o'r diagram:

Pibellau gwaed	Rhif
Gwythîen ysgyfeiniol	1
Aorta	2
Fena cafa	3

Organau	Llythyren
Coluddion	C
Arennau	D
Iau	B
Ysgyfaint	A

4) Mae'r rhydweli ysgyfeiniol yn rhannu'n ddwy am fod gennym ddau ysgyfant - un rhan ar gyfer pob ysgyfant.

5) Mae gwythiennau'n cludo gwaed o organau eraill i'r galon; mae rhydwelïau'n cludo gwaed o'r galon i'r organau eraill. Dydy'r wythïen bortal hepatig ddim yn mynd yn syth yn ôl i'r galon, ond yn hytrach mae'n mynd â gwaed sy'n llawn moleciwlau bwyd wedi'u hydoddi i'r iau ar gyfer eu prosesu a'u storio.

6) a) Bydd diamedr y rhydweli'n lleihau.
   b) Yr enw ar y broses hon yw fasgyfyngiad.
   c) Gall achosi cynnydd yn y pwysedd gwaed (gorbwysedd). Efallai hefyd y bydd yn helpu'r broses o ffurfio plac yn y rhydwelïau, gan gynyddu'r risg o drawiad ar y galon.

7) a) Bydd ymarfer yn cynyddu cyfradd curiad y galon a'r cyfaint strôc. Cyfradd curiad y galon fydd yn cynyddu fwyaf.
   b) Bydd astudio'r tabl yn dangos bod:
   Allbwn cardiaidd = Cyfradd curiad y galon x Cyfaint strôc
   Felly: Allbwn cardiaidd = 100 x 110 = 11000cm^3 y munud.
   c) Mae angen allbwn cardiaidd uwch pan fyddwn yn ymarfer er mwyn mynd â mwy o waed i'r meinweoedd sy'n ymarfer, e.e. y cyhyrau. Gan fod y cyhyrau'n resbiradu ar gyfradd uwch na'r gyfradd wrth orffwys, mae angen mwy o glwcos ac ocsigen arnynt. Mae mwy o isgynhyrchion diwerth i'w symud gan y gwaed hefyd.
   d) Yn aml bydd gan athletwyr ffit galonnau effeithlon iawn sy'n gallu dosbarthu cyfaint uwch o waed â phob curiad, h.y. cyfaint strôc uwch. Felly, does dim angen i gyfradd curiad eu calonnau fod mor uchel â chyfradd curiad calon unigolyn nad yw'n athletwr i ddosbarthu digon o waed i feinweoedd eu cyrff.

Tud. 26, 27:

1) a) Mae pedair siambr yn y galon ddynol.
   b) Atria (unigol = atriwm).
   c) Fentriglau.
   d) Ochr dde'r galon (sydd ar y chwith yn y diagram am ei fod yn dangos y galon o'r tu blaen).
   e) Ochr chwith y galon (ar y dde yn y diagram).
   f) Mae'r falfiau'n atal y gwaed rhag llifo'n ôl.
   g) Mae ochr dde'r galon yn pwmpio gwaed i'r ysgyfaint i gael ei ocsigenu. Mae ochr chwith y galon yn pwmpio gwaed ocsigenedig i bob rhan o'r corff, gan gynnwys y galon ei hun ond nid yr ysgyfaint.

2)

label	y rhan o'r galon
A	atriwm de
B	fentrigl de
C	atriwm chwith
D	fentrigl chwith

3)

label	pibell waed
1	fena cafa
2	rhydweli ysgyfeiniol
3	aorta
4	gwythïen ysgyfeiniol

4) Mae'r fena cafa yn cludo gwaed diocsigenedig i'r galon.
Mae'r wythïen ysgyfeiniol yn cludo gwaed ocsigenedig o'r ysgyfaint.
Mae'r rhydweli ysgyfeiniol yn cludo gwaed diocsigenedig i'r ysgyfaint.
Mae'r aorta yn cludo gwaed ocsigenedig i weddill y corff.

5) a) Mae ochr dde'r galon yn pwmpio gwaed i'r ysgyfaint, ond mae'r ochr chwith yn pwmpio gwaed i weddill y corff, felly mae muriau'r ochr chwith yn fwy trwchus i gyflawni hyn. Mae'r atria'n pwmpio gwaed i'r fentriglau, ond mae'r fentriglau'n pwmpio gwaed o'r galon i'r ysgyfaint ac i weddill y corff, felly mae'n rhaid iddynt fod yn fwy trwchus.

Bioleg Ddynol 1 Tud.27 → Tud.29

b) Mae muriau'r galon wedi'u gwneud o gyhyr (sef cyhyr cardiaidd). Mae hyn i'w ddisgwyl am fod y galon yn gweithio drwy gyfangu a llaesu, a dyna a wna cyhyrau.

c) Pe bai atalfa mewn rhydweli goronaidd, ni fyddai gwaed ocsigenedig yn cyrraedd y meinweoedd yn y galon sy'n cael eu cyflenwi gan y rhydweli honno. Gallai hyn achosi trawiad ar y galon.

d) Gall gwaed diocsigenedig yn y fentrigl de gymysgu â gwaed ocsigenedig yn y fentrigl chwith, ac felly ni fydd y gwaed sy'n gadael y galon i fynd i weddill y corff yn cynnwys digon o ocsigen. Bydd hyn yn rhoi gwawr las i'r croen, gan na fydd y gwaed sy'n cylchredeg wedi'i ocsigenu'n llawn.

6) a) Daw'r fena cafa â gwaed o'r corff i'r galon. Mae'r gwaed yn arllwys i mewn i'r atriwm de. Tra bo'r fentrigl de yn llaes ac yn llac, bydd gwaed yn llifo i mewn iddo drwy'r falf deirlen agored. Mae'r atriwm yn cyfangu i gwblhau llenwi'r fentrigl â gwaed. Mae'r fentrigl yn cyfangu gan wasgu'r gwaed y tu mewn. Mae'r falf deirlen yn cau i atal gwaed rhag dychwelyd i'r atriwm. Mae muriau'r fentrigl yn gwthio'r gwaed allan o'r galon drwy'r rhydweli ysgyfeiniol. Mae'r falfiau cilgant yn atal gwaed rhag llifo'n ôl i mewn i'r fentrigl.

b) Ochr chwith y galon – Daw'r wythïen ysgyfeiniol â gwaed o'r ysgyfaint i'r galon. Mae'r gwaed yn arllwys i mewn i'r atriwm chwith. Tra bo'r fentrigl chwith yn llaes ac yn llac, bydd gwaed yn llifo i mewn iddo drwy'r falf ddwylen agored. Mae'r atriwm yn cyfangu i gwblhau llenwi'r fentrigl â gwaed. Mae'r fentrigl yn cyfangu gan wasgu'r gwaed y tu mewn. Mae'r falf ddwylen yn cau i atal gwaed rhag dychwelyd i'r atriwm. Mae muriau'r fentrigl yn gwthio'r gwaed allan o'r galon drwy'r aorta. Mae'r falfiau cilgant yn atal gwaed rhag llifo'n ôl i mewn i'r fentrigl.

c)

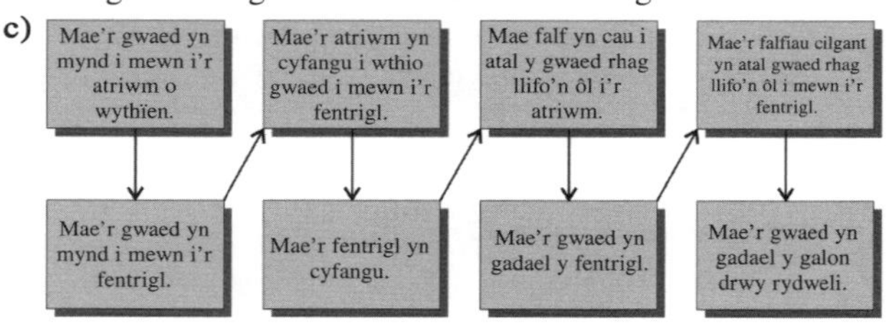

Tud. 28:

1) Mae *rhydwelïau* yn cludo gwaed *o'r* galon ar bwysedd *uchel*. Mae *gwythiennau* yn cludo gwaed *i'r* galon ar bwysedd *isel*.

2) a)

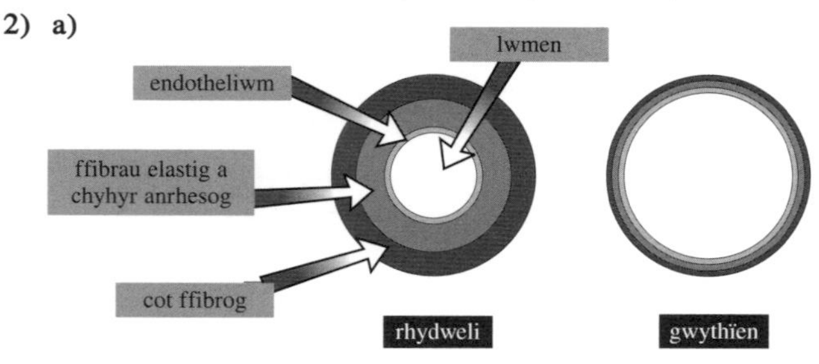

b) *Yr hyn sy'n debyg:* Mae gan y ddwy bibell lwmen gydag endotheliwm, ffibrau elastig a chyhyrau anrhesog, a chot ffibrog o'i amgylch.
Yr hyn sy'n wahanol: Ar gyfer diamedr penodol o bibell waed, mae gan rydwelïau lwmen mwy cul a muriau mwy trwchus nag sydd gan wythiennau.

c) Mae'n rhaid i rydwelïau gludo gwaed ar bwysedd uchel. Mae'r muriau trwchus, cyhyrog ac elastig yn caniatáu iddyn nhw ymdopi â'r pwysedd uchel a gynhyrchir gan y galon. Gallan nhw ddychwelyd i'w diamedr gwreiddiol ar ôl yr ymchwydd o waed ar bwysedd uchel. Dim ond gwaed ar bwysedd isel y mae angen i wythiennau ei gludo. Does dim angen muriau mor drwchus, ond mae'r lwmen mawr yn helpu i gynnal llif y gwaed.

3) a) & e) Gweler y diagram:

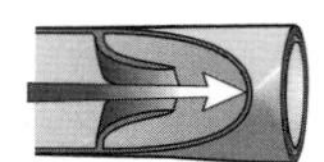

Gwythïen

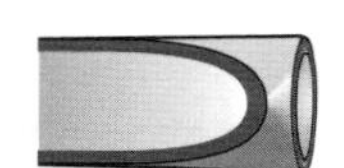

Rhydweli

b) Falf gilgant. c) Atal gwaed rhag llifo'n ôl.

d) Yn yr allanfeydd i'r fentriglau yn y galon.

e) Ychwanegu saeth at ddiagram y wythïen fel y gwelir uchod: Bydd gwaed yn llifo o'r chwith i'r dde yn y diagram yn gwthio muriau'r falf yn erbyn mur y capilari; os bydd gwaed yn ceisio llifo'n ôl y ffordd arall, bydd yn llenwi dau hanner y falf â gwaed a thrwy hynny'n ei chau'n dynn.

f) Cedwir y gwaed i symud mewn gwythiennau (pibell A) gan gyfangiadau cyhyrau o amgylch gwythiennau mawr, yn enwedig yn y breichiau a'r coesau.

g) Cyfangiadau'r galon sy'n cadw'r gwaed i symud yn y rhydwelïau (pibell B).

h) Yn y ddau achos, mae'r cyhyrau'n rhan o'r broses.

4) a) Caniatáu i gelloedd dderbyn y sylweddau sydd arnynt eu hangen o'r gwaed, e.e. dŵr, ocsigen a maetholynnau wedi'u hydoddi, a chaniatáu i gelloedd drosglwyddo isgynhyrchion diwerth i'r gwaed, e.e. carbon deuocsid a chynhyrchion ysgarthiol eraill.

b) Mae'r mur yn denau iawn, yn aml â thrwch un gell. Mae hyn yn caniatáu i sylweddau symud i mewn i'r celloedd o'r gwaed ac allan o'r celloedd i'r gwaed, yn gyflym drwy dryledied.

Tud. 29:

1) a) Plasma yw haen A.

b) Haen B – celloedd gwyn. Haen C – celloedd coch. Mae haen B hefyd yn cynnwys platennau.

c) Tua 45% o'r gwaed sy'n gelloedd.

2) a) Swyddogaeth celloedd coch y gwaed yw cludo ocsigen.

b) Mae'r siâp disg deugeugrwm yn cynyddu'r arwynebedd arwyneb sydd ar gael ar gyfer amsugno ocsigen.

c) Haemoglobin. Mae haemoglobin yn cyfuno ag ocsigen i ffurfio ocsihaemoglobin. Gall hyn ymrannu eto i ryddhau ocsigen. Gall haemoglobin hefyd gyfuno â charbon deuocsid mewn mannau lle mae crynodiad uchel o garbon deuocsid.

d) Gall cytoplasm celloedd coch gynnwys mwy o haemoglobin os nad oes yna gnewyllyn.

3) Gall carbon monocsid eich mygu. Mae'n bondio'n gadarn iawn wrth haemoglobin ac mae'n atal y celloedd coch rhag cludo digon o ocsigen. Gan ei fod yn ddiarogl ac yn ddi-liw, nid yw'n hawdd canfod carbon monocsid (gellir gosod canfodyddion arbennig mewn tai i rybuddio os caiff y nwy ei ryddhau). Mae angen profi tanau nwy i sicrhau eu bod yn llosgi'n effeithlon ac nad ydynt yn allyrru lefelau peryglus o garbon monocsid.

4) Mae platennau'n helpu i geulo'r gwaed lle mae clwyf. Bydd hyn yn atal gwaed rhag cael ei golli ac yn atal micro-organebau rhag mynd i mewn i'r corff.

Bioleg Ddynol 1 Tud.29 → Tud.33

5) a) Y diagram wedi'i labelu:

C Cellbilen
B Cytoplasm
A Cnewyllyn

b) Amlyncu microbau, cynhyrchu gwrthgyrff, cynhyrchu gwrthwenwynau.
c) Ym mêr esgyrn, mewn nodau lymff ac yn y ddueg.

6) Mae plasma'n cludo'r holl sylweddau a restrwyd, ac eithrio ocsigen (a gludir gan y celloedd coch).

7) Tabl crynhoi cyflawn:

Celloedd coch	Platennau	Celloedd gwyn	Plasma
Cludo ocsigen	Helpu i geulo'r gwaed lle mae clwyf	Amddiffyn y corff rhag haint drwy: amlyncu microbau, cynhyrchu gwrthgyrff, cynhyrchu gwrthwenwynau	Cludo celloedd coch, celloedd gwyn, platennau, halwynau mwynol wedi'u hydoddi, cynhyrchion treulio, carbon deuocsid, wrea, dŵr, gwrthgyrff, gwrthwenwynau, hormonau

Tud. 30, 31:

1) Mae'r system anadlu yn mynd ag *aer* i mewn i'r corff ac allan ohono. Mae hyn yn caniatáu i *ocsigen* symud o'r aer i mewn i lif y gwaed ac i *garbon deuocsid* symud allan o lif y gwaed i'r aer.'

2) a) Fel rheol byddai'r galon i'w chael yn y bwlch X.
b) Cysylltu'r llythrennau â'r labeli (defnyddir rhai ddwywaith):

Llythyren	Label
A	tracea
B	asen
C	ysgyfant
D	cyhyrau rhyngasennol
E	llengig
F	cyhyrau rhyngasennol

Llythyren	Label
G	pilenni eisbilennol
H	broncws
I	bronciolyn
J	alfeoli
K	asen

3) a) Mae'r asennau'n ffurfio'r cawell asennau sy'n amddiffyn yr ysgyfaint rhag difrod allanol.
b) Y llengig sy'n gwahanu'r ysgyfaint oddi wrth yr abdomen.
c) Gwneud y tu mewn i geudod y frest yn llithrig. Mae hyn yn amddiffyn arwyneb allanol yr ysgyfaint wrth iddynt rwbio yn erbyn yr asennau pan fyddwn yn anadlu.

4) Y drefn gywir: tracea → bronci → bronciolynnau → alfeoli.

5) a) Enw arall ar y tracea yw'r bibell wynt.
b) Mae'r cylchlynnau cartilag yn cynnal y tracea a'r bronci. Maen nhw'n cadw'r pibellau aer ar agor pan fyddwn yn anadlu i mewn (bydd y gwasgedd aer y tu mewn i'r pibellau aer yn gostwng pan fyddwn yn anadlu i mewn).
c) Un broncws ar gyfer pob ysgyfant (felly cyfanswm o ddau).
d) Pibell aer lai o faint sy'n cael ei ffurfio pan fydd y bronci'n ymrannu yw bronciolyn. Mae'r bronciolynnau eu hunain yn ymrannu ymhellach gan gynhyrchu bronciolynnau llai a llai.
e) Mae alfeolws yn goden aer fach iawn ar ddiwedd y bronciolynnau, lle bydd cyfnewid nwyon yn digwydd.

6) a) Anadlu i mewn: Mae'r cyhyrau rhwng yr asennau yn cyfangu. Mae hyn yn tynnu'r cawell asennau i fyny. Mae cyhyrau'r llengig yn cyfangu. Mae hyn yn achosi i'r llengig wastadu. Mae cyfaint y thoracs yn cynyddu. Mae'r gwasgedd y tu mewn i'r thoracs yn mynd i lawr. Mae'r gwasgedd y tu mewn i'r thoracs yn mynd yn llai na'r gwasgedd atmosfferig. Caiff aer ei wthio i mewn i'r ysgyfaint o'r tu allan i wneud y gwasgeddau'n gyfartal.
b) Anadlu allan: Mae'r cyhyrau rhwng yr asennau yn llaesu. Mae hyn yn gadael i'r cawell asennau fynd i lawr. Mae cyhyrau'r llengig yn llaesu. Mae hyn yn achosi i'r llengig blygu ar i fyny. Mae cyfaint y thoracs yn lleihau. Mae'r gwasgedd y tu mewn i'r thoracs yn mynd i fyny. Mae'r gwasgedd y tu mewn i'r thoracs yn mynd yn fwy na'r gwasgedd atmosfferig. Caiff aer ei wthio allan o'r ysgyfaint i wneud y gwasgeddau'n gyfartal.

7) Rhaid i'r llengig gyfangu'n gyflym iawn pan fyddwch yn igian.

8) Mae'r alfeoli yn darparu arwynebedd arwyneb enfawr ar gyfer trylediad. Mae'r muriau'n llaith, gan ganiatáu i nwyon hydoddi fel y gallan nhw dryledu drwy furiau'r alfeoli. Mae rhwydwaith dwys o gapilarïau o amgylch yr alfeoli. Trwch un gell yn unig sydd i furiau'r capilarïau a gall nwyon dryledu drwyddynt yn hawdd i mewn i lif y gwaed ac allan ohono.

9)

NWY	% mewn aer mewnanadledig	% mewn aer allanadledig
ocsigen	21	16
carbon deuocsid	0.04	4
nitrogen	78	78

10) glwcos + ocsigen ⟶ carbon deuocsid + dŵr + egni wedi'i drosglwyddo

Tud. 32, 33:

1) Rhyddhau egni o gelloedd. Mae planhigion yn resbiradu.

2) a) glwcos + ocsigen → carbon deuocsid + dŵr + egni wedi'i drosglwyddo
b) $C_6H_{12}O_6 + 6O_2 \rightarrow 6CO_2 + 6H_2O$ + egni wedi'i drosglwyddo
c) Glwcos ac ocsigen. Fe'u cludir i'r celloedd yn llif y gwaed. Daw glwcos o fwyd (wedi'i dreulio yn y system dreulio a'i amsugno drwy furiau'r coluddyn bach i mewn i lif y gwaed). Daw ocsigen o aer (wedi'i anadlu i mewn i'r ysgyfaint a'i amsugno drwy furiau'r alfeoli i mewn i lif y gwaed).
d) Carbon deuocsid a dŵr. Bydden nhw'n tryledu o'r celloedd i mewn i lif y gwaed drwy furiau'r capilarïau. Yna byddan nhw'n tryledu o lif y gwaed i mewn i'r alfeoli (yn yr ysgyfaint) eto drwy gapilarïau, ac yna fe'u rhoddir allan o'r corff yn aer allanadledig. Bydd dŵr hefyd yn gadael y corff yn y troeth, yn yr ymgarthion ac mewn chwys.
e) Cynhyrchir egni gan resbiradaeth.

3) a) *Yr hyn sy'n debyg:* Rhyddhau egni, angen glwcos.
Yr hyn sy'n wahanol: Mae angen ocsigen ar gyfer resbiradaeth aerobig ond nid ar gyfer resbiradaeth anaerobig. Mae resbiradaeth aerobig yn cynhyrchu carbon deuocsid a dŵr; dim ond asid lactig y mae resbiradaeth anaerobig yn ei gynhyrchu.
b) Ystyr aerobig yw 'gydag aer'; ystyr anaerobig yw 'heb aer'.
c) Mae resbiradaeth aerobig yn rhyddhau 19.2 gwaith yn fwy o egni nag y gwna resbiradaeth anaerobig (noder nad kJ yw'r unedau ar gyfer y ddau).
d) Mae resbiradaeth aerobig yn cynhyrchu 19 gwaith yn fwy o foleciwlau ATP am bob moleciwl o glwcos nag y gwna resbiradaeth anaerobig, am fod resbiradaeth aerobig yn rhyddhau ychydig dros 19 gwaith yn fwy o egni.

Bioleg Ddynol 1 Tud.33 → Tud.35

4) a) Ni all cyhyrau Dafydd barhau i gyfangu am eu bod yn defnyddio mwy o ocsigen nag y gall ei gorff ei gyflenwi. Pan fydd y cyfan o'r cyflenwad ocsigen wedi'i ddefnyddio, bydd ei gyhyrau'n dechrau resbiradu mewn modd anaerobig, sy'n cynhyrchu asid lactig. Cynnydd asid lactig yn ei gyhyrau yw'r ffactor sy'n achosi'r boen y mae'n ei theimlo a'r rheswm pam na all barhau i gau ei ddwrn.
   b) Bydd cyhyrau ei law yn derbyn mwy o waed na phan fydd ei law i fyny. Bydd hyn yn dod â mwy o ocsigen i'r celloedd cyhyrol sy'n resbiradu ac yn mynd i ffwrdd ag isgynhyrchion diwerth resbiradaeth yn fwy effeithiol. Bydd hyn yn caniatáu i'r cyhyrau gyfangu'n fwy aml cyn i grynodiad yr asid lactig gyrraedd lefel boenus.

5) Am fod burum yn cynnwys ensymau.

6) a) Resbiradaeth aerobig.
   b) Pan fydd Catrin yn dechrau rhedeg, bydd ei chyhyrau'n cyfangu'n fwy aml. Mae angen egni o resbiradaeth ar gyfer hyn. Mae angen mwy o ocsigen i ganiatáu i resbiradaeth aerobig barhau ar gyfradd uwch na phan oedd hi'n gorffwys, felly bydd ei defnydd o ocsigen yn cynyddu.
   c) Mae terfyn ar faint o aer y gellir ei gymryd i mewn drwy anadlu, ar faint o gyfnewid nwyon all ddigwydd yn yr ysgyfaint, ac ar faint o ocsigen y gall y gwaed ei gludo i'r celloedd sy'n resbiradu.
   d) Yn ystod y ras mae angen mwy o egni ar gyfer cyfangu cyhyrol nag y gall resbiradaeth aerobig yn unig ei gyflenwi, felly bydd resbiradaeth anaerobig yn digwydd. Cynnyrch resbiradaeth anaerobig yw asid lactig a bydd hwn yn cynyddu yn ei chorff.
   e) Ar ôl y ras mae angen llai o egni ar gyfer cyfangu cyhyrol. Gall yr ocsigen ychwanegol sy'n cael ei gymryd i mewn gael ei ddefnyddio i ocsidio'r asid lactig yn garbon deuocsid a dŵr. Bydd hyn yn parhau hyd nes y bydd y cwbl wedi'i ocsidio, gyda chyfradd y defnydd o ocsigen yn dychwelyd yn raddol i'r lefel normal.
   f) Ystyr y ddyled ocsigen yw cyfaint yr ocsigen sydd ei angen i ocsidio'r holl asid lactig a gynhyrchir gan resbiradaeth anaerobig. Yn dibynnu ar ffitrwydd, gall y ddyled ocsigen fod hyd at 20 litr o ocsigen (dm^3).

Tud. 34, 35:

1) a) Symbyliadau. b) Derbynyddion.
   c) Os gallwn ganfod newidiadau yn yr amgylchedd ac ymateb iddynt gallwn, er enghraifft, osgoi perygl a dal bwyd.

2) a) Cysylltu'r organau synhwyro â'r synhwyrau:

Organ synhwyro	trwyn	tafod	clustiau	llygaid	croen
Synnwyr	arogleuo	blasu	clyw/cydbwysedd	golwg	tymheredd/cyffwrdd

   b) Cysylltu'r synhwyrau â'r symbyliadau:

Symbyliad	cemegau	golau	safle	sŵn	gwasgedd	newid tymheredd
Synnwyr	arogleuo/blasu	golwg	cydbwysedd	clyw	cyffwrdd	tymheredd

   c)

Organ synhwyro	Symbyliad	Synnwyr
trwyn	cemegau	arogleuo
tafod	cemegau	blasu
llygaid	golau	golwg
clustiau	sŵn	clyw
	safle	cydbwysedd
croen	gwasgedd	cyffwrdd
	newid tymheredd	tymheredd

3) Signal trydanol sy'n mynd ar hyd ffibr nerfol i un cyfeiriad yn unig yw ysgogiad nerfol.

4) a) Gwres y gwrthrych poeth. b) Symud y bys.
   c) Cyhyr yn y fraich yw'r effeithydd.
   d)

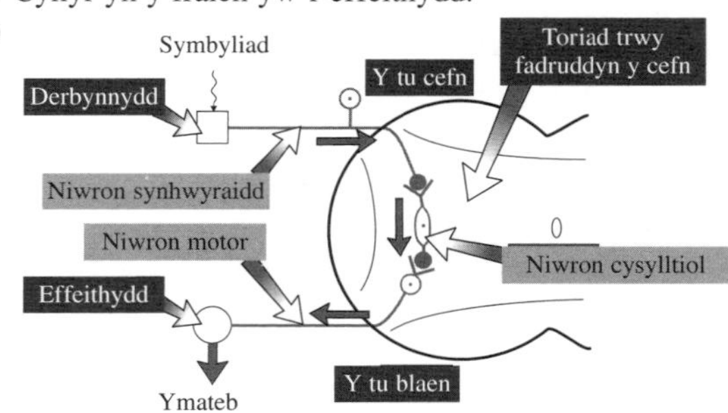

   e) Mae'r niwronau'n cysylltu'r derbynnydd â'r effeithydd.
   f) Y llwybr atgyrch cywir: symbyliad → derbynnydd → niwronau (cyd-drefnydd) → effeithydd → ymateb.
   g) Mae'r llwybr atgyrch yn dangos nad oes raid i ysgogiadau nerfol o weithred atgyrch fynd drwy'r ymennydd. Felly mae gweithredoedd atgyrch yn anrheoledig ac yn gyflymach o lawer.

5) Ergyd ar y goes → derbynnydd ymestynnedd → ysgogiad yn mynd ar hyd niwron synhwyraidd → ysgogiad yn mynd drwy niwron cysylltiol → ysgogiad yn mynd ar hyd niwron motor → cyhyr yn y goes yn cyfangu → y goes yn sythu.
   Llwch yn y llygad → derbynnydd cyffyrddiad yn yr amrant → ysgogiad yn mynd ar hyd niwron synhwyraidd → ysgogiad yn mynd drwy niwron cysylltiol → ysgogiad yn mynd ar hyd niwron motor → dagrau'n cael eu secretu gan chwarren ddagrau yn y llygad → y llygaid yn dyfrhau i gael gwared â'r llwch.

6) a) Bydd niwron synhwyraidd yn mynd ag ysgogiad nerfol o dderbynnydd i fadruddyn y cefn. Bydd niwron motor yn mynd ag ysgogiad nerfol o fadruddyn y cefn i'r effeithydd, e.e. cyhyr.
   b) Diagram B sy'n dangos niwron synhwyraidd. Mae terfyn nerf synhwyraidd ar y chwith, ac mae'r cellgorff wedi'i gysylltu â ffibr nerfol yn hytrach na bod ar un pen.
   c)

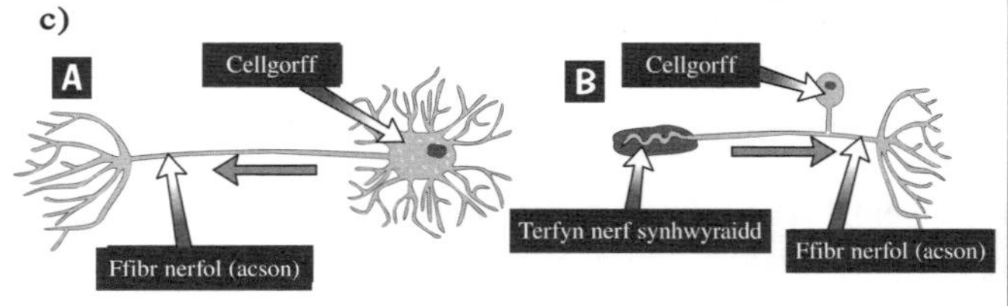

   d) Niwron motor: mae X wedi'i gysylltu ag effeithydd, megis cyhyr neu chwarren. Niwron synwyraidd: mae X wedi'i gysylltu â niwron cysylltiol.
   e) Nodweddion allweddol: Ffibrau nerfol hir (acsonau) i gysylltu rhannau pell o'r corff. Llawer o derfynau nerfau canghennog i wneud llawer o gysylltiadau â nerfau eraill neu â chyhyrau a chwarennau.

7) Mae gweithred atgyrch yn ymateb *awtomatig* i *symbyliad*. Mae'n digwydd yn *gyflym iawn* ac *nid oes gan* yr ymennydd ran yn hyn. Mae gweithredoedd atgyrch yn caniatáu i ni gyd-drefnu gweithgareddau'r corff drwy *reolaeth nerfol*.

8) a) X: yr ymennydd Y: madruddyn y cefn
   Z: nerfau/niwronau.
   b) Y brif system nerfol.
   c) Gall ysgogiadau nerfol fynd i'r ddau gyfeiriad ym madruddyn y cefn, ond cofiwch mai i un cyfeiriad yn unig y gallan nhw fynd mewn ffibrau nerfol unigol.

Bioleg Ddynol 1 Tud.35 → Tud.39

d) Swyddogaethau'r ymennydd: derbyn ysgogiadau o'r holl organau synhwyro yn y corff, anfon ysgogiadau motor i'r chwarennau a'r cyhyrau, cydberthnasu ysgogiadau o wahanol niwronau synhwyraidd, cyd-drefnu gweithgareddau yn y corff, storio gwybodaeth. Nid oes gan yr ymennydd ran mewn gweithredoedd atgyrch. Bydd y rhain yn parhau heb gynnwys yr ymennydd, ond efallai y bydd yna gysylltiad â'r ymennydd i ganiatáu i ni synhwyro ein bod, er enghraifft, wedi symud ein coes mewn ymateb i ergyd ar y penglin.

9) a) Rhwng niwronau. Mae synapsau'n caniatáu i'r ysgogiad nerfol gael ei drosglwyddo o un niwron i niwron arall.
b) Mae swigod cemegyn sy'n croesi'r synaps yn cludo'r neges dros y bwlch rhwng y ddau niwron (dydy'r ysgogiad nerfol ei hun ddim yn croesi).
c) Mae presenoldeb mitocondria yn awgrymu bod angen egni o resbiradaeth er mwyn i'r synaps weithredu.
d) Mae gan niwronau wain ynysu frasterog o'u hamgylch, felly all yr ysgogiad trydanol ddim trosglwyddo'n uniongyrchol. Mae'r angen am gemegyn i groesi'r bwlch rhwng y ddau niwron yn caniatáu rhywfaint o reolaeth wrth drawsyrru'r ysgogiad nerfol o'r naill niwron i'r llall.

Tud. 36, 37:

Label	Enw
A	gewynnau cynhaliol
B	iris
C	cornbilen
D	cannwyll
E	lens
F	cyhyrau ciliaraidd
G	retina
H	nerf optig
X	dallbwynt
Y	ffofea
Z	sglera

1) a) & **b)** Tabl cyflawn:

2) Cyhyrau ciliaraidd - tynnu'r lens ar gyfer ffocysu. Cornbilen - gadael golau i mewn i'r llygad a dechrau ffocysu. Iris - rheoli faint o olau a ddaw i mewn i'r llygad. Lens - ffocysu golau ar y retina. Nerf optig - anfon negesau i'r ymennydd. Cannwyll - gadael golau trwodd i'r lens. Retina - haen sy'n sensitif i olau - anfon signalau i'r nerf optig. Gewynnau cynhaliol - dal y lens yn ei le.

3) a) Y gyfbilen, y gornbilen, yr hylif dyfrllyd, y gannwyll, y lens a'r hylif gwydrog. Bydd golau hefyd yn symud yn rhannol drwy'r retina (bydd yr haenen goroid ddu oddi tano yn amsugno'r golau gweddillol).
b) Yr iris a'r sglera. Bydd golau hefyd yn taro ar y gewynnau cynhaliol, y cyhyrau ciliaraidd a'r dallbwynt (nerf optig â phibellau gwaed).

4) a) Y cylch du yng nghanol yr iris yw'r gannwyll.
b) Cyhyr A: cyhyrau rheiddiol. Cyhyr B: cyhyrau crwn.
c) Diagram 2 sy'n dangos y llygad mewn golau disglair. Mae hyn yn wir am fod y gannwyll yn fach iawn, gan gyfyngu ar faint o olau a ddaw i mewn i'r lens.
d) Yn niagram 1 mae'r cyhyrau crwn wedi'u llaesu ac mae'r cyhyrau rheiddiol wedi cyfangu.
e) Yn niagram 2 mae'r cyhyrau rheiddiol wedi'u llaesu ac mae'r cyhyrau crwn wedi cyfangu.
f) Mewn golau disglair bydd cyhyrau crwn yr iris yn cyfangu a bydd y cyhyrau rheiddiol yn llaesu. Bydd hyn yn gwneud diamedr y gannwyll yn llai, gan adael llai o olau trwodd i'r lens. Mewn golau pŵl bydd y cyhyrau rheiddiol yn cyfangu a bydd y cyhyrau crwn yn llaesu. Bydd diamedr y gannwyll yn cynyddu, gan adael mwy o olau i mewn.
g) Bydd y cyhyrau ciliaraidd yn tynnu'r lens i ganiatáu ffocysu. Mae'r cyhyrau allanol i'w gweld yn y diagram ond heb eu labelu. Bydd y rhain yn symud pelen y llygad yn nhwll y llygad.

5) a) Mae angen lens tenau i ffocysu'r golau o wrthrych pell. Mae angen lens trwchus i ffocysu'r golau o wrthrych agos.
b) Caiff y pelydrau golau eu plygu fwyaf yn y diagram sydd â'r lens trwchus.

6) a) Mae'r gornbilen a'r lens yn gallu newid cyfeiriad golau.
b) Mae lens y llygad yn gallu ffocysu gwrthrychau pell ac agos.

7) a) Mae'n rhaid i'r lens fod yn drwchus yma am fod yn rhaid i'r golau o wrthrych agos gael ei blygu fwy er mwyn ei ffocysu ar y retina.
b) Siâp naturiol y lens yw trwchus.
c) Pe bai'r cyhyrau ciliaraidd yn llaesu, byddai'r gewynnau cynhaliol yn cael eu tynnu ac yn mynd yn dynn. Bydd y lens yn cael ei dynnu i siâp tenau.
d) Byddai'r lens tenau yn gallu ffocysu gwrthrychau pell.
e) Diagram ffocysu golau o wrthrych pell: dylai'r golau blygu wrth ddod i mewn i'r lens ac wrth ymadael ag ef.

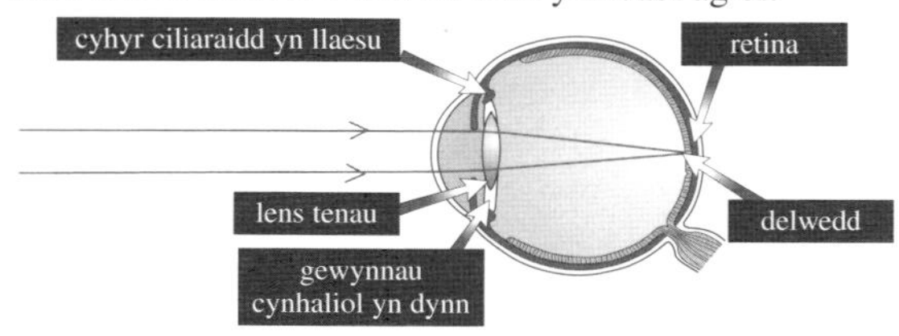

Tud. 38, 39 - Bioleg Ddynol Rhan 2:

1) cemegau, hormonau, chwarennau, llif y gwaed

2) a) pancreas **b)** glwcagon **c)** ofarïau
d) chwarren bitwidol **e)** symbylu rhyddhau'r wy

3) a) glwcos **b)** inswlin
c) yr iau, glycogen **d)** inswlin, yr iau
e) Bydd glwcagon yn cael ei gynhyrchu yn y pancreas ac yn mynd i'r iau. Bydd hyn yn achosi i'r iau droi glycogen yn ôl yn glwcos yn y gwaed, gan ddychwelyd y siwgr gwaed i'r lefel normal.

4) 1- C, 2 - D, 3 - A, 4 - E, 5 - B.

5) Mae hormonau yn gemegau sy'n cael eu gwneud a'u rhyddhau gan chwarennau a'u cludo yn llif y gwaed i effeithio ar gyrch-organau penodol. Mae chwarennau diddwythell (endocrin) yn cynhyrchu a rhyddhau hormonau. Inswlin yw'r hormon sy'n cael ei gynhyrchu gan y pancreas ac sy'n cyfarwyddo'r iau i droi glwcos sydd dros ben yn glycogen a'i storio. Glwcagon yw'r hormon sydd eto yn cael ei wneud gan y pancreas ac sy'n cyfarwyddo'r iau i wneud y gwrthwyneb - troi glycogen yn glwcos a chynyddu lefel y siwgr yn y gwaed. Mae Hormon Symbylu Ffoliglau (FSH) yn symbylu wyau i aeddfedu. Oestrogen yw hormon rhyw merched ac fe'i cynhyrchir gan yr ofarïau.

6) Mae glwcos yn siwgr syml. Gall moleciwlau glwcos uno â'i gilydd i ffurfio startsh. Cynnyrch storio glwcos yn yr iau yw glycogen. Mae'r pancreas yn organ treulio sy'n cynhyrchu ensymau ac sydd hefyd yn cynnwys y chwarren endocrin sy'n cynhyrchu inswlin a glwcagon. Yr iau yw un o'r organau pwysicaf yn y corff ond un o'i brif swyddogaethau yw troi glwcos sydd dros ben yn glycogen a'i storio. Yr ofarïau yw organau atgenhedlu y ferch sy'n cynhyrchu ofa (wyau). Y chwarren bitwidol yw'r 'brif chwarren' sy'n rheoli'r holl chwarennau eraill.

Bioleg Ddynol 2 Tud.39 → Tud.44

7) a) Gweler y diagram:

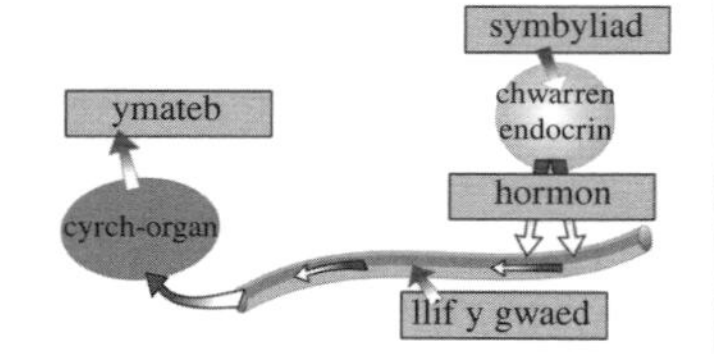

b) Cemegol (Hormonau): neges fwy araf, gweithredu am gyfnod hir, gweithredu'n fwy cyffredinol, ymateb tymor hirach. Nerfau: neges gyflym, gweithredu am gyfnod byr, gweithredu mewn rhan benodol, ymateb ar unwaith.

Tud. 40:

1) Gweler y diagram:
2) a) Inswlin, glwcagon (adrenalin).
   b) Ni all yr unigolyn sydd â'r clefyd siwgr gynhyrchu inswlin a storio glwcos sydd dros ben fel glycogen.
   c) Byddai lefel y glwcos yn uwch.
3) i) Chwistrellu inswlin.
   ii) Diet sydd heb lawer o fwyd siwgraidd na bwyd sy'n llawn carbohydrad.
4) i) Bydd yn effeithio ar gelloedd yr ymennydd - gall arwain at lewygu neu, yn fwy difrifol, coma.
   ii) Bydd glwcos yn cael ei ysgarthu gan yr aren, yn hytrach na'i storio.
5) Dim neu ddim llawer am nad oes gan yr unigolyn ddim inswlin neu ddim llawer ohono ac felly ni all droi glwcos yn glycogen, oni bai fod inswlin wedi cael ei chwistrellu.
6) a) Bydd y pancreas yn cynhyrchu inswlin sy'n achosi i'r iau newid glwcos yn glycogen ac felly yn dychwelyd lefel y glwcos yn y gwaed i'r lefel normal.
   b) Bydd y pancreas yn cynhyrchu glwcagon sy'n achosi i'r iau newid glycogen yn glwcos a'i ryddhau i'r gwaed gan ddychwelyd lefel y glwcos yn y gwaed i'r lefel normal.
7) a) Gallai cynnydd cyflym mewn gweithgaredd corfforol achosi i'r rhan fwyaf o'r glwcos gael ei ddefnyddio ar gyfer resbiradaeth, gan ostwng yn gyflym lefel y siwgr gwaed.
   b) Yna byddai'r hormon glwcagon yn cael ei gynhyrchu i ganiatáu i glycogen gael ei newid yn glwcos yn yr iau ac i lefel y glwcos yn y gwaed ddychwelyd i'r lefel normal.
8) Na, oherwydd mai protein yw inswlin a byddai'n cael ei dreulio tra byddai yn y system dreulio cyn mynd i mewn i'r gwaed.
9) Gan mai protein yw'r hormon inswlin, yr ensymau pepsin a thrypsin fyddai'n ei dreulio.
10) a) Glwcos.
   b) Ychwanegu hydoddiant Benedict at y troeth mewn tiwb profi, berwi hyn a gwylio am waddod yn ffurfio. Fel rheol, os oes siwgr yn bresennol bydd y gwaddod yn oren. Os nad yw'n bresennol ni welir newid yn y lliw.
11) *glwcagon* - hormon; *pancreas* - chwarren bwysig; *glwcos* - rhoddwr egni; *inswlin* - hormon arall; *clefyd siwgr* - clefyd; *glycogen* - cyfansoddyn storio.

Tud. 41:

1) Mislif.
2) Ofwliad.
3) a) Y gylchred fislifol.
   b) Ffrwythloni wy, neu fislif a'r gylchred yn digwydd eto.
4) 1.
5) a) progesteron, ymddatod, mislif
   b) oestrogen, fwy trwchus, pibellau gwaed, wy, ffrwythloni
   c) progesteron, leinin, groth, 28, wy, ffrwythloni
6) Oes.
7) Tua 2 wythnos (14 dydd) ar ôl dechrau'r mislif.
8) Dim ond am gyfnod byr y bydd yr wy yn fyw ac yn y lle iawn ar gyfer ei ffrwythloni.
9) Nac ydynt. Maen nhw i gyd yn bresennol mewn cyflwr anaeddfed adeg y geni ond byddan nhw'n dod yn aeddfed un ar y tro yn ystod y mislif.

Tud. 42:

1) Y gylchred fislifol.
2) Bydd leinin y groth yn mynd yn fwy trwchus a bydd cyflenwad y gwaed yn cynyddu os bydd yn rhaid iddi dderbyn wy wedi'i ffrwythloni (ofwm).
3) Fel rheol dim mwy nag un.
4) a) Ofwliad. b) Progesteron. c) Mislif.
5) *ofa* - wyau; *ofari* - organ sy'n cynhyrchu wyau a'u hormonau; *glasoed* - y newid sy'n digwydd wrth i organau rhyw y bachgen a'r ferch ddatblygu; *ofwliad* - rhyddhau wy o'r ofari; *dwythell wyau/tiwb Fallopio* - y tiwb sy'n mynd o'r ofari ac y bydd yr wy yn mynd ar ei hyd; *croth* - y prif organ rhyw lle bydd y ffoetws yn datblygu; *ceg y groth (cervix)* - yr agoriad i'r groth; *gwain* - y mynediad i organau rhyw y ferch; *mislif* - y llif misol o waed o leinin y groth; *cylchred fislifol* - y gylchred o 28 diwrnod sy'n dechrau â'r mislif.

Tud. 43, 44:

1) Chwarennau.
2) Llif y gwaed.
3) Yr ofarïau a'r chwarren bitwidol.
4) i) achosi i wyau aeddfedu ac i ofarïau gynhyrchu oestrogen
   ii) atal cynhyrchu FSH a symbylu rhyddhau LH
   iii) Hormon Lwteneiddio (LH)   iv) ofari
5) a) i) FSH ii) Oestrogen iii) LH
   b) Y chwarren bitwidol   c) Progesteron
6) Gweler y diagram:

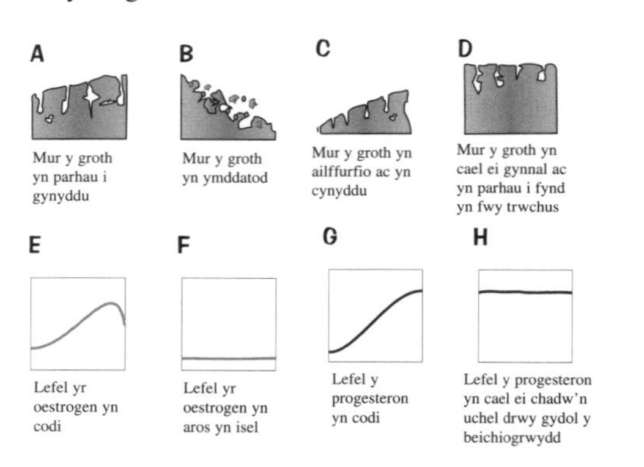

Bioleg Ddynol 2 Tud.44 → Tud.49

7) **a)** Oestrogen. **b)** Progesteron.

8) Y safle lle mae hormonau'n cael eu heffaith.

9) **Effeithiau: A** - Achosi i wyau ddatblygu a symbylu cynhyrchu oestrogen; **B** - Cynnal leinin y groth.
Hormonau: 1 - Oestrogen; **2** - LH (Hormon Lwteneiddio)

10) **a)** Progesteron ac oestrogen (neu brogesteron yn unig).
b) Byddai'n ei chynyddu.
c) Byddai datblygu a rhyddhau wyau yn cael eu hatal.
d) Byddai. Byddai lefelau'r hormonau yn dychwelyd i'r lefelau normal ar ôl cyfnod.

11) Ydy. Mae oestrogen yn atal cynhyrchu FSH fel na fydd dim wyau'n aeddfedu. Bydd lefelau FSH yn disgyn fel na chaiff mwy o oestrogen ei gynhyrchu.

12) **a)** FSH. **b)** Mae'n achosi i fwy o wyau aeddfedu.

13) **a)** Progesteron.
b) Er mwyn sicrhau cyflenwad da o waed i ddarparu'r holl bethau angenrheidiol ar gyfer datblygiad y ffoetws ac i gael gwared â'r holl isgynhyrchion diwerth.

14) Bydd cynnydd yn lefel yr oestrogen yn atal FSH rhag cael ei gynhyrchu ac yn achosi i LH gael ei gynhyrchu.

15) **a)** FSH. **b)** Oestrogen.
c) Gall sicrhau'r dogn iawn fod yn anodd (weithiau gall gormod o wyau gael eu rhyddhau), mae'r driniaeth yn ddrud a gall fod yn aflonyddol.

Tud. 45, 46:

1) **a)** Bacteria, firysau. **b)** Amodau cynnes/llaith.
c) Gallan nhw ein gwneud yn sâl (gellir enwi enghreifftiau).

2) **a)** Bacteria. **b)** Firws.

3) Gweler y tabl:

	Bacteria	Firysau
1	tua 1/1000mm	tua 1/10,000mm
2	gall gynhyrchu tocsinau	gall gynhyrchu tocsinau
3	cellfur	--------------------
4	--------------------	caen o brotein
5	cytoplasm	--------------------
6	gall atgenhedlu'n gyflym	gall atgenhedlu'n gyflym
7	yn cynnwys DNA	yn cynnwys DNA
8	cwpan llysnafedd	--------------------

4) **a)** Tryledu. **b)** Clorin.

5) Dwy o'r sefyllfaoedd hyn: cyswllt â phobl sydd wedi'u heintio, amodau aflan, croen wedi'i dorri.

6) **i)** cynnes **ii)** cyflenwad da o fwyd **iii)** llaith

7) Micro-organeb sy'n achosi clefyd.

8) Bacteria, firysau, ffyngau.

9) Ffwng.

10) Gweler y tabl:

Clefyd	Y math o ficrob (bacteria, firws, ffwng) sy'n ei achosi	Sut y caiff ei ymledu (defnynnau aer, dŵr heintiedig, halogi bwyd)
Annwyd	Firws	Defnynnau aer
Y frech goch	Firws	Defnynnau aer
Colera	Bacteriwm	Dŵr heintiedig
Polio	Firws	Defnynnau aer, dŵr heintiedig
Y pas	Firws	Defnynnau aer

11) Mae tisian yn cynnwys miloedd o ddefnynnau dŵr o'r geg a'r trwyn. Gan fod y defnynnau hyn yn cynnwys firysau, gall y firws annwyd heintio unigolyn arall.

12) Unrhyw 4 o'r canlynol: drwy ddefnynnau aer, drwy lwch, drwy archollion neu grafiadau, drwy gyffyrddiad, drwy anifeiliaid.

13) **a)** Gwres a sychder.
b) Maen nhw'n ffurfio caen amddiffynnol trwchus o'u hamgylch eu hunain (sbôr) ac yn aros ynghwsg, am gyfnod hir os oes angen. Pan fydd yr amodau'n dda eto bydd y sbôr yn agor a bydd y bacteria'n cael eu rhyddhau.

14) Bacteriol - cymryd gwrthfiotigau. Firaol - aros i'ch corff ei oresgyn. Does dim triniaeth.

15) Mae hylendid tŷ yn cynnwys glanhau a diheintio'r ystafell ymolchi a'r arwynebau gwaith (e.e. yn y gegin), cadw cig amrwd ar wahân i fwydydd eraill a choginio bwyd yn gywir.

Tud. 47:

1) Unrhyw dri o'r canlynol: croen heb ei dorri, ceulo'r gwaed i selio clwyf, celloedd gwyn (ffagocytau i amlyncu bacteria, lymffocytau i gynhyrchu gwrthgyrff), mwcws a chilia yn y pibellau anadlu, asid yn y stumog.

2) **a)** Lymffocyt. **b)** Corffilod coch y gwaed.
c) Ffagocyt.

3) Corffilyn coch y gwaed.

4) Lymffocyt.

5) Ffagocyt. Bydd gwrthgyrff yn mynd yn sownd wrth bathogen. Bydd ffagocyt yn cael ei ddenu i bathogen ac yn ei amlyncu. Caiff pathogen ei ddinistrio gan ensymau treulio.

6) **a)** Epidermis.
b) Mae'r epidermis yn gwyraidd ac yn anathraidd i ddŵr a phathogenau.
c) Bydd bwlch yn y croen, e.e. archoll, yn caniatáu i bathogenau fynd i mewn yn haws.

7) **a)** Plasma a phlatennau.
b) **i)** Bydd ceulo'r gwaed yn atal pathogenau rhag mynd i mewn.
ii) Bydd ceulo'r gwaed yn atal colli gormod o waed.

Tud. 48, 49:

1) Hydoddyddion, Tybaco ac Alcohol.

2) **a)** Cynhyrchu cyffur arall gan beth byw arall, e.e. penisilin - cyffur o ffwng Penisiliwm.
b) Caiff cemegau eu cyfuno a'u defnyddio fel cyffur i effeithio ar ymddygiad neu i helpu bod dynol.

3) **a)** Arafu'r ymennydd a gwneud i chi deimlo'n hapus.
b) Symbylyddion. **c)** Coffi, te neu gaffein.
d) Cyffur lleddfu poen/poenliniarydd.

4) Unrhyw 2 o'r canlynol: gallan nhw wneud niwed i'ch iechyd, gallan nhw amharu ar eich synhwyrau ac effeithio ar eich ymddygiad, gallan nhw arwain at orwario ar gyffuriau, gallan nhw achosi i bobl fynd yn gaeth i'r cyffur ac yn ddibynnol arno.

5) **a)** Ni all fynd heb y cyffur.
b) Symptomau poenus pan roddir y gorau i gymryd y cyffur.

Bioleg Ddynol 2 Tud.48 → Tud.52

6) a) Cemegau sy'n gallu hydoddi sylweddau.
   b) Bydd pobl yn anadlu i mewn y mygdarthau a ddaw o'r hydoddydd yn y glud.
   c) Yr iau, yr arennau, yr ymennydd a'r ysgyfaint.
   d) Yn benodol, briwiau o amgylch y llygaid a'r geg a natur bigog. Hefyd mae yna symptomau mwy difrifol fel confylsiynau a bod yn anymwybodol.

7) a) Unrhyw ddau o'r rhain: heroin, morffin ac asbrin.
   b) Bywyd personol yn dirywio, mynd yn gaeth iawn i'r cyffur a'i chael hi'n anodd rhoi'r gorau iddo, troseddu er mwyn ariannu'r arfer, risg o gael heintiau a drosglwyddir drwy rannu nodwyddau ac effeithiau eraill sy'n gysylltiedig â chyffuriau fel rhithweledigaethau.

8) a) Yn sbarduno'r corff. Lefel uchel o egni.
   b) Iselder ysbryd, llai abl i wrthsefyll clefydau.
   c) Rhithbeiriau (*hallucinogens*).
   d) Iselder ysbryd a phendro.
   e) Cyffuriau lleddfu poen.
   f) Bod yn anymwybodol, coma, a methu anadlu.

9) A - 3, B - 5, C - 1, D - 2, E - 4, F - 6.

10) a) 1 - yr iau, 2 yr arennau, 3 - yr ymennydd, 4 - yr ysgyfaint, 5 - y galon.
   b) Hydoddyddion - yr iau, yr ysgyfaint, yr ymennydd, yr arennau, y galon.
   Alcohol - yr ymennydd, yr iau.
   Tybaco - yr ysgyfaint, y galon.
   Symbylyddion - yr ymennydd, y galon.
   Tawelyddion - yr ymennydd.

11) a) Cemegol (corfforol) a seicolegol.
   b) Unrhyw beth o gur pen, twymyn a chrynu i gyfog, rhithweledigaethau ac iselder ysbryd difrifol.

12) nerfol, caffein, mwyn, cur pen, amffetaminau, rhithweledigaethau, newid personoliaeth, iselder ysbryd, rhithbair, egni, gorgynhesu, dadhydradu, heroin, troseddu, diddyfnu, gorddosio, paent, glud, ymddygiad, ysgyfaint, ymennydd, iau, arennau.

Tud. 50:

1) a) Y system nerfol.
   b) Mae'n effeithio ar ymddygiad drwy arafu'r system nerfol ac mae'n gallu rhoi mwy o hyder i'r unigolyn.

2) Yr iau a'r ymennydd.

3) a) $90cm^3$ o alcohol. Gwaith cyfrifo:
   2 fesuriad dwbl o wisgi = (2x20) 40cm^3
   3 gwydraid o win = (3x10) 30cm^3
   1 peint o gwrw = (2x10) 20cm^3
   40 + 30 + 20 = 90cm^3
   b) Byddai'r corff yn rhydd o alcohol rhwng 9pm a chanol nos gan fod angen 9 awr i'r iau brosesu $90cm^3$ o alcohol ar y raddfa $10cm^3$ yr awr.

4) Mae alcohol yn achosi i bibellau gwaed y croen ymledu ac yn caniatáu i fwy o wres gael ei golli o'r gwaed.

5) Mae alcohol yn arafu'r adweithio.

6) Yr iau.

7) Yfwr trwm iawn y mae angen llawer o alcohol arno i gadw i fynd o ddydd i ddydd.

8) Bydd alcohol yn lladd archwaeth yfwyr trwm am fwyd ac felly mae'n bosibl y byddan nhw'n dioddef o glefydau a achosir gan ddiffygion am eu bod yn bwyta ond ychydig bach o fwyd ac nad ydynt yn cael y fitaminau angenrheidiol. Hefyd bydd alcohol yn dinistrio rhai fitaminau.

9) Po fwyaf o alcohol sy'n cael ei yfed, gwaethaf i gyd fydd craffter y gyrrwr. Bydd yn adweithio'n fwy araf ac o ganlyniad bydd mwy o risg o achosi damwain.

10) Mae gan yr unigolyn mawr fwy o fàs o ddŵr yn ei gorff - bydd yr alcohol yn fwy gwanedig ac felly yn cael llai o effaith.

11) Clefyd y galon, sirosis yr iau, briwiau ar y stumog, llid yr ysgyfaint, canser y system dreulio (unrhyw dri).

12) ymlacio, straen, arafu, swil, iau, ymennydd, iselder ysbryd.

Tud. 51:

1) Nicotîn.

2) Tar a charbon monocsid.

3) Canser yr ysgyfaint.

4) Broncitis ac emffysema.

5) Bydd carbon monocsid yn cyfuno â'r haemoglobin yng nghelloedd coch y gwaed ac yn gwneud i'r gwaed gludo ocsigen yn llai effeithlon. Bydd y galon yn gweithio'n galetach i ddosbarthu digon o ocsigen i'r meinweoedd a bydd hynny'n rhoi straen ar y galon.

6) Blocio rhydwelïau, yn benodol y rhydweli goronaidd.

7) Peswch a achosir gan fwg sy'n effeithio ar leinin y pibellau aer sydd wedyn yn cynhyrchu mwy o fwcws ac yn gwneud i'r unigolyn beswch.

8) Anadlu mwg pobl eraill i mewn.

9) Unrhyw 4 o'r rhain: llidio'r trwyn, y gwddf, y frest, anawsterau anadlu, peswch, llygaid coch a diferllyd, trwyn diferllyd, cur pen, mwy o risg o ganser yr ysgyfaint.

10) Gallen nhw gael babanod bach a gwan sydd o bosibl yn dioddef o asthma.

11) Mae diagram (a) yn dangos alfeoli ysgyfant normal ac mae diagram (b) yn dangos emphysema yn yr alfeoli. Mae'r leinin ym muriau'r alfeoli yn ymddatod ac mae hynny'n lleihau'r arwynebedd arwyneb lle y gellir cyfnewid nwyon.

12) a) Bydd y tar ym mwg sigaréts yn gwneud i'r celloedd y tu mewn i'r ysgyfaint ymrannu'n fwy na'r arferol. Gallan nhw barhau i ymrannu a ffurfio lwmp, sef tyfiant - canser yr ysgyfaint.
   b) Bydd tyfiant yn datblygu yn y pibellau bronciol ac yn eu blocio, gan wneud anadlu yn boenus iawn.

13) caethiwus, caenu, ysgyfaint, bacteria, emffysema, broncitis, canser, ysgyfaint, galon, pibellau gwaed, iselder ysbryd.

Tud. 52, 53:

1) Cadw amgylchedd mewnol y corff yn gymharol gyson.

2) Hormonau.

3) a) Carbon deuocsid ac wrea.
   b) Cynhyrchir carbon deuocsid drwy resbiradaeth a'r ysgyfaint sy'n ei ysgarthu. Cynhyrchir wrea drwy dorri proteinau i lawr (dadamineiddiad) a'r arennau sy'n ei ysgarthu.

Geneteg ac Esblygiad Tud.52 → Tud.59

4) **a)** A - ymennydd; B - ysgyfaint; C - stumog; D - pancreas; E - pledren; F - arennau; G - iau; H - croen.
b) F, G a H. **c)** (Hypothalamws yr) ymennydd.

5) Faint o ïonau, siwgr a dŵr sydd yn y gwaed a thymheredd y corff.

6) **a)** Y system nerfol.
b) **i)** Bydd pibellau gwaed ger arwyneb y croen yn mwyhau (ymledu) gan wneud i waed lifo ger wyneb y croen a cholli gwres i'r amgylchoedd.
ii) Chwysu (o'r chwarennau chwys). Bydd ei anweddiad yn achosi oeri wrth i wres gael ei ddefnyddio i anweddu'r chwys.
c) Halwyn/ïonau
d) **i)** Bydd y pibellau gwaed ger arwyneb y croen yn lleihau (cyfyngu) ac yn atal gwres rhag cael ei golli.
ii) Bydd cyfradd metabolaeth yn cynyddu a bydd hyn yn cynhyrchu gwres ychwanegol. Byddwn yn crynu a achosir gan gyfangiad anrheoledig ein cyhyrau.

7) **a)** Y pancreas a'r iau.
b) Inswlin a glycogen.
c) Bydd un hormon yn atal neu'n symbylu hormon arall a all atal neu symbylu'r hormon cyntaf.
d) Os bydd lefel y siwgr gwaed yn uchel, bydd y pancreas yn cynhyrchu mwy o inswlin a bydd hynny'n dweud wrth yr iau i newid glwcos yn glycogen. Os newidir gormod o glwcos yn glycogen bydd y siwgr gwaed yn gostwng a bydd hynny'n achosi i'r pancreas beidio â chynhyrchu inswlin a dechrau cynhyrchu glwcagon. Yna bydd yr iau'n troi glycogen yn glwcos ac yn ei ryddhau i'r gwaed.

8) **a)** ADH (Hormon Gwrthdroethol).
b) Y chwarren bitwidol. **c)** Hypothalamws.
d) Yn dilyn llwybr y diagram:
i) wanedig, gormod, llai, llai, llai, mawr, gwanedig
ii) grynodedig, rhy ychydig, mwy, mwy, mwy, bach, crynodedig

9) **a)** Uwch-hidlo. **b)** Ïonau, glwcos, wrea.
c) Adamsugno. Glwcos.
d) Troeth - wrea, ïonau gwastraff, dŵr sydd dros ben.

Tud. 54:

1) **a)** Cael gwared ag wrea, addasu faint o ïonau sydd yn y gwaed ac addasu faint o ddŵr sydd yn y gwaed.
b) Cael gwared â gwastraff a gynhyrchir gan y corff.

2) **a)** A - aren; B - gwythïen arennol; C - rhydweli arennol; D - wreter; E - pledren; F - wrethra.
b) Mae'r rhydweli arennol yn cludo gwaed ocsigenedig ac mae'r wythïen arennol yn cludo gwaed diocsigenedig.

3) **a)** Neffron (tiwbynnau'r arennau).
b) Capilari gwaed.
c) a - 1, b - 7, c - 5, d - 6, e - 2, f - 3, g - 4, h - 8, i - 9, j - 10.

Tud. 55:

1) **a)** Amharhaol.
b) Tanbeidrwydd y golau/pa mor agored ydynt i'r gwynt.
c) Ffactorau genetig.

2) **a)** **i)** màs, deallusrwydd, taldra, lliw'r gwallt, ffitrwydd
ii) lliw'r llygaid.
b) **i)** pob nodwedd barhaol **ii)** lliw'r llygaid.
c) Ffitrwydd.
d) Ffitrwydd - ymarfer; Deallusrwydd - addysg; Lliw'r gwallt - golau'r haul; Taldra a Màs - diet.

3) **a)** **i)** a, c **ii)** Dyma'r unig ddau sydd â'r un noddweddion na fydd yr amgylchedd yn effeithio arnynt (rholio'r tafod, gwallt brown a llygaid brown).
b) **i)** Y gallu i gael lliw haul; lliw'r gwallt
ii) Rhyw, rholio'r tafod, lliw'r llygaid.

4) Gweler y tabl:

Nodwedd (ddynol)	Math o Amrywiadau		Amgylchedd yn effeithio arni	
	Parhaol	Amharhaol	Ydy	Nac ydy
Pwysau geni	✓		✓	
Lliw'r croen	✓		✓	
Grŵp gwaed		✓		✓
Rhychwant llaw	✓		✓	
Lliw'r llygaid		✓		✓
Haemoffilia		✓		✓

5) amharhaol, amrywiaeth, etifeddol, amgylcheddol.

Tud. 56, 57:

1) **Ar draws:** 1 - Cell Sberm; 3 - Genoteip; 4 - Ofa; 7 - Enciliol; 9 - Cell; 10 - Sygot; 12 - Gwryw; 13 - Basau.
I lawr: 1 - Clôn; 2 - Meiosis; 3 - Gamet; 5 - Alel; 6 - Heterosygaidd; 8 - Cromosom; 11 - Genyn.

2) **a)** Haploid. **b)** Ffrwythloni. **c)** 46. **d)** 112.
e) Meiosis. **f)** Mitosis. **g)** Cell ryw.

3) **a)** A ac a neu B a b. **b)** **i)** A a B **ii)** a a b.
c) Brown. Mae ganddo'r enyn trechol.

4) **a)** drechol **b)** gamet **c)** genoteip **d)** DNA
e) ddiploid **f)** mitosis **g)** homosygaidd
h) gamet **i)** clonau **j)** amrywiad

5) Hetersogyaidd → Aa
Gamet → Ofwm
Cemegyn sy'n ffurfio cromosomau → DNA
Rhan o'r DNA → Genyn

6) **a)** **i)** Gwedd **ii)** Y genynnau sy'n bresennol.
b) Y plant/y genhedlaeth gyntaf.
c) **i)** 2:2 neu 1:1 **ii)** 2:2 neu 1:1
d) TT, Tt, tt. **e)** Tal a chorblanhigyn.

7) DNA, cromatidau, sentromer, genyn, alelau, trechol, enciliol, homosygaidd, heterosygaidd.

Tud. 58, 59:

1) **a)** Cnewyllyn. **b)** 46 neu 23 pâr. **c)** DNA.

2) cnewyllyn, cromosomau, diploid, rhyw, haploid, genynnau, DNA, protein, cytoplasm, ymrannu.

3) **a)** **i)** Cnewyllyn. **ii)** Cytoplasm.

Geneteg ac Esblygiad Tud.59 → Tud.65

b) Gweler y diagram:

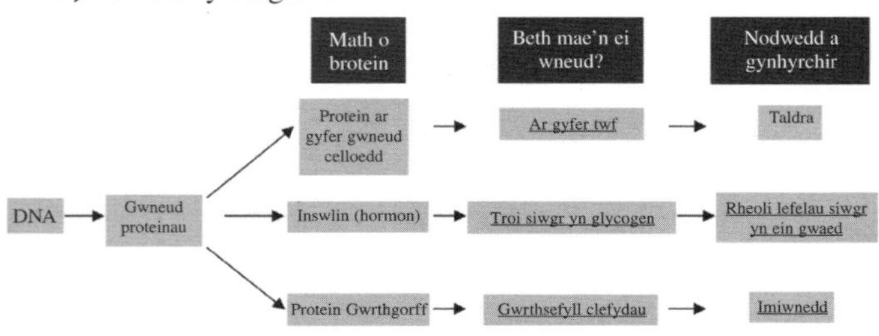

c) Bydd y nodweddion yn newid. Cynhyrchir proteinau gwahanol neu broteinau wedi'u newid.
d) Mae ganddynt enynnau/DNA gwahanol ar gyfer gwneud proteinau.

4) **a)** Mae gan y gwryw XY, mae gan y fenyw XX.
b) Mae pob cromosom yn rhan o bâr.
c) **i)** 46/23 pâr. **ii)** Cnewyllyn.
d) **i)** DNA. **ii)** Helics dwbl. **iii)** Genynnau.

Tud. 60, 61:

1) anrhywiol, union, dwy, wreiddiol, lleihaol, gametau

2) **a)** Meiosis. **b)** Mitosis. **c)** Mitosis.
d) Meiosis. **e)** Mitosis.

3) **a)** A = mitosis, B = meiosis.
b) Ym mhobman ar wahân i'r celloedd rhyw.
c) **i)** Antheri/brigerau ac ofarïau/ofwlau.
ii) Ceilliau ac ofarïau.
d) **i)** 46 **ii)** 23.

4)

Organeb	Nifer y cromosomau mewn corffgell	Nifer y parau o gromosomau	Nifer y cromosomau ym mhob gamet	Nifer haploid	Nifer diploid
Pryf Ffrwythau	8	4	4	4	8
Cangarŵ	12	6	6	6	12
Planhigyn Rhyg	20	10	10	10	20
Iâr	36	18	18	18	36
Llygoden	40	20	20	20	40
Bodau Dynol	46	23	23	23	46
Cimwch yr Afon	200	100	100	100	200

5) **Diagram A** -
1) Mae'r DNA ar led mewn llinynnau hir.
2) Bydd llinynnau unfath o DNA yn ymdorchi â'i gilydd i ffurfio cromosomau dwyfraich.
3) Bydd y cromosomau'n mynd mewn rhes ar hyd y canol, bydd ffibrau'r gell yn eu tynnu ar wahân.
4) Bydd pilenni'n ffurfio o amgylch y ddwy set o edafedd cromosomau - y rhain fydd cnewyll y ddwy epilgell.
5) Bydd yr edafedd yn dad-ddirwyn yn llinynnau hir o DNA - bydd y broses yn ailgychwyn.

Diagram B -
1) Cell atgenhedlu (yn y caill neu'r ofari) yn cynnwys 23 pâr o gromosomau.
2) Bydd dwy gell newydd yn ffurfio, gyda'r naill gell a'r llall yn cynnwys un cromosom o bob un o'r 23 pâr. Bydd y celloedd newydd yn cynnwys cymysgedd o gromosomau'r tad a'r fam, ond hanner y nifer llawn.
3) Bydd y ddwy gell newydd yn ymrannu yn debyg i fitosis gyda'r cromosomau eu hunain yn ymrannu.
4) Caiff gametau (celloedd sberm neu gelloedd wy) eu cynhyrchu.

Tud. 62, 63:

1) **a)** Gweler y diagram:

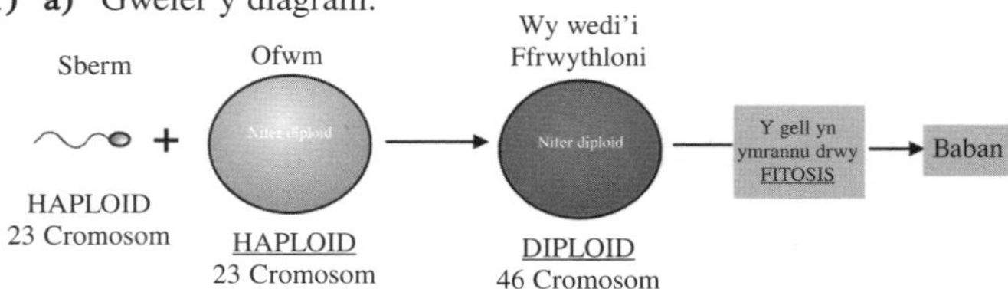

b) **i)** Y ceilliau. **ii)** Yr ofarïau.
c) Gametau. **d)** Sygot. **e)** Ffrwythloni.
f) Dwythell wyau/tiwb Fallopio.

2) **a)** Gweler y diagram:

Wy wedi'i ffrwythloni

b) **i)** Y ceilliau. **ii)** Yr ofarïau.
c) **i)** Celloedd sberm sy'n cynnwys genynnau/defnydd genetig.
ii) Celloedd wyau sy'n cynnwys genynnau/defnydd genetig.
d) **i)** Homologaidd. **ii)** 23.

3) gametau, ffrwythloni, meiosis, amrywiadau, wy, plant, sberm, ofa, ceilliau, ofarïau, cromosom, diploid.

4) *diploid* - nifer llawn o gromosomau; *ffrwythloni* - gametau'n uno â'i gilydd; *gamet* - cell ryw; *haploid* - hanner y nifer llawn o gromosomau; *ofa* - celloedd rhyw benywol; *ofarïau* - maen nhw'n cynhyrchu cell ryw fenywol/wy; *sygot* - wy wedi'i ffrwythloni.

5) gamet gwrywol - sberm; gametau'n cyfuno - ffrwythloni; cellraniad ar gyfer cynhyrchu gametau - meiosis; hanner nifer y cromosomau - haploid; cellraniad ar gyfer datblygu sygotau - mitosis; wy wedi'i ffrwythloni - sygot; cell wy - ofwm.

6) **a)** meiosis **b)** gametau **c)** homologaidd
d) haploid **e)** ofwm

Tud. 64:

1) **a)** Rhan o gromosom sy'n pennu nodwedd/cynhyrchu protein.
b) Yn naturiol yn ystod dyblygiad neu drwy gyfryngau fel pelydriad neu gemegau.
c) **i)** Oes/mae'n bosibl.
ii) Gall genyn gael ei drosglwyddo i epil.

2) cromosom, naturiol, dyblygiad, cnewyllyn, ymrannu, mwtaniadau, ïoneiddio, mwtagenau, carsinogenau, niweidiol, rhyw, mitosis, niwtral, yn fuddiol, gwrthfiotigau, genetig.

3) **a)** Gwrthiant mewn bacteria/unrhyw enghraifft addas, canser/unrhyw enghraifft addas.
b) Maen nhw'n niwtral/dydyn nhw ddim yn fuddiol nac yn niweidiol i unigolion.

Tud. 65:

1) **a)** Cewch fwy o alelau marwol wrth i chi gynyddu pelydriad ïoneiddio.
b) **i)** Mae'n eu newid.
ii) Un o ddau enyn sy'n rheoli nodwedd benodol.
c) Pelydrau X, golau uwchfioled, mwtagenau cemegol. Sgil effeithiau'r pelydr X.

Geneteg ac Esblygiad Tud.65 → Tud.69

2) a) Gweler y diagram:

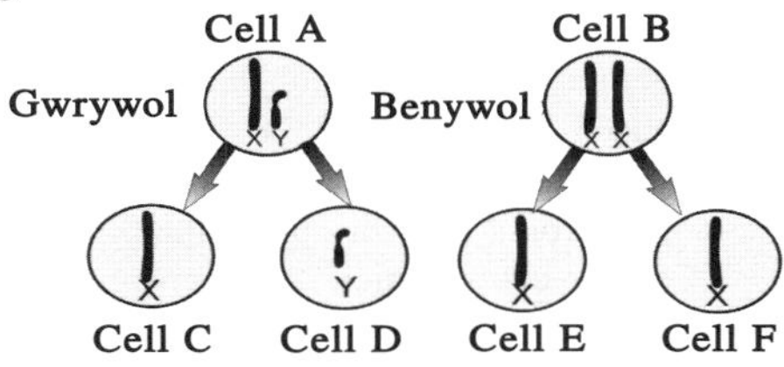

b) A yn y ceilliau, B yn yr ofarïau.
c) Gwrywol = celloedd sberm, benywol = celloedd wy.

3) a) Gweler y diagram:

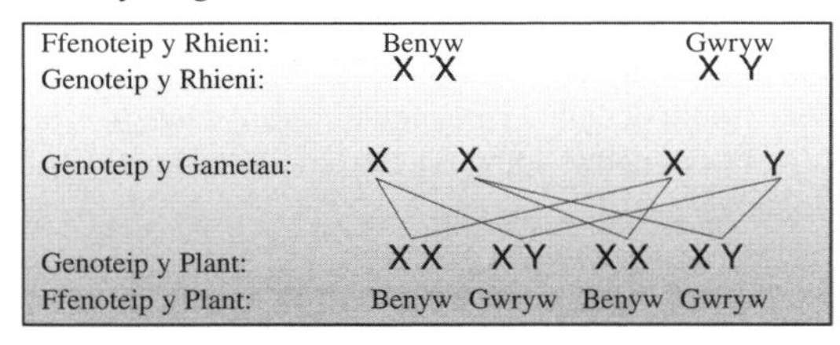

b) 50:50 / 2:2 / 1:1.
c) Nac ydy. Bob tro y bydd merch yn beichiogi mae siawns o 50:50 y caiff bachgen/merch ei (g)eni.
d) Gweler y diagram:

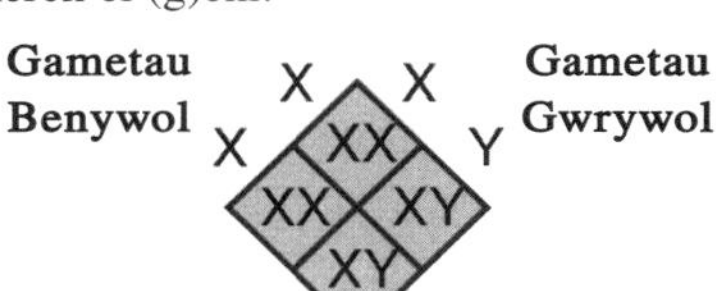

4) a) X neu Y. b) X.
c) i) Gametau'r dyn.
ii) Bydd rhyw'r plentyn yn dibynnu ar p'un ai sberm sy'n cludo X neu Y sy'n ymasu â'r wy.

Tud. 66, 67:

1) a) Mae'r ddau alel yr un fath.
b) Mae B yn enyn trechol ac mae b yn enyn enciliol.
c) Maen nhw'n pennu'r un nodwedd, h.y. lliw.
d) i) Y genhedlaeth gyntaf o epil. ii) Dau alel gwahanol.
e) i) B ii) Mae'n 'drech' nag alel enciliol neu'n ei guddio.
f) i) Y genynnau sy'n bresennol.
ii) Gwedd/nodweddion corfforol.
g) i) Gweler y diagram:
ii) Ffenoteipiau: 3 du, 1 brown.
Genoteipiau: BB, Bb, bb.
iii) 3 du : 1 brown iv) F2.

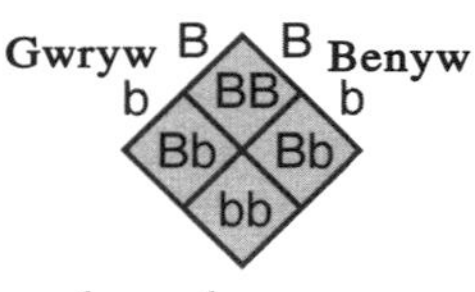

2) a) B - brown a b - glas/unrhyw ddewis synhwyrol.
b) Gweler y diagram:

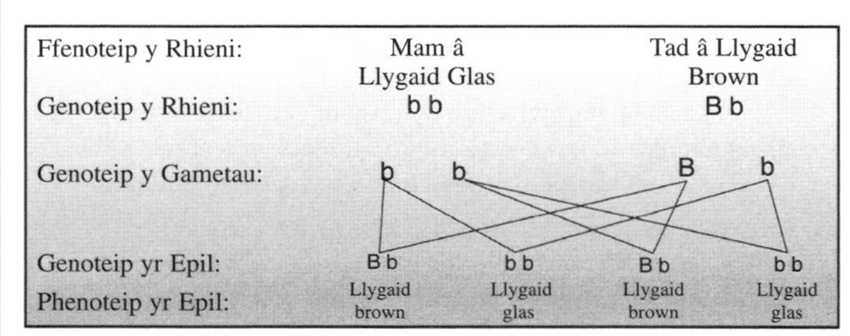

c) Y fam (bb), $^1/_2$ yr epil (bb).
d) Gall rhieni â llygaid brown gludo'r genyn ar gyfer llygaid glas, bydd plentyn â llygaid glas yn etifeddu un genyn enciliol llygaid glas oddi wrth y naill riant a'r llall.

3) monocroesryw, taldra, alelau, enciliol, homosygaidd, heterosygaidd, ffenoteip, genoteip, F1, F2.

4) a) D - tywyll, d - cochfrown/unrhyw ddewis addas.
b) i) Dd ii) dd iii) Dd a dd iv) Dd v) dd

5) a) i) Gwryw. ii) Un nad yw'n blasu.
b) i) T a t/unrhyw lythrennau addas. ii) tt iii) Un nad yw'n blasu - mae'n rhaid bod ganddo 2 alel enciliol.
c) i) Tt. ii) Mae'n un sy'n blasu ond mae'n trosglwyddo genyn ar gyfer methu blasu.
d) Pob un nad yw'n blasu (blychau a chylchoedd gwyn).
ii) 4, 11, 15, 16 neu 17
e) Gweler y diagramau ar gyfer y ddau achos:

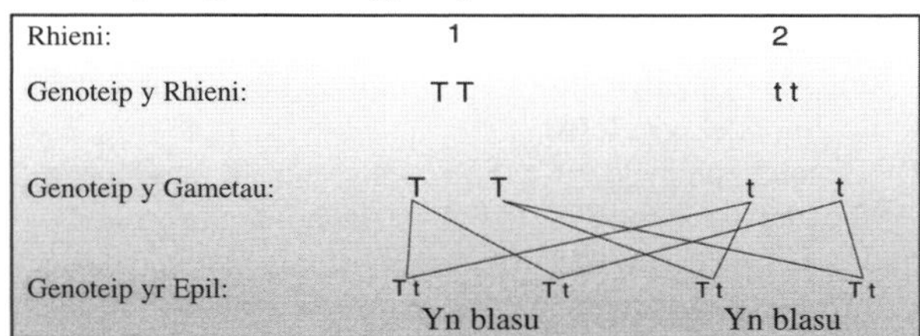

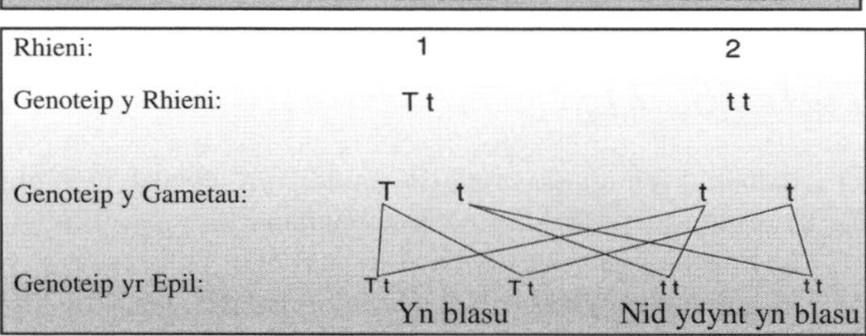

6) a) i) TT (tal) tt (corblanhigyn). ii) Tt.
b) i) 1TT : 2Tt : 1tt ii) 3 tal : 1 corblanhigyn.
iii) corblanhigyn (tt) un o'r epil (TT). iv) Y ddau riant (Tt) a dau o'r epil (Tt).
c) Unrhyw rai o'r canlynol: lliw'r blodau, gwedd yr had, siâp y goden, safle'r blodau, lliw yr hadgroen, siâp yr had neu ateb addas arall.

Tud. 68, 69:

1) genetig, enciliol, cellbilenni, mwcws, ysgyfaint, treulio, alel, cludo.

2) cludydd - Cc; normal - CC; dioddefwr - cc.

3) a) i) Y ddau riant, dau blentyn (Cc). ii) 1 o'r 4 plentyn (cc).
iii) 2 o'r 4 plentyn (CC a cc). iv) Y rhieni a 2 o'r 4 plentyn (Cc).
b) Maen nhw'n cludo'r alelau enciliol ond dydyn nhw ddim yn ddioddefwyr.
c) Gweler y diagram:

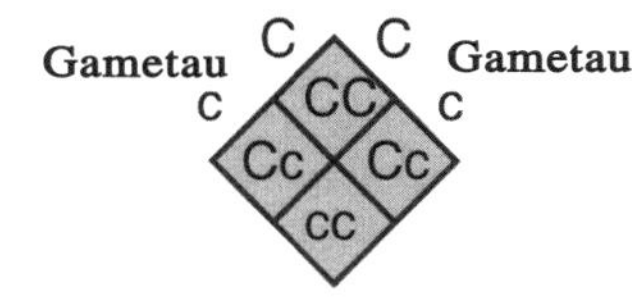

4) a) Clefyd _etifeddol_ yw ffibrosis y bledren.
b) Achosir ffibrosis y bledren gan alel _enciliol_.
c) Gall plant etifeddu'r clefyd ffibrosis y bledren pan fydd gan _y ddau_ riant yr alel enciliol.
d) Mae gan ddioddefwyr ffibrosis y bledren broblemau anadlu oherwydd eu bod yn _cynhyrchu gormod o fwcws_.
e) Mae'r alel ar gyfer ffibrosis y bledren i'w gael mewn _dynion a merched i'r un graddau_.

Geneteg ac Esblygiad Tud.69 → Tud.74

5) **a)** Y tad = Cc, y fam = CC. **b)** Na.
c) **i)** Na. **ii)** Bydd gan bob un siawns o 50% o gludo'r clefyd.
d) 50%. **e)** 50%.
f) **i)** Na. **ii)** Gallai fod ganddo'r un genoteip p'un ai oedd un rhiant yn gludydd neu'r ddau.

6) **a)**

Ffenoteip y Rhieni: ♀ Cludydd ♂ Cludydd
Genoteip y Rhieni: C c C c
Genoteip y Gametau: C c C c
Genoteip yr Epil: CC Cc Cc cc
1 ym mhob 4

b) Na.
c) Mae ganddyn nhw alel enciliol ond dydyn nhw ddim yn dioddef o'r clefyd.

7) Genoteip cludydd = Cc; Fe'i cynhyrchir yn ysgyfaint dioddefwyr = mwcws; Y cyflwr trechol homosygaidd normal = CC; Ag alel ffibrosis y bledren ond heb ddrwg effeithiau = cludydd, Cc; Un siawns ym mhob 4 o'r plentyn yn cael y genoteip hwn o ddau riant sy'n gludyddion = CC, cc.

Tud. 70, 71:

1) coch, enciliol, cludo, malaria, amddiffyn, gwaed, alel, ocsigen.

2) **a)** Gan fod cludyddion yr alel cryman-gell yn fwy imiwn i falaria, bydd mwy o bobl â'r alel hwn yn goroesi mewn ardaloedd sydd wedi'u heintio â malaria. Felly bydd dosbarthiad yr alel yn uchel yn yr ardaloedd hyn.
b) **i)** Maen nhw wedi'u hamddiffyn rhag malaria.
ii) Gallai eu hepil ddatblygu'r clefyd.

3) **a)** Gweler y diagram:

Ffenoteip y Rhieni: ♂ Cludydd ♀ Cludydd
Genoteip y Rhieni: Ss Ss
Genoteip y Gametau: S s S s
Genoteip yr Epil: SS Ss Ss ss
Ffenoteip yr Epil: Normal Cludydd Cludydd Dioddefwr

b) **i)** 1 ym mhob 4 (25%).
ii) Fe gân nhw eu hamddifadu o ocsigen (am fod celloedd coch yn mynd yn sownd yn eu capilarïau).
c) **i)** Diffyg haearn/haemoglobin yn y gwaed.
ii) Amddiffyn rhag malaria.

4) trechol, un, alel, nerfol, clefyd, meddyliol.

5) **a)** 1 ym mhob 2 (50%).
b) **i)** Does ganddyn nhw ddim cludyddion - fel rheol bydd y clefyd yn ymddangos adeg plentyndod. **ii)** Dydy'r symptomau ddim yn ymddangos tan ar ôl 40 oed pan fydd dioddefwr eisoes wedi cael plant.

6) Rhyngfridio mewn cymuned fach/â pherthnasau agos.

7) **a)** Gweler y diagram:
b) 1 ym mhob 2 (50%).

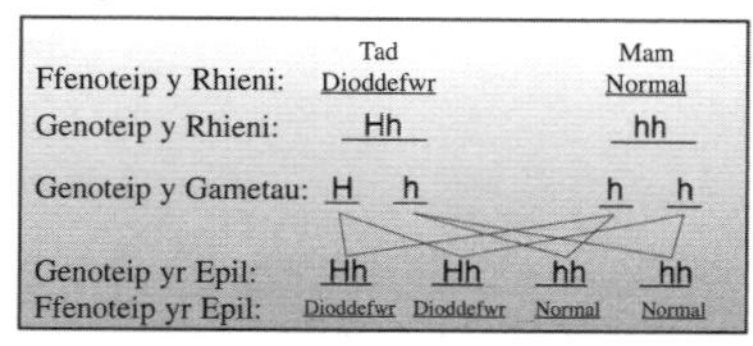

Tud. 72:

1) pobl, amrywiaethau, nodweddion, bridio, detholus, llaeth, clustiau, lliwiau, alelau, amrywiaeth.

2) **a)** Clustiau pigfain, cynffon hir, blew hir, clustiau sy'n sefyll i fyny, trwyn pigfain, ayb.
b) Mae ganddynt fwy o amrywiaeth o alelau - ni chawsant eu dethol at ddibenion aesthetig sy'n aberthu iechyd.
c) Ci baset: cefn hir - problemau'r cefn, clustiau llipa - cael heintiau dan y clustiau. *Bedlington*: clustiau llipa - cael heintiau dan y clustiau. Daeargi tarw: cluniau cul - ni all roi genedigaeth yn hawdd, trwyn gwastad - problemau anadlu. *Shar-pei*: croen plyg - cael heintiau dan y croen, amrannau sy'n troi at i mewn - problemau gweld. Mae enghreifftiau eraill yn dderbyniol.
d) Byddai'r brid yn darfod yn y pen draw.

3) **a)** Y term am y broses lle mae pobl yn bridio anifeiliaid sydd â'r nodweddion gorau yw dethol *artiffisial*.
b) Bydd bridio detholus yn *lleihau* nifer yr alelau mewn poblogaeth.
c) Yn aml bydd ffermwyr yn bridio'n ddetholus er mwyn *cynyddu* cynnyrch bwyd.
d) Mae bridio detholus yn cynnwys atgenhedlu *rhywiol*.
e) Mae bridio nodweddion fel clustiau llipa i mewn i gŵn yn *anfanteisiol* i'r ci.

Tud. 73, 74:

1) **a)** Anrhywiol.
b) **i)** Mae ganddynt yr un genynnau / neu ateb tebyg. **ii)** Clonau.
c) **i)** Tyfu'n gyflym / Angen llai o le / Gallu tyfu drwy gydol y flwyddyn / Planhigion newydd yn rhydd o glefyd / Yr un gofynion sydd gan bob planhigyn / Yn haws eu cynaeafu.
ii) Lleihau'r cyfanswm genynnol / Yn agored i glefydau.
d) Toriadau.

2) **a)** Anrhywiol. **b)** Maen nhw'n unfath.
c) Maen nhw'n wahanol.
d) **i)** Cynhyrchir planhigion newydd yn gyflym, maen nhw'r un fath â'r planhigyn gwreiddiol.
ii) Llai o amrywiaeth, lleihau'r cyfanswm genynnol.

3) **a)** Bydd planhigion a gynhyrchwyd o doriadau yn tyfu'n blanhigion newydd drwy gellraniad *mitotig*.
b) Mae meithriniadau meinwe yn ffordd ddefnyddiol o gynhyrchu nifer mawr o blanhigion *unfath* o nifer bach o gelloedd.
c) Cynhyrchir planhigion genetig unfath drwy atgenhedlu *anrhywiol*.
d) Bydd tyfu planhigion o feithriniadau meinwe yn *lleihau* y cyfanswm genynnol.
e) Defnyddir technegau clonio hefyd wrth gynhyrchu anifeiliaid unfath drwy hollti celloedd embryo *cyn* iddynt arbenigo.

4) genetig, anrhywiol, mitosis, toriadau, meinwe, unfath, celloedd, hollti, embryo, naturiol.

5) **a)** Mitosis. **b)** Oherwydd eu bod yn enetig unfath.
c) **i)** Cyflym, yn unfath â'r rhiant.
ii) Lleihau amrywiaeth/y cyfanswm genynnol.
d) **i)** Clonio.
ii) Gall gynhyrchu yn fuan epil â'r un gwlân yn union.

6) cellraniad sy'n cynhyrchu celloedd unfath - mitosis
unigolion genetig unfath - clonau
atgenhedlu sy'n cynhyrchu amrywiadau mewn planhigion - rhywiol
atgenhedlu sy'n cynhyrchu planhigion unfath - anrhywiol
cellraniad sy'n cynhyrchu amrywiadau mewn epilgelloedd - meiosis

Yr Amgylchedd Tud.75 → Tud.79

Tud. 75:

1) **a)** Gwahanol haenau o graig yn agored/creigiau'n cael eu torri ar agor.
b) Buon nhw dan y moroedd ar un adeg.
c) Mae'n fwy tebygol y caiff anifeiliaid eu gorchuddio â thywod/llaid dan y môr: dirywio'n araf dan yr amodau hyn.
d) Mae'r rhannau meddal yn dirywio'n hawdd/dydy'r rhannau caled ddim yn dirywio'n hawdd.

2) **a)** 1 - môr; 2 - thywod; 3 - mwynau; 4 - graig.
b) **i)** Mae'n dirywio'n gyflym.
ii) Mae'n dirywio'n araf, mae mwynau'n cymryd lle rhannau'r corff.
c) Anaerobig/oer/sych/asidig (amodau sy'n atal dirywio).
d) Ocsigen.

3) **a)** Roedd yr amodau ar gyfer dirywio yn absennol/dim digon o ocsigen.
b) Gallwn weld cylchoedd blynyddol/ffurfiadau planhigion/neu ffurfiadau wedi'u henwi, e.e. sylem.

4) **a)** Er mwyn i bydru ddigwydd, mae angen ocsigen.
b) Fe geir y rhan fwyaf o ffosiliau o rannau caled anifeiliaid am eu bod yn pydru'n araf.
c) Mae'r ffosileiddio gorau yn digwydd dan y môr.
d) Po isaf mewn dilyniant creigiau y caiff ffosil ei ddarganfod, lle nad ydy'r dilyniant wedi symud o gwbl, hynaf i gyd yw'r ffosil.

Tud. 76:

1) newid, Darwin, dirywio, addasiadau, amgylchedd, organebau, bwyd, ymdrech, cymhwysaf, nodweddion, natur, goroesiad, naturiol, esblygiad.

2) Roedd gan bob jiraff wddf byr. Achosodd mwtaniad i rai jiraffod gael gyddfau hirach na'i gilydd. Roedd gan boblogaeth y jiraffod unigolion â gyddfau o hydoedd gwahanol. Achosodd dethol naturiol i'r epil oedd â gyddfau hirach oroesi. Dim ond jiraffod â gyddfau hir oroesodd y gystadleuaeth am fwyd.

3) **a)** Pysgod.
b) Nifer yr ymlusgiaid yn y diagram yn dirywio 60 miliwn o flynyddoedd yn ôl.
c) Mamolion.
d) Maen nhw'n dangos newidiadau a datblygiad organebau dros filiynau o flynyddoedd.
e) Mae ffosileiddio'n brin/ni chafwyd ffosileiddio.

Tud. 77:

1) amrywiadau, rhywogaeth, clefydau, marw, amgylchedd, epil, naturiol, alelau, ffafriol, goroesi.

2) **a)** **i)** Mwtaniad. **ii)** Ysglyfaethu/faint o fwyd/clefydau.
b) Roedd y gwyfynod du wedi'u cuddliwio rhag eu hysglyfaethwyr a chawson nhw ddim eu bwyta gymaint.
c) Mewn ardaloedd llygredig/diwydiannol, mae gwyfynod du yn goroesi. Mewn ardaloedd glanach (Yr Alban a De-orllewin Lloegr) mae gwyfynod golau yn goroesi.
d) Gall fridio gyda gwyfyn golau a chynhyrchu rhai ifanc ffrwythlon.
e) Dethol naturiol.

3) **a)** cynyddu **b)** leihau
c) fwyaf addas ar gyfer eu hamgylchedd.
d) hepil **e)** esblygiad **f)** fwtaniad

Tud. 78, 79 - Yr Amgylchedd:

1) **a)** Nifer y coed hyn yn y goedwig, sef 12. **b)** Y goedwig.
c) Ystyr poblogaeth yw nifer yr unigolion o rywogaeth benodol. Ystyr cynefin yw man sydd ag amodau arbennig lle mae organebau penodol yn byw. Ystyr amgylchedd yw yr amodau y mae organeb yn byw ynddynt.

2) Mae'r llyffant gwiail wedi bod yn llwyddiannus am nad oes ganddo ysglyfaethwyr naturiol. Mae'r anifeiliaid brodorol sydd yn ceisio ei fwyta yn cael eu gwenwyno ac yn marw. All y brogaod brodorol ddim bridio lle mae'r llyffant gwiail yn bridio. Gall gynhyrchu llawer o wyau mewn un tymor.

3) **a)** Yn 1940 roedd y wiwer goch i'w gweld dros y rhan fwyaf o Brydain. Roedd yn cydfodoli â'r wiwer lwyd yng Nghanolbarth Lloegr, yng Ngogledd-ddwyrain Lloegr, yn Ne-ddwyrain Lloegr ac yng Nghanolbarth Yr Alban. Dim ond yn y rhan ganol o Dde Lloegr yr oedd y wiwer lwyd yn bodoli ar ei phen ei hun. Yn 1990 y wiwer lwyd oedd yr unig wiwer yn y rhan fwyaf o Loegr a hefyd yng Nghanolbarth Yr Alban. Dim ond mewn rhannau o Gymru a'r Alban y gellid gweld y wiwer goch o hyd, ond hyd yn oed yn Yr Alban roedd ei chynefin yn llai nag y bu yn 1940.
b) Mae'n ymddangos bod gan y wiwer lwyd fantais gystadleuol ar y wiwer goch. Un rheswm posibl yw bod gan y wiwer lwyd ddiet mwy amrywiol na'r wiwer goch. Efallai bod gwahaniaethau yn llwyddiant atgenhedlu rhwng y ddwy wiwer. Gan fod cynefin y wiwer goch yn Yr Alban wedi lleihau (ac mewn mannau eraill, er na welir hynny ar y map) hyd yn oed lle nad oedd gwiwer lwyd, mae'n bosibl bod rhyw ffactor arall yn effeithio ar wiwerod coch a bod gwiwerod llwyd yn gwneud dim mwy na mudo i gynefinoedd a adawyd gan y gwiwerod coch.

4) **a)** Anifeiliaid sy'n lladd a bwyta anifeiliaid eraill yw ysglyfaethwyr. Yr anifeiliaid sy'n cael eu bwyta gan ysglyfaethwyr yw'r ysglyfaethau. Enghraifft bosibl yw llwynogod yn bwyta cwningod, ayb.
b) Mae niferoedd yr ysglyfaethwyr a'r ysglyfaeth yn mynd i fyny ac i lawr yn rheolaidd. Bydd nifer yr ysglyfaethwyr yn cynyddu ar ôl i nifer yr ysglyfaeth gynyddu, a bydd yn gostwng ar ôl i nifer yr ysglyfaeth leihau. Y rheswm yw y cyfyngir ar boblogaeth fel rheol gan faint o fwyd sydd ar gael. Os bydd poblogaeth yr ysglyfaeth yn cynyddu, bydd mwy o fwyd ar gael ar gyfer ei ysglyfaethwyr ac felly gall eu poblogaeth nhw gynyddu. Wrth i boblogaeth yr ysglyfaethwyr gynyddu, byddan nhw'n bwyta mwy o'r ysglyfaeth ac felly bydd poblogaeth yr ysglyfaeth yn lleihau. O ganlyniad bydd llai o fwyd ar gael ar gyfer yr ysglyfaethwyr a bydd eu poblogaeth nhw yn lleihau eto. Gan fod llai o ysglyfaethwyr erbyn hynny, bydd poblogaeth yr ysglyfaeth yn cynyddu eto.

5) **a)** Mae'n ymddangos bod y ffordd wedi lleihau yn sylweddol nifer y llygod yn y goedwig. Mae'r ffordd wedi torri ardal yr astudiaeth yn ddwy. Felly bydd hi'n anodd cymharu canlyniadau'r blynyddoedd diweddarach â chanlyniadau'r blynyddoedd cynharach, gan fod maint y goedwig wedi'i leihau. Mae'n bosibl bod cynefinoedd newydd wedi'u creu o ganlyniad, a bod hen gynefinoedd wedi'u dinistrio.
b) Rhesymau posibl: mwy o ysglyfaethu gan anifeiliaid eraill, e.e. tylluanod, llai o fwyd ar gael, mwy o gystadleuaeth gan rywogaethau eraill am y bwyd sydd ar gael neu am le, efallai y cafwyd gaeaf caled iawn rhwng blynyddoedd 4 a 5, efallai bod llygod wedi mudo o'r goedwig, clefyd newydd.

Yr Amgylchedd Tud.79 → Tud.83

c) Rhesymau posibl: llai o ysglyfaethu gan anifeiliaid eraill, e.e. tylluanod, mwy o fwyd ar gael, llai o gystadleuaeth gan rywogaethau eraill am y bwyd sydd ar gael neu am le, efallai y cafwyd gaeaf mwyn iawn rhwng blynyddoedd 6 a 7, efallai bod llygod eraill wedi mudo i'r goedwig o fannau eraill.

6) Tabl posibl:

Ffactor	Enghreifftiau
Cystadlu am ddŵr	Chwyn a gwenith
Cystadlu am olau	Coed a gwair
Cystadlu am faetholynnau	Sycamorwydd a derw
Cystadlu am fwyd	Aderyn du a bronfraith
Cystadlu am le	Chwyn a moron
Ysglyfaethu	Tylluanod yn bwyta llygod
Pori	Gwartheg yn bwyta gwair
Faint o fwyd sydd ar gael	Llygod i dylluanod eu bwyta
Clefydau	Mycsomatosis mewn cwningod

Tud. 80, 81:

1) a) Mae'r tymereddau'n uchel iawn ar gyfartaledd, yn enwedig ym misoedd Mehefin, Gorffennaf ac Awst. Ychydig iawn o law sydd yn y flwyddyn, gyda'r rhan fwyaf yn disgyn ym mis Mai, felly am y rhan fwyaf o'r flwyddyn mae'n debygol mai ychydig iawn o ddŵr fydd ar gael. Mae eithafion o ran tymheredd yn ystod y dydd, o oer iawn yn y nos i boeth iawn yn ystod y dydd.

b) Mae'r tywod, y creigiau a'r graean yn ei gwneud hi'n anodd i blanhigion wreiddio. Bydd glaw yn debygol o socian ymaith neu anweddu yn gyflym, felly ychydig o ddŵr fydd yno ac eithrio pan ddaw glaw. Gall fod yn anodd symud dros y tywod. Os na fydd planhigion ac anifeiliaid yn addasu byddan nhw'n marw.

2) Mae ei symudiadau'n ei helpu i gadw'n oerach drwy gadw rhan o'i chorff oddi ar y tywod poeth. Bydd rhannau gwahanol o'r corff yn cyffwrdd â'r tywod ar adegau gwahanol wrth iddi symud. Mae hefyd yn caniatáu i'r neidr gael gafael yn y tywod.

3) Mae'r tyllau'n debygol o fod yn glaear yn ystod y dydd, gan ganiatáu i'r anifeiliaid ddod allan yn y nos pan fydd hi'n oerach ar yr arwyneb. Bydd ysglyfaethau wedi'u cuddio rhag ysglyfaethwyr (a bydd ysglyfaethwyr wedi'u cuddio rhag eu hysglyfaeth). Gan ei bod hi'n oerach dan y ddaear, efallai y gall yr anifeiliaid gadw lleithder. Fodd bynnag, mae'n annhebyg y bydd bwyd yn y twll, a bydd yn rhaid i'r anifeiliaid chwilota yn y nos. Gall fod yn anodd cael hyd i fwyd yn y tywyllwch ac efallai y bydd ysglyfaethwyr yn hela bryd hynny hefyd.

4) a) Gallan nhw storio llawer iawn o ddŵr, ychydig iawn o droeth neu chwys gan eu bod yn gallu goddef newidiadau mawr yn nhymheredd y corff, traed mawr i ledu eu pwysau ar y tywod meddal, arwynebedd arwyneb mawr gyda'r holl fraster wedi'i storio yn y crwb i'w helpu i golli gwres o'r corff, lliw tywod yn guddliw.

b) Mae'r blew yn ynysu'r camel rhag ennill gwres a cholli dŵr.

c) Gan nad oes angen cadw tymheredd cyson, gallan nhw arbed dŵr a fyddai wedi cael ei golli drwy chwysu i oeri.

5) a) Mae'r planhigion yn gallu parhau eu rhywogaeth heb geisio tyfu pan nad oes digon o ddŵr.

b) Gallant gyrraedd mannau lle gall fod dŵr/mwynau, ayb.

c) Gall y gwreiddiau amsugno dŵr arwyneb, e.e. os bydd glaw ysgafn neu wlith y bore cynnar.

d) Gall planhigion barhau i fyw pan nad oes dŵr daear.

e) Mae dail yn ffynhonnell bosibl o golli dŵr drwy drydarthu, ac felly gellir cadw dŵr yn y modd hwn.

f) Gall dŵr gael ei golli drwy anweddiad drwy stomata. Caiff hyn ei leihau drwy agor y stomata yn y nos yn unig pan fydd hi'n oerach.

g) Mae'r drain yn atal anifeiliaid sy'n pori rhag bwyta'r planhigion neu gael y dŵr sydd wedi'i storio ganddynt.

6) a) Mae yna eithafion tymheredd; gall fod yn go dwym yn yr haf, ond mae'r tymheredd islaw'r rhewbwynt am y rhan fwyaf o'r flwyddyn. Gall fod gwyntoedd cryf, yn gwneud iddi deimlo'n oerach o lawer. Go brin yw'r glawiad, gyda'r rhan fwyaf yn disgyn yn yr haf, felly mae'n go sych.

b) Bydd y planhigion yn tyfu'n agos iawn at y ddaear er mwyn gwrthsefyll y gwyntoedd cryf. Bydd eu dail bach yn lleihau'r colli dŵr.

c) Bydd yr oerfel yn broblem fawr yn yr Arctig a gellir disgwyl addasiadau fel ffwr a llawer o fraster. Efallai hefyd y bydd anifeiliaid yn byw mewn tyllau i ddianc rhag yr oerfel a'r gwyntoedd cryf. Gallai anifeiliaid sy'n pori ei chael hi'n anodd cael hyd i fwyd os ydy'r planhigion yn tyfu'n agos iawn at y ddaear a bod ganddynt ddail bach.

7) Mae lemingiaid yn fach, felly byddan nhw'n colli gwres yn gyflym. Mae ganddynt ffwr ac maent yn byw mewn tyllau er mwyn lleihau'r gwres a gollir (bydd eu cyrff crwn yn cadw cymhareb arwynebedd eu harwyneb i'w cyfaint i lawr). Mae eu clustiau'n fach ac wedi'u cuddio gan ffwr a bydd hynny eto yn lleihau'r gwres a gollir. Mae eu ffwr brown golau yn guddliw yn y twndra. Gallan nhw guddio rhag ysglygaethwyr yn eu tyllau.

8) a) Maen nhw'n rhy fawr i fyw mewn tyllau, ond hefyd am eu bod yn fawr bydd cymhareb arwynebedd eu harwyneb i'w cyfaint yn fach. Fyddan nhw ddim yn colli gwres mor gyflym ag anifeiliaid llai a does dim angen cuddio rhag ysglyfaethwyr (felly does dim angen tyllu).

b) Mae eirth gwyn wedi'u cuddliwio yn yr eira a'r iâ. Bydd eu maint mawr, eu ffwr a haenau trwchus o floneg yn lleihau'r gwres a gollir. Mae gan walrysod hefyd haneau trwchus o floneg i leihau'r gwres a gollir. Bydd eu croen gwydn yn eu hamddiffyn rhag ysgithredd wrth ymladd.

9) Ar gyfer cuddliwio - gwyn yn erbyn yr eira yn y gaeaf, a brown yn erbyn y ddaear a'r llystyfiant yn yr haf.

10) Gall gwres gael ei golli o'r pibellau gwaed yn y clustiau drwy belydriad. Mae clustiau mawr yn gweithredu fel pelydrydd ac yn caniatáu i gadno'r diffeithdir golli gwres ychwanegol yn gyflym. Bydd clustiau bach yn lleihau'r gwres a gollir gan gadno'r Arctig.

Tud. 82, 83:

1) a)

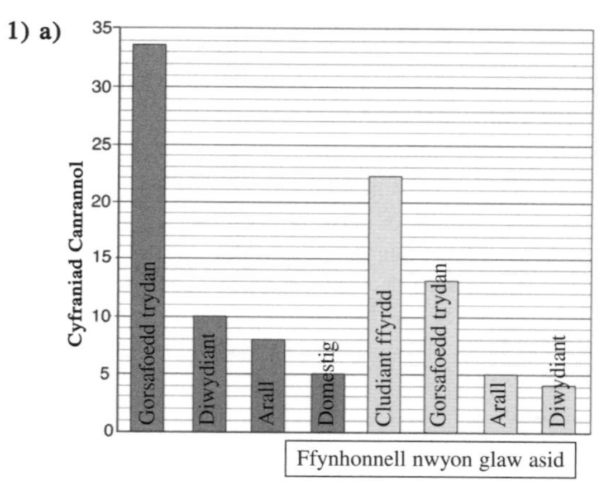

b) Gorsafoedd trydan (34%).

c) Cludiant ffyrdd (22%).

d) Gorsafoedd trydan (47%).

Yr Amgylchedd Tud.83 → Tud.86

2) a) Ocsidau nitrogen, ocsidau sylffwr a charbon deuocsid.
   b) Asid nitrig, asid sylffwrig ac asid carbonig.

3) a) Mae'r glaw asid yn cael ei chwythu i wledydd Llychlyn o Brydain gan y gwynt.
   b) Yn Yr Almaen, lle mae'r rhan fwyaf o lygredd glaw asid, mae llawer o ddifrod i goed. Mewn gwledydd sydd â llai o lygredd glaw asid mae llai o ddifrod i goed, e.e. gwledydd Llychlyn. Lle mae'r lleiaf o lygredd glaw asid, dim ond ychydig o ddifrod sydd, e.e. Sbaen a Phortiwgal. Mae gan Brydain lawer o ddifrod er nad oes ganddi'r lefelau uchaf o law asid (caiff llawer o lygredd ei chwythu tua'r dwyrain gan y prifwynt).

4) a) O golli rhai o'i dail, bydd yn colli peth o'i gallu i ffotosyntheseiddio ac efallai yn tyfu'n araf neu'n marw.
   b) Mae glaw asid yn achosi i alwminiwm hydoddi. Pan fydd mewn hydoddiant, caiff yr alwminiwm ei amsugno gan wreiddiau'r goeden ac felly bydd yn gwenwyno'r goeden.
   c) Caiff magnesiwm ei olchi allan o'r pridd, felly bydd llai ar gael i'r goeden. Felly caiff llai o gloroffyl ei wneud ac ni all y goeden ffotosyntheseiddio cystal. Efallai y bydd yn tyfu'n araf neu'n marw, a bydd ei dail yn edrych yn felyn.
   d) Fydd y coed ddim yn gallu cael digon o ddŵr a mwynau i dyfu'n iawn. Byddan nhw'n fwy tebygol o gwympo mewn gwyntoedd cryf.
   e) Diagram enghreifftiol:

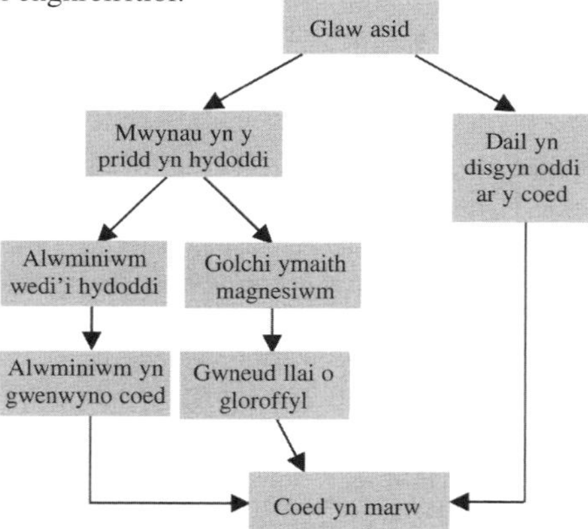

5) a) Caiff planhigion dŵr eu gwenwyno gan yr alwminiwm a byddan nhw'n colli dail o ganlyniad i'r asid.
   b) Bydd y cramenogion a'r anifeiliaid sy'n dibynnu arnyn nhw am fwyd, yn uniongyrchol neu'n anuniongyrchol, yn marw.
   c) Fydd y pysgod ddim yn gallu cael digon o ocsigen ac felly byddan nhw'n marw.
   d) Mae'r pysgod yn cynnwys lefelau uchel o fercwri ac alwminiwm a olchwyd i mewn o'r pridd ac a amsugnwyd o'r dŵr.

6) Angen atgyweirio adeiladau a cherbydau sydd wedi'u rhydu/ angen atgyweirio adeiladau sydd wedi'u difrodi/difrodi cnydau/ colli coedwigoedd ar gyfer pren/colli pysgod ar gyfer bwyd.

7) a) Mae angen trin llynnoedd fwy nag unwaith am fod y glaw asid yn parhau i ddisgyn. Mae'r problemau'n cynnwys: ychwanegu cyfansoddion calsiwm ychwanegol at lynnoedd, trefnu'r triniaethau, difrod i'r tir am fod y calch yn gorfod cael ei chwarela (caiff carbon deuocsid - nwy tŷ gwydr - ei ryddhau pan gaiff calchfaen ei rostio i wneud calch).
   b) <u>Manteision:</u> caiff sylffwr deuocsid ei atal cyn iddo ymollwng/mae'n haws trin ychydig o orsafoedd trydan na llawer o lynnoedd, afonydd a choedwigoedd/"y llygrwr sy'n talu"/defnyddiau defnyddiol fel sgil gynnyrch.
   <u>Anfanteision:</u> rhaid i galchfaen gael ei chwarela i wneud hyn (difrodi'r dirwedd)/marchnad gyfyngedig ar gyfer gypswm/ fyddan nhw'n llenwi'r tyllau a gaiff eu creu wrth chwarela'r calchfaen?/mae'n ddrutach i'r orsaf drydan.

Tud. 84:

1) 'Bydd egni o'r <u>Haul</u> yn symud drwy <u>atmosffer</u> y Ddaear ac yn <u>cynhesu</u> arwyneb y Ddaear. Caiff egni gwres o arwyneb y Ddaear ei belydru i'r <u>gofod</u> ond caiff peth ohono ei <u>adlewyrchu</u> gan nwyon yn yr atmosffer. Bydd hyn yn <u>cynhesu</u> yr atmosffer, sy'n <u>dda</u> i fywyd ar y Ddaear. Fodd bynnag, mae'r <u>CO_2</u> gormodol a gynhyrchir drwy losgi tanwyddau ffosil yn achosi i'r ddaear gynhesu gormod a gall hynny achosi llifogydd a sychder.'

2) a) Resbiradaeth, tanau mewn coedwigoedd, llosgfynyddoedd, glaw'n adweithio â chalchfaen, dŵr ffynnon.
   b) Carbon deuocsid. (Caiff sylffwr deuocsid ei ryddhau hefyd ac mae ganddo ran yn yr effaith tŷ gwydr. Ond mae hyn yn gymhleth ac ni chaiff ei gynnwys mewn gwaith TGAU.)
   c) Mae rhyddhau'r carbon o danwyddau ffosil wedi cynyddu'n sylweddol gydag amser, yn enwedig ers 1950. Mae'n debyg bod hyn yn ganlyniad i'r cynnydd mewn defnyddio olew ar gyfer cerbydau a defnyddio glo a nwy naturiol ar gyfer egni.
   d) Mae maint y carbon deuocsid yn yr atmosffer wedi cynyddu'n gyson ers 1850. Mae'n debyg bod hyn yn ganlyniad i ryddhau carbon deuocsid o danwyddau ffosil.
   e) Gall carbon deuocsid gael ei amsugno gan blanhigion ar gyfer ffotosynthesis. Gall hydoddi mewn dŵr. Gall gael ei ymgorffori yng nghregyn creaduriaid môr. Yn y pen draw gall ffurfio creigiau megis calchfaen.
   f) Mae carbon deuocsid yn nwy tŷ gwydr. Os bydd mwy ohono yn yr atmosffer, dylai amsugno mwy o egni gwres. Dylai tymheredd atmosffer y Ddaear godi o ganlyniad i hynny.
   g) Mae'r tymheredd wedi codi ac mae lefel y môr wedi codi hefyd. Mae'n debyg bod hyn yn ganlyniad i iâ'n ymdoddi yn y pegynnau ac mewn ardaloedd rhewlifol.
   h) Byddai disgwyl i lefel y môr a'r tymheredd godi. Bydd y codiad yn y tymheredd yn newid yr hinsawdd. Bydd y codiad yn lefel y môr yn achosi llifogydd mewn rhannau o'r byd lle mae'r tir yn isel.

Tud. 85, 86:

1) Mae <u>gwrteithiau artiffisial</u> yn sicrhau bod digon o fwynau yn y pridd i gynnal cyfradd uchel o dwf planhigion. Mae <u>anifeiliaid a phlanhigion wedi'u dethol yn artiffisial</u> yn darparu cynnydd yng nghynnyrch cynhyrchion fel llaeth, cig, gwenith a reis. Mae <u>mecaneiddio</u> wedi caniatáu trin mwy o dir â llai o bobl.

2) a) Mae angen lle i'r peiriannau droi. Mae perthi'n rhwystr ac yn gadael rhannau na all y peiriannau eu cyrraedd. All ffermydd bach ddim fforddio talu am y peiriannau.
   b) Pan geir gwared â choed a pherthi, collir cynefinoedd gan leihau nifer yr anifeiliaid a phlanhigion gwyllt a'r amrywiaeth ohonynt. Caiff poblogaethau eu hollti ac efallai na fyddant bellach yn cynnwys digon o unigolion i barhau.

3) a) Mewn rhai gwledydd mae'r boblogaeth wedi cynyddu gymaint fel bod angen tir ffermio newydd, felly caiff coedwigoedd eu clirio. Efallai y caiff tir ei ddefnyddio ar gyfer cnydau gwerthu (*cash crops*) fel cig eidion a choffi i wella incwm gwledydd tlawd o allforion.

Yr Amgylchedd Tud.86 → Tud.88

b) Cymerir llai o garbon deuocsid o'r atmosffer, a bydd llai o ocsigen yn cael ei gynhyrchu.
c) Ni cheir gwared â'r carbon deuocsid a gynhyrchir drwy losgi o'r atmosffer, gan y bydd llai o goed i ffotosyntheseiddio.
d) Bydd microbau'n rhyddhau carbon deuocsid o ganlyniad i resbiradaeth.

4) a) Y drefn gywir: Bydd gwrteithiau sydd dros ben yn cael eu trwytholchi o'r pridd i mewn i'r llyn. Bydd planhigion dŵr yn y llyn yn dechrau tyfu'n gyflym. Bydd mwy o gystadlu rhwng y planhigion a bydd rhai'n marw o ganlyniad i hyn. Bydd nifer y microbau sy'n bwydo ar organebau meirw yn cynyddu. Bydd y microbau'n cymryd mwy o ocsigen o'r dŵr ar gyfer eu resbiradaeth. Bydd pysgod ac anifeiliaid dyfrol eraill yn marw drwy fygu.
b) Am eu bod wedi derbyn nitradau a ffosffadau ychwanegol.
c) Maent yn debygol o fod yn cystadlu am olau a lle. Mae'n debyg bod yna ormod o nitradau, ffosffadau a dŵr.
d) Mae llai o ocsigen yn y dŵr am fod microbau dadelfennu ychwanegol yn defnyddio'r ocsigen i resbiradu.
e) Dydy'r nitradau ddim yn gyfyngedig oherwydd y cânt eu hychwanegu at y gymuned o'r tu allan. Mae ewtroffigedd yn lladd anifeiliaid ac yn y pen draw planhigion. Felly, dydy'r microbau ddim yn ailgylchu'r maetholyn ond yn hytrach maent yn achosi mwy o farwolaeth gyda hynny'n cael ei ddilyn gan fwy byth o bydru.
f) Mae'r canlyniadau amgylcheddol yn cynnwys gostyngiad yn amrywiaeth y gymuned, dŵr sy'n beryglus i iechyd neu na ellir ei yfed, gallai'r llyn siltio'n gynt a mynd yn fwy bas. Mae'r canlyniadau economaidd yn cynnwys colli pysgodfeydd, chwyn yn ei gwneud hi'n amhosibl defnyddio'r ddyfrffordd (e.e. Llyn Victoria), gallai fod angen triniaeth ychwanegol ar ddŵr yfed i'w wneud yn ddiogel, daw lleoedd gwyliau ar lan llyn yn anatyniadol i dwristiaid.
g) Atal dylifiad pellach o wrteithiau, tynnu planhigion sy'n gordyfu, gyrru dŵr ffres trwodd os yw'n bosibl, awyru'r dŵr (rhoddwyd cynnig ar ocsigenu uniongyrchol a chynhyrfu).

5) a) Bydd carthion nas triniwyd hefyd yn darparu bwyd ar gyfer microbau.
b) Cynnydd yn y boblogaeth a gorboblogi.
c) Efallai y bydd carthion crai yn cynnwys bacteria hyfyw sy'n achosi clefydau.

6) Gall y pren sy'n pydru fod yn ffynhonnell o fwyd ar gyfer microbau, gan arwain at ewtroffigedd (mae yna sefyllfa debyg gyda melinau papur). Bydd nifer y microbau sy'n bwydo ar organebau meirw yn cynyddu. Bydd y microbau'n cymryd mwy o ocsigen o'r dŵr ar gyfer eu resbiradaeth ac felly bydd pysgod ac anifeiliaid dyfrol eraill yn marw drwy fygu.

7) a) Cemegyn y bwriedir iddo ladd pryfed sy'n difrodi cnydau yw plaleiddiad, e.e. DDT (deuglorodiffenyltricloroethan) a dieldrin. Bydd defnyddio plaleiddiaid yn cynyddu cynnyrch cnydau drwy leihau plâu cnydau.
b) Wrth fynd i fyny'r gadwyn fwyd cynyddodd y crynodiad o *Bantanhw*. Y rheswm oedd bod pob organeb yn cronni'r cemegyn yn ei braster, ac yn hytrach na chael ei waredu o'r corff fe'i trosglwyddwyd i'r organeb nesaf yn y gadwyn fwyd lle byddai'n cronni fwy byth.
c) Gallai'r cemegyn fod wedi cael ei chwythu i mewn i'r pwll yn ystod y chwistrellu neu gael ei olchi i mewn iddo gan law.
d) Efallai y cafodd y plaleiddiad ei godi i'r atmosffer gan wyntoedd a'i gludo i'r pegynnau.
e) Rydym yn bwyta planhigion ac anifeiliaid, ac mae angen i ni fod yn hyderus eu bod yn iach ac nad ydynt yn cynnwys lefelau niweidiol o gemegau peryglus.

Tud. 87, 88:

1) Diagram cyflawn:

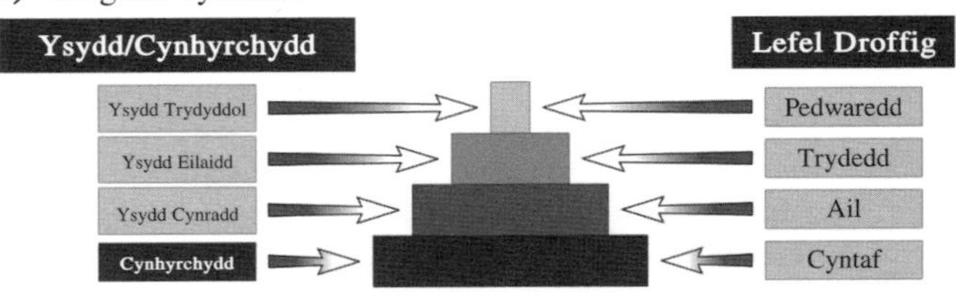

2) a)

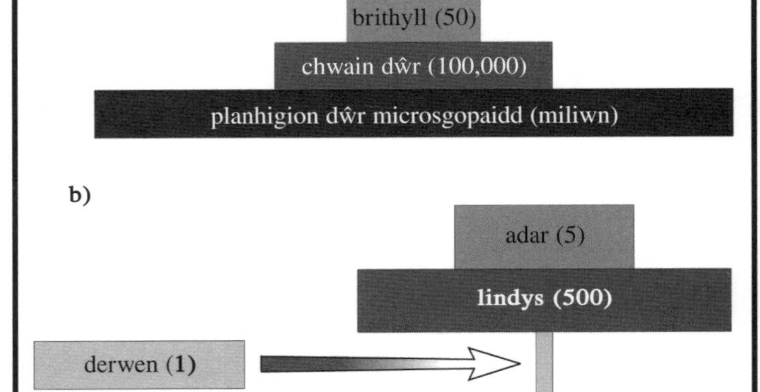

b)

adar (5)

lindys (500)

derwen (1)

c) Nid yw bob amser yn bosibl lluniadu'r barrau wrth raddfa oherwydd y gall y niferoedd ar bob lefel fod yn wahanol iawn. Er enghraifft, pe bai lled bar glas y dorlan yn 1mm, byddai lled bar planhigion dŵr microsgopaidd yn 1km!
d) Gall pyramid niferoedd fod heb siâp pyramid os oes cynhyrchydd mawr sengl.
e)

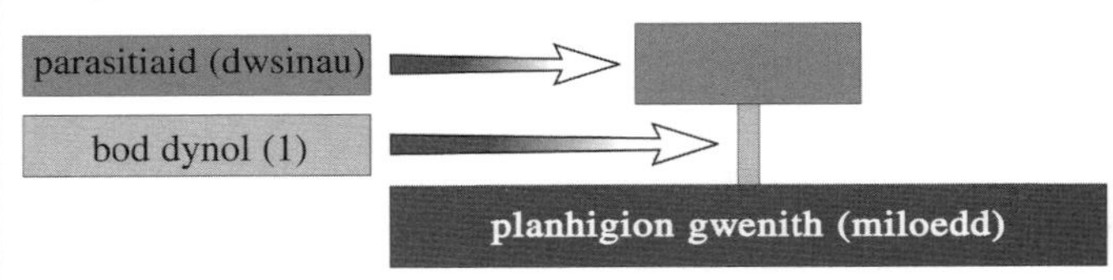

Yn debyg i'r ateb ar gyfer **d)**, mae'r parasitiaid yn byw drwy fwydo ar gynhyrchydd mawr sengl - bod dynol.
f) Unrhyw enghraifft addas nad yw'n byramidaidd ynghyd â labeli ac eglurhad perthnasol.

3) a) Mae pyramid niferoedd yn dangos niferoedd yr organebau ar bob lefel droffig mewn cadwyn fwyd.
b) Rhes F sydd fwyaf tebygol o gynrychioli niferoedd yr organebau.
c) Mae maint yr organeb yn cynyddu wrth fynd o'r chwith i'r dde ar hyd y gadwyn fwyd hon.
d) Pyramid A.

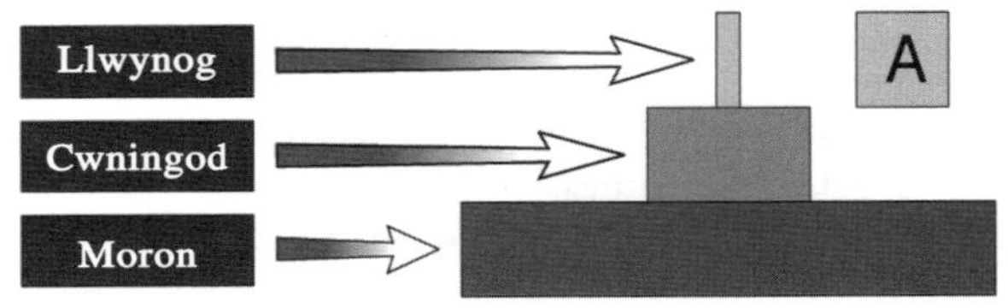

e) Po fwyaf yw maint yr organeb, mwyaf cul yw ei bar.

Yr Amgylchedd Tud.88 → Tud.91

4) Màs yr organebau byw ar lefel droffig benodol yw biomas. Mae pyramid biomas yn dangos màs yr organebau byw ar bob lefel droffig mewn cadwyn fwyd.

5) a) Ystyr màs sych yw màs gwrthrych ar ôl cael gwared â'r holl ddŵr. Gall maint y dŵr mewn organebau amrywio'n sylweddol rhwng organebau, ac felly efallai na fydd y pwysau gwlyb yn rhoi darlun cywir o faint o ddefnydd byw sydd ar bob lefel droffig.

b) (Mae 10cm ar gyfer y ffytoplancton yn gweithio'n dda.)

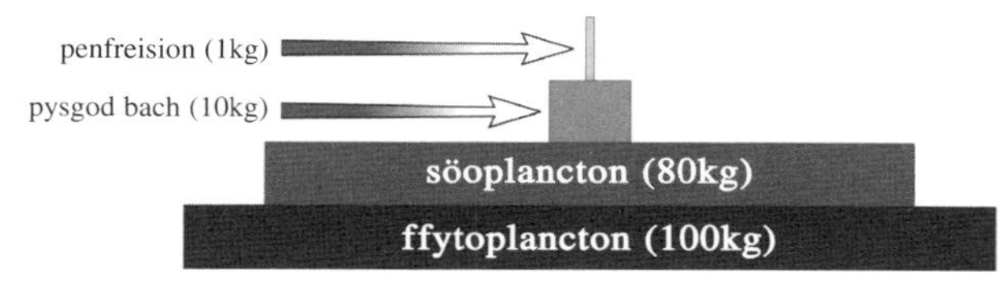

c) Os ydy biomas y lefel droffig isaf yn fawr iawn o'i gymharu â'r lefel uchaf, bydd lluniad wrth raddfa yn gofyn cael bar sy'n rhy fach i'w luniadu'n fanwl gywir. Wedyn gellir defnyddio llinell fertigol.

d) söoplancton → pysgod bach (70kg).

e) pysgod bach → penfreision (90%).

f) Collir biomas drwy ddefnyddiau gwastraff a maetholynnau a ddefnyddir ar gyfer resbiradaeth.

g) Byddai 1kg o benfreision sych yn bwyta 10kg o bysgod bach sych.
Gan fod yr un gyfran o ddŵr yn eu cyrff, byddai 1kg o benfreision gwlyb yn bwyta 10kg o bysgod bach gwlyb.
Felly byddai 7.5kg o benfreision gwlyb yn bwyta 75kg o bysgod bach gwlyb.
Felly byddai 1 penfras yn bwyta $75 \div 1.5$ = <u>50 o bysgod bach</u>

6) a) Pyramid A - Gallai cynhyrchydd mawr gynnal llawer o lysysyddion, sydd wedyn yn cynnal llai o gigysyddion + mae'r bar cyntaf yn fach.

b) Pyramid B - Mae'r siâp pyramid cywir i byramidau biomas.

c) Pyramid D - Mae parasitiaid yn llai na'u horganebau lletyol ac felly bydd mwy ohonynt, sy'n rhoi bar terfynol lletach.

d) Pyramidau B neu D - Y bar isaf fyddai'r mwyaf oherwydd y byddai angen llawer o algâu.

Tud. 89:

1) a) Mae planhigion yn ffotosyntheseiddio. Defnyddir golau o'r Haul i yrru ffotosynthesis.
Hafaliad: carbon deuocsid + dŵr → glwcos + ocsigen.

b) *Hafaliad*: glwcos + ocsigen → carbon deuocsid + dŵr
(+ egni wedi'i drosglwyddo)
Defnyddir yr egni a ryddheir ar gyfer twf, atgyweirio, gwres a symud.

c) Golau haul.

2) a) 500 - 250 - 150 = 100kJ b) 150 - 75 - 20 = 55kJ

c) Ar gyfer twf, atgyweirio, gwres a symud.

d) Lleihau resbiradaeth: Cyfyngu ar symud, e.e. drwy eu cadw mewn cawell. Bydd hyn yn lleihau gweithgaredd cyhyrol.
Eu cadw dan do/yn y gwres/rhoi cotiau iddynt. Bydd hyn yn lleihau'r gwres a gollir.

e) $150 \div 20 = 7^1/_2$ gwaith mwy o bobl.

f) 1) Marwolaeth, pydru a cholledion eraill o blanhigion.
Ffyrdd posibl o leihau'r colledion: tyfu rhywogaethau sy'n gwrthsefyll clefydau, troi'r defnydd marw yn gompost, defnyddio plaleiddiaid.
2) Ymgarthion moch. Ffyrdd posibl o leihau'r colledion: defnyddio ymgarthion y moch fel tail, defnyddio'r ymgarthion fel tanwydd i gynhesu sied y moch.

3) a) Caiff tua 10% o'r egni ei drosglwyddo wrth symud o un lefel droffig i'r lefel nesaf. Trwy dorri allan lefel droffig, dylai dengwaith mwy o egni gyrraedd bodau dynol, felly dylai dengwaith mwy o bobl gael eu bwydo.

b) Dydy'r cyfan o'r egni mewn planhigion ddim ar gael i fodau dynol, e.e. bwyd garw (y gall anifeiliaid cnoi cil ei ddefnyddio). Defnyddir mwy o egni yn rhyddhau maetholynnau o lawer o blanhigion gwydn nag o gig. Gall cig fod yn well ffynhonnell o rai maetholynnau hanfodol, e.e. asidau amino.

Tud. 90, 91:

1) a) Ffotosynthesis: carbon deuocsid + dŵr → glwcos + ocsigen.
Resbiradaeth: glwcos + ocsigen → carbon deuocsid + dŵr.

b) Mae resbiradaeth yn rhyddhau egni, mae angen egni ar ffotosynthesis.
Bydd resbiradaeth yn digwydd yn y mitocondria, bydd ffotosynthesis yn digwydd yn y cloroplastau.

c) Bydd resbiradaeth yn rhyddhau cyfansoddyn carbon i'r atmosffer, bydd ffotosynthesis yn tynnu cyfansoddyn carbon o'r atmosffer. Y cyfansoddyn perthnasol yw carbon deuocsid.

d) Y rhan o'r gylchred garbon wedi'i llenwi:

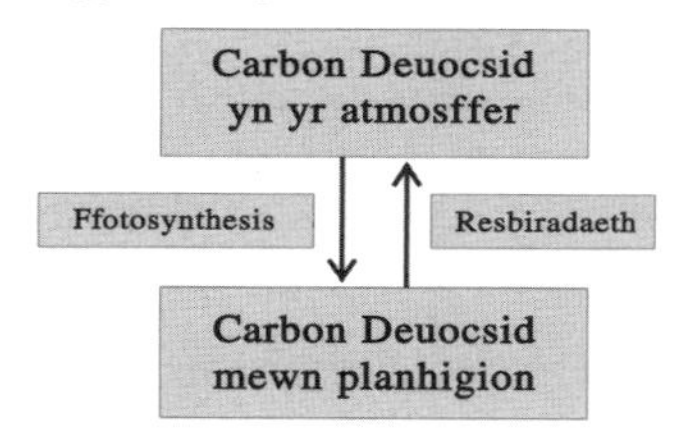

e) Mae'r ddwy broses yn cynnwys carbon deuocsid, glwcos, ocsigen a dŵr. Mae'r ddwy'n cynnwys egni. Mae'r ddwy'n digwydd y tu mewn i gelloedd.
Mae'n ymddangos eu bod yn wrthwyneb i'w gilydd, gan fod resbiradaeth yn rhyddhau egni o glwcos a bod ffotosynthesis yn defnyddio egni i wneud glwcos. Maen nhw'n digwydd mewn rhannau gwahanol o'r gell.

2) Pe na bai yna facteria a ffyngau a allai dreulio cellwlos, ni fyddai defnydd planhigion yn pydru'n llwyr ac efallai na fyddai maetholynnau gwerthfawr yn cael eu rhyddhau. (Wedyn dim ond trwy losgi y gallai'r carbon gael ei ailgylchu.)

3) a) Dadelfenyddion.

b) Bydd y bacteria a'r ffyngau yn cael maetholynnau ar gyfer resbiradaeth ac ar gyfer twf ac atgyweirio.

c) Caiff carbon deuocsid ei ddychwelyd i'r atmosffer (drwy resbiradaeth).

d) Mwynau a chyfansoddion nitrogen.

e) Mae bacteria a ffyngau yn bwysig am eu bod yn cael gwared ag anifeiliaid a phlanhigion meirw, maen nhw'n rhyddhau mwynau a maetholynnau gwerthfawr oddi wrthynt. Mae'r mwynau a'r maetholynnau hyn yn hanfodol i gael planhigion i dyfu'n iach (heb blanhigion, byddai'r gylchred garbon yn dod i ben).

4) 'Bydd microbau'n treulio defnyddiau'n gyflymach pan fyddan nhw mewn amodau <u>cynnes</u> sy'n <u>llaith</u>. Bydd llawer o ficrobau'n gweithio'n well os bydd mwy o <u>ocsigen</u> yn yr amgylchedd.'

Yr Amgylchedd Tud.91 → Tud.92

5) a) Mae carthion yn cynnwys ymgarthion dynol a throeth, gyda meintiau amrywiol o ddŵr o gartefi a diwydiant. Yn aml mae'n cynnwys bacteria niweidiol. Mae angen eu trin fel na fyddan nhw'n gwneud drwg i afonydd, llynnoedd a moroedd pan gân nhw eu rhyddhau.

b) Amodau addas: cynnes, gwlyb, awyrog (i gael llawer o ocsigen). Mewn rhai camau defnyddir haenau o gerrig i roi arwynebedd arwyneb mawr.

c) Dydy'r mwynau a'r cyfansoddion nitrogen yn y cynhwysion gwreiddiol ddim ar gael i'r planhigion, ond mewn compost mae'r cellfuriau wedi cael eu torri i lawr i'w rhyddhau. Bydd rhai cemegau niweidiol wedi cael ei troi'n gemegau diniwed.

d) Mae gweddillion planhigion llaith fel toriadau gwair, pilion moron a bagiau te yn addas ar gyfer gwneud compost. Gall tail a phapurau newydd gael eu defnyddio hefyd. Defnyddir compost fel gwrtaith ac i wella'r pridd.

Tud. 92:

1) a) Dadelfenyddion.

b) Bydd planhigion yn amsugno nitradau drwy eu gwreiddiau ac yn eu defnyddio i gynhyrchu asidau amino, proteinau (a DNA).

c) Diagram wedi'i lenwi:

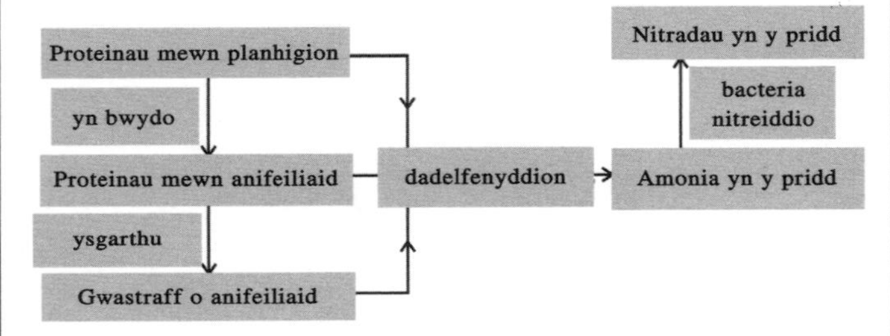

2) a) & b) Diagram cyflawn:

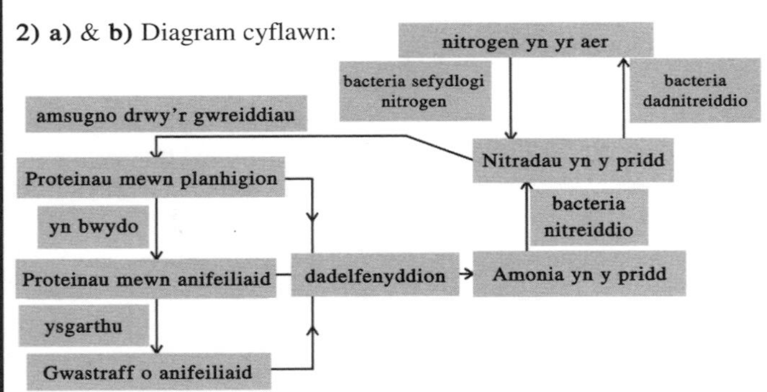

c) Pwyntiau allweddol: Bydd dadelfenyddion yn torri i lawr proteinau ac wrea o blanhigion, anifeiliaid a gwastraff anifeiliaid i ffurfio amonia a chyfansoddion amoniwm yn y pridd. Bydd bacteria nitreiddio yn y pridd yn troi'r amonia a'r cyfansoddion amoniwm yn nitradau yn y pridd. Bydd bacteria dadnitreiddio yn y pridd yn troi nitradau yn nwy nitrogen atmosfferig. Bydd bacteria sefydlogi nitrogen yn y pridd yn troi nitrogen yn nitradau yn y pridd. Bydd bacteria sefydlogi nitrogen mewn gwreiddgnepynnau yn troi nitrogen yn nitradau yn y pridd sy'n cael eu hamsugno gan wreiddiau'r planhigion.

d) Pe bai bacteria dadnitreiddio yn fwy actif na'r lleill, gallai'r holl nitrogen fynd i'r atmosffer yn hytrach nag i organebau byw, a fyddai wedyn yn marw o ganlyniad i hynny. Ni fyddai o bwys pe baen nhw'n llai actif gan fod dychwelyd nitrogen i'r atmosffer yn ddiwerth o safbwynt organebau byw.